*Crianças francesas
não fazem manha*

PAMELA DRUCKERMAN

Crianças francesas não fazem manha

Os segredos parisienses para educar os filhos

Tradução
Regiane Winarski

29ª reimpressão

Copyright © 2012 by Pamela Druckerman

Grafia atualizada segundo o Acordo Ortográfico da Língua Portuguesa de 1990, que entrou em vigor no Brasil em 2009.

Título original
Bringing up bébé

Capa
Luciana Gobbo

Imagem de capa
Nellie Ryan

Revisão
Raquel Correa
Lilia Zanetti
Cristiane Pacanowski

cip-Brasil. Catalogação na fonte
Sindicato Nacional dos Editores de Livros, rj

D856n
    Druckerman, Pamela
        Crianças francesas não fazem manha: os segredos parisienses para educar os filhos / Pamela Druckerman; tradução Regiane Winarski. – 1ª ed. – Rio de Janeiro: Objetiva, 2013.

        Tradução de: Bringing up bébé.
        ISBN 978-85-359-0429-4

        1. Crianças – Formação – França. 2. Pais e filhos – França. 3. Crianças – Formação – Estados Unidos. 4. Pais e filhos – Estados Unidos. i. Título

12-7866
        CDD: 649.10944
        CDU: 649(44)

Todos os direitos desta edição reservados à
EDITORA SCHWARCZ S.A.
Praça Floriano, 19, sala 3001 — Cinelândia
20031-050 — Rio de Janeiro — rj
Telefone: (21) 3993-7510
facebook.com/Fontanar.br

Para Simon,

que faz tudo ter importância

Nota:

Alguns nomes e detalhes foram modificados para proteger a privacidade dos envolvidos.

Les petits poissons dans l'eau
Nagent aussi bien que les gros.

Os pequenos peixes na água
Nadam tão bem quanto os grandes.

— Cantiga infantil francesa

Sumário

Glossário de termos franceses relacionados à educação de filhos 13

Crianças francesas não fazem manha 17

Capítulo 1: Você está esperando uma criança? 25

Capítulo 2: Paris está arrotando 37

Capítulo 3: Cumprindo as noites 49

Capítulo 4: Espere! 66

Capítulo 5: Pequenos humanos 86

Capítulo 6: Creche? 102

Capítulo 7: Bébé au lait 119

Capítulo 8: A mãe perfeita não existe 132

Capítulo 9: Caca boudin   146

Capítulo 10: Double entendre   162

Capítulo 11: Adoro essa baguete   173

Capítulo 12: Você só precisa experimentar   187

Capítulo 13: Sou eu quem decide   207

Capítulo 14: Deixe que ela viva a vida dela   227

O futuro em francês   240

Agradecimentos   245
Notas   247
Bibliografia   257
Índice   263

Glossário de termos franceses relacionados à educação de filhos

attend (ah-tán) — espere, pare. Uma ordem que os pais franceses dizem para a criança. "Espere" implica que a criança não precisa de gratificação imediata e que pode se distrair sozinha.

au revoir (oh-re-vuá) — adeus. O que uma criança francesa deve dizer quando se despede de um adulto conhecido. É uma das quatro "palavras mágicas" francesas para crianças. Veja *bonjour*.

autonomie (oh-to-no-mí) — autonomia. A mistura de independência e autossuficiência que os pais franceses encorajam nos filhos desde cedo.

bêtise (bê-tíz) — um pequeno ato de desobediência. Rotular uma transgressão como mera *bêtise* ajuda os pais a reagirem com moderação a ela.

bonjour (bon-jur) — oi, bom dia. O que uma criança deve dizer quando encontra um adulto que conhece.

caca boudin (caca bu-dã) — literalmente, "cocô linguiça". Um palavrão usado quase exclusivamente por crianças francesas em idade pré-escolar.

cadre (cá-dre) — moldura ou estrutura. Uma imagem visual que descreve o ideal francês de criação: estabelecer limites firmes para as crianças, mas dando a elas grande liberdade dentro desses limites.

glossário de termos franceses relacionados à educação de filhos

caprice (ca-prís) — um choro, desejo ou exigência impulsivo de uma criança, em geral acompanhado de choramingos ou lágrimas. Os pais franceses acreditam que é ruim ceder aos *caprices*.

classe verte (clas vér-te) — aula verde. A partir da 1ª série, é uma viagem anual da escola na qual os alunos passam uma semana mais ou menos em um ambiente natural. A professora cuida dos alunos junto com alguns outros adultos.

colonie de vacances (co-lo-ní de va-cân-ce) — colônia de férias. Uma das centenas de férias em grupo para crianças a partir de 4 anos, sem os pais, normalmente no campo.

complicité (com-pli-ci-tê) — cumplicidade. O entendimento mútuo que os pais e cuidadores franceses tentam desenvolver com as crianças, desde o nascimento. *Complicité* implica que mesmo os bebês pequenos são seres racionais, com quem os adultos podem ter relacionamentos recíprocos e respeitosos.

crèche (créch) — um centro de cuidado infantil de tempo integral, subsidiado e regulado pelo governo. Os pais franceses de classe média geralmente preferem creches a babás ou a cuidados em grupo em casas particulares.

doucement (du-ce-mã) — gentilmente, cuidadosamente. Uma das palavras que os pais e cuidadores dizem com frequência para crianças pequenas. Ela traz a ideia de que as crianças são capazes de comportamento cuidadoso e atencioso.

doudou (du-du) — o objeto de conforto obrigatório para crianças pequenas. Costuma ser um bicho de pelúcia.

école maternelle (e-co-le ma-ter-né-le) — a pré-escola pública e gratuita da França. Começa em setembro do ano em que a criança faz 3 anos.

éducation (e-du-ca-cion) — educação. O modo como os pais franceses educam os filhos.

enfant roi (an-fã ruá) — filho rei. Uma criança excessivamente exigente que costuma ser o centro das atenções dos pais e que não sabe lidar com frustrações.

équilibre (e-qui-lí-bre) — equilíbrio. Não deixar que nenhuma parte da vida, inclusive o fato de ser pai ou mãe, sufoque as outras partes.

éveillé/e (e-ve-iê) — desperto, alerta, estimulado. É um dos ideais para as crianças francesas. O outro é que sejam *sage*.

gourmand/e (gur-mân) — uma pessoa que come rápido demais, muito de uma coisa ou muito de tudo.

goûter (gu-tê) — o lanche da tarde para as crianças, feito às 16h30, mais ou menos. O *goûter* é o único lanche do dia. Também pode ser um verbo: você já *goûter*?

les gros yeux (le grôz iê) — "os grandes olhos". O olhar de reprovação que os adultos franceses dão para as crianças, para sinalizar que parem de fazer uma *bêtise*.

maman-taxi (má-mã ta-xí) — mamãe táxi. Uma mulher que passa boa parte do tempo livre levando os filhos para as atividades extracurriculares. Isso não é *équilibrée*.

n'importe quoi (nam-por-te cuá) — qualquer coisa; aquilo que você quiser. Uma criança que faz *n'importe quoi* age sem limites e sem se importar com os outros.

non (non) — não; absolutamente não.

profiter (prô-fi-tê) — apreciar o momento e tirar vantagem dele.

punir (pû-ni) — punir. Ser punido é sério e importante.

rapporter (ra-por-tê) — delatar alguém, entregar. As crianças e os adultos franceses acreditam que é uma coisa muito ruim de se fazer.

sage (ságe) — sábio e calmo. Isso descreve uma criança que tem controle sobre si mesma e está absorta em uma atividade. Em vez de dizer "seja bom", os pais franceses dizem "seja *sage*".

tétine (tê-ti-ne) — chupeta. Não é incomum ver esse objeto nas bocas de crianças francesas de 3 ou 4 anos.

Crianças francesas não fazem manha

Quando minha filha estava com um ano e meio de idade, meu marido e eu decidimos fazer uma pequena viagem de férias de verão com ela. Escolhemos uma cidade praiana que fica a poucas horas de trem de Paris, onde moramos (sou americana e ele é britânico), e reservamos um quarto de hotel com berço. Naquele momento, ela era nossa única filha, então nos perdoe por pensar: "O quanto pode ser difícil?"

Tomamos café da manhã no hotel. Mas temos que almoçar e jantar nos restaurantes de frutos do mar perto do velho porto. Rapidamente descobrimos que duas refeições por dia em restaurantes com uma criança pequena merecem ser consideradas um círculo do inferno. Bean se interessa pela comida por pouco tempo: um pedaço de pão ou qualquer coisa frita. Mas em poucos minutos ela começa a sacudir saleiros e rasgar pacotinhos de açúcar. Logo ela exige ser libertada do cadeirão, para poder correr pelo restaurante e sair perigosamente em disparada em direção ao cais.

Nossa estratégia é terminar a refeição rapidamente. Fazemos o pedido assim que nos sentamos e imploramos que o garçom traga logo um pouco de pão e toda a nossa comida, a entrada e o prato principal ao mesmo tempo. Enquanto meu marido come um pouco de peixe, cuido para que Bean não seja chutada por um garçom nem caia no mar. Em seguida, trocamos. Deixamos gorjetas gordas como um pedido de desculpas, para compensar o monte de guardanapos rasgados e de pedaços de lula espalhados ao redor da mesa.

Em nossa caminhada de volta ao hotel, juramos nunca mais viajar, tentar nos divertir e ter mais filhos. Essa viagem de "férias" sela o fato de que a vida como conhecíamos 18 meses antes está oficialmente terminada. Não sei bem qual é o motivo de estarmos surpresos.

Depois de mais algumas refeições em restaurantes, reparo que as famílias francesas ao nosso redor não parecem estar no inferno. Estranhamente, parecem estar de férias. As crianças francesas da mesma idade de Bean estão sentadas com alegria nos cadeirões, esperando a comida ou comendo peixe e até mesmo legumes e verduras. Não há gritos nem choros. Todo mundo come um prato da refeição de cada vez. E não há restos ao redor das mesas.

Embora eu já more na França há alguns anos, não consigo explicar isso. Em Paris, as crianças não costumam ser levadas a restaurantes. E, de qualquer modo, nunca prestei atenção nelas. Antes de eu ter filhos, nunca prestei atenção nos filhos de ninguém. E agora, praticamente só olho para a minha. Mas, em nossa infelicidade atual, não consigo deixar de perceber que parece haver outro jeito. Mas qual é, exatamente? Será que as crianças francesas são geneticamente mais calmas do que as nossas? Será que foram subornadas (ou ameaçadas) para serem submissas? Será que são produto de uma filosofia de criação antiga sobre a qual ninguém fala?

Não parece ser isso. As crianças francesas ao nosso redor não parecem intimidadas. São alegres, falantes e curiosas. Os pais são carinhosos e atenciosos. Apenas parece haver uma força invisível e civilizadora na mesa deles (e, estou começando a desconfiar, na vida deles) que não existe na nossa.

Quando começo a pensar no jeito francês de educar os filhos, percebo que não é só a hora das refeições que é diferente. De repente, tenho muitas perguntas. Por que, por exemplo, nas centenas de horas que passei em parquinhos franceses, nunca vi uma criança (exceto a minha) ter uma crise de birra? Por que meus amigos franceses não precisam largar correndo o telefone porque os filhos exigem alguma coisa? Por que a sala de estar da casa deles não foi ocupada por cabanas e cozinhas de brinquedo, como a nossa?

E tem mais. Por que tantas crianças americanas que conheço fazem dieta exclusiva de massa ou arroz branco, ou comem só uma pequena variedade de comida "de criança", enquanto os amigos franceses da minha filha comem peixe, legumes, verduras e praticamente tudo? E como é que, exceto em um horário certo de lanche durante a tarde, as crianças francesas não beliscam?

Jamais pensei que deveria admirar o jeito de os franceses educarem os filhos. Não é uma *coisa*, como a moda francesa ou os queijos franceses. Ninguém vai a Paris para absorver a opinião local sobre autoridade dos pais ou gerenciamento de culpa. O que acontece é o contrário: as mães americanas que conheço em Paris ficam horrorizadas pelas mães francesas quase não amamentarem e deixarem os filhos de 4 anos saírem de chupeta.

Então como elas nunca comentam que tantos bebês franceses começam a dormir a noite toda com dois ou três meses? E por que não mencionam que as crianças francesas não precisam da atenção constante dos adultos e que parecem capazes de ouvir a palavra "não" sem ter um ataque?

Ninguém está falando disso. Mas fica cada vez mais claro para mim que, silenciosamente e em massa, os pais franceses estão alcançando resultados que criam uma atmosfera completamente diferente para a vida familiar. Quando as famílias americanas visitam nossa casa, os pais normalmente passam grande parte do tempo apartando brigas dos filhos, ajudando os menores a correr ao redor da ilha da cozinha ou sentados no chão para construir cidades de Lego. Sempre há algumas rodadas de choro e consolo. Mas, quando os franceses nos visitam, nós, adultos, tomamos café e as crianças brincam juntas com alegria.

Os pais franceses são muito preocupados com os filhos.[1] Eles sabem sobre pedófilos, alergias e perigos de engasgo. Tomam precauções lógicas. Mas não vivem em pânico pelo bem-estar dos filhos. Essa aparência mais calma os torna melhores tanto em estabelecer limites quanto em dar autonomia a eles.

Não sou a primeira a observar que a classe média dos Estados Unidos tem um problema com a criação de filhos. Em centenas de livros e artigos, esse problema foi arduamente diagnosticado, criticado e nomeado: a superproteção leva os nomes de *overparenting*, *hyperparenting*, *helicopterparenting* e, meu favorito, *kindergarchy*.* Um autor define o problema como "simplesmente prestar mais atenção à educação das crianças do que pode ser bom para eles".[2] Outra, Judith Warner, chama de "cultura da maternidade total". (Na verdade, ela percebeu que isso era um problema depois de voltar

---

* Os termos não têm tradução correspondente em português, mas todos remetem à superproteção dos cuidados paternais e maternais (*parenting*) utilizando-se dos prefixos *over* (muito, em excesso), *hyper* (hiper) e *helicopter* (helicóptero). *Kindergarchy* é um jogo de palavras que significa a dominação pelas crianças. (N. da E.)

da França.) Ninguém parece gostar do ritmo cruel e infeliz da criação americana, muito menos os próprios pais.

Então por que fazemos assim? Por que esse jeito americano de educar filhos parece estar tão incutido na nossa geração, mesmo que, como eu, outros pais tenham saído do país? Primeiro, começando nos anos 1980, houve uma enorme quantidade de dados e retórica pública dizendo que as crianças pobres ficam para trás na escola porque não recebem estímulos o suficiente, principalmente nos primeiros anos. Os pais da classe média interpretaram isso como dizendo que seus filhos se beneficiariam de mais estímulo também.[3]

Por volta da mesma época, a lacuna entre americanos ricos e pobres começou a aumentar muito. De repente, parecia que os pais precisavam preparar os filhos para se juntarem a essa nova elite. Expor os filhos às coisas certas desde cedo (e talvez antes das outras crianças da mesma idade) começou a parecer mais urgente.

Junto com essa mentalidade competitiva havia uma crença em desenvolvimento de que as crianças são psicologicamente frágeis. Os jovens pais de hoje são parte da geração que mais fez psicanálise e que absorveu a ideia de que cada escolha que fazemos pode prejudicar nossos filhos. Nós também chegamos à maioridade durante o boom dos divórcios nos anos 1980, e estamos determinados a agir com menos egoísmo do que acreditamos que nossos pais fizeram.

E embora o índice de crimes violentos nos Estados Unidos tenha despencado desde o auge, no começo dos anos 1990,[4] as notícias criam a impressão de que as crianças estão correndo mais risco físico do que nunca. Sentimos que somos pais em um mundo muito perigoso, que devemos ficar sempre alertas.

O resultado de tudo isso é um estilo de educação de filhos estressante e exaustivo. Mas agora, na França, vislumbrei um outro modo. Uma mistura de curiosidade jornalística e desespero maternal toma conta de mim. No final de nossa viagem arruinada à praia, decido descobrir o que os pais franceses estão fazendo de diferente. Vai ser um trabalho de mãe investigadora. Por que as crianças francesas não fazem manha? E por que os pais não gritam? Que força invisível e civilizadora é essa que os franceses dominaram? Será que posso mudar o modo como estou programada e aplicar isso à minha prole?

Percebo que minha ideia faz sentido quando descubro uma pesquisa[5] organizada por um economista em Princeton, no qual mães de Columbus,

Ohio, disseram que cuidar de filhos era uma tarefa desagradável em um índice maior do que o dobro em comparação à opinião de mães da cidade de Rennes, na França. Isso corrobora minhas próprias observações em Paris e em viagens de visita aos Estados Unidos: tem alguma coisa no jeito que os franceses educam os filhos que torna a tarefa menos massacrante e mais prazerosa.

Estou convencida de que os segredos da criação francesa estão escondidos ao alcance dos olhos. Só que ninguém os procurou antes. Começo a levar um caderno na bolsa de fraldas da minha filha. Cada ida ao médico, jantar, encontro para as crianças brincarem e teatro de marionetes se torna uma chance para eu observar os pais franceses em ação e descobrir as regras tácitas que eles seguem.

A princípio, é difícil perceber. Os pais franceses parecem variar entre serem extremamente rigorosos e chocantemente permissivos. Fazer perguntas a eles também não ajuda muito. A maior parte dos pais com quem falo insiste que não está fazendo nada de especial. Ao contrário, estão convencidos de que a França sofre de uma síndrome de "filho rei", que fez com que os pais perdessem a autoridade. (A isso, eu respondo: "Você não sabe nada sobre 'filhos reis'. Por favor, viaje para Nova York.")

Por vários anos, e passando pelo nascimento de mais dois filhos em Paris, continuo a descobrir mais pistas. Descubro, por exemplo, que existe uma "dr. Spock"* da França, que é muito famosa em todo o país, mas não tem um único livro publicado em inglês. Leio os livros dessa mulher e muitos outros. Entrevisto dezenas de pais e especialistas. E escuto as conversas dos outros sem vergonha nenhuma na saída da escola e em idas ao supermercado. Por fim, acho que descobri o que os pais franceses fazem de diferente.

Quando digo "pais franceses", estou generalizando, é claro. Todo mundo é diferente. A maior parte dos pais que conheci mora em Paris e nas redondezas. A maior parte deles é formada na faculdade, tem emprego e ganha acima da média francesa. Não são extremamente ricos e nem elites da mídia. São a classe média e média-alta com estudo. Assim como os pais americanos a quem os comparo.

---

* O dr. Benjamin Spock, pediatra norte-americano, escreveu o livro mais famoso globalmente sobre a criação de bebês e crianças. Sua obra foi lançada na década de 1940 e vendeu milhões de exemplares em todo o mundo. As ideias do dr. Spock sobre educação de filhos tiveram grande influência entre pais e mães nas décadas seguintes. (N. da E.)

Mesmo assim, quando viajo pela França, vejo que as ideias básicas do parisiense de classe média sobre como criar filhos pareceriam familiares para uma mãe da classe trabalhadora das províncias francesas. Na verdade, fico impressionada com o fato de que, ao mesmo tempo que os pais franceses talvez não saibam o que fazem, todos parecem estar fazendo mais ou menos a mesma coisa. Advogados abastados, cuidadores nas creches francesas, professores de escola pública e senhoras idosas que me repreendem no parque, todos emanam o mesmo princípio básico. O mesmo acontece com praticamente todos os livros franceses sobre bebês e revistas dirigidas a pais que leio. Rapidamente fica claro que ter um filho na França não exige a escolha de uma filosofia de criação e educação. Todo mundo mais ou menos usa as regras básicas sem perceber. Esse fato por si só torna a atmosfera menos ansiosa.

Por que a França? Eu certamente não sofro de influência a favor da França. *Au contraire*, nem tenho certeza se gosto de morar aqui. Tenho certeza de que não quero que meus filhos cresçam e sejam parisienses arrogantes. Mas, com todos os seus problemas, a França é o contraste perfeito para os problemas atuais no estilo americano de educar os filhos. Por outro lado, os pais da classe média francesa têm valores que me parecem bastante familiares. Os pais parisienses são zelosos quanto a conversar com os filhos, mostram a natureza a eles e leem muitos livros. Eles os levam para aulas de tênis, de pintura, e museus interativos de ciências.

Mas os franceses conseguiram ser envolvidos sem ser obcecados. Eles acham que mesmo os bons pais não estão a serviço constante dos filhos e que não há necessidade de sentir culpa por isso. "Para mim, as noites são dos pais", me diz uma mãe parisiense. "Minha filha pode ficar conosco se quiser, mas é um momento adulto." Os pais franceses querem que os filhos sejam estimulados, mas não o tempo todo. Enquanto algumas crianças pequenas americanas estão tendo aulas de mandarim e pré-treinamento para a alfabetização, as crianças francesas estão (propositalmente) agindo como crianças pequenas.

E os franceses andam tendo muitos filhos. Enquanto os vizinhos de continente sofrem de declínio populacional, a França está tendo uma explosão de nascimentos. Na União Europeia, só os irlandeses têm taxa de natalidade maior.[6]

Os franceses têm todo tipo de serviço público que ajuda a tornar a ideia de ter filhos mais atraente e menos estressante. Os pais não precisam pagar pela pré-escola, nem se preocupar com planos de saúde e nem guardar dinheiro para a faculdade. Muitos recebem ajuda financeira mensal, transferida diretamente para suas contas bancárias, só por terem filhos.

Mas esses serviços públicos não explicam as diferenças que vejo. Os franceses parecem ter um parâmetro completamente diferente para educar os filhos. Quando pergunto a pais franceses como castigam os filhos, eles precisam de um tempo apenas para entender o que quero dizer. "Ah, você quer perguntar como os *educamos?*", perguntam eles. "Castigar", eu logo percebo, é uma categoria limitada e pouco usada que lida com punições. Por outro lado, "educar" (que não tem nada a ver com escola) é uma coisa que eles imaginam estar fazendo o tempo todo.

Há anos, as manchetes vêm declarando a morte do estilo atual de cuidar de filhos. Há dezenas de livros oferecendo teorias americanas que vão ajudar a criar os filhos de maneira diferente.

Eu não tenho nenhuma teoria. O que tenho, espalhada à minha frente, é uma sociedade perfeitamente funcional com crianças que dormem bem e comem como gourmets e com pais razoavelmente tranquilos. Vou começar com este resultado e trabalhar no sentido contrário para descobrir como os franceses chegaram nele. Acontece que, para ser um tipo diferente de mãe ou pai, você não apenas precisa de uma nova filosofia de criação de filhos. Você precisa de uma visão bem diferente do que uma criança realmente é.

Capítulo 1

Você está esperando uma criança?

São dez horas da manhã quando o editor me chama à sala dele e me manda fazer uma limpeza dental. Ele diz que meu plano dental vai acabar no meu último dia no jornal. Isso acontecerá em cinco semanas, diz ele.

Mais de duzentos funcionários são demitidos naquele dia. A notícia faz aumentar por pouco tempo o preço das ações de nossa empresa principal. Tenho algumas ações e penso em vendê-las (por ironia mais do que por lucro), para ganhar alguma coisa com minha própria demissão.

Em vez disso, ando pela Baixa Manhattan em estado de estupor. Convenientemente, está chovendo. Fico debaixo de uma marquise e ligo para o homem com quem ia me encontrar naquela noite.

— Acabei de ser demitida — eu digo.

— Você não está arrasada? — pergunta ele. — Ainda quer jantar?

Na verdade, estou aliviada. Finalmente estou livre de um emprego que, depois de quase seis anos, não tive coragem de largar. Eu era repórter na área estrangeira em Nova York e cobria eleições e crises financeiras na América Latina. Era comum ser avisada de viagens com poucas horas de antecedência para depois passar semanas morando em hotéis. Por um tempo, meus chefes esperaram grandes feitos de minha parte. Falavam de trabalhar como editora, no futuro. Pagaram para que eu aprendesse português.

Mas, de repente, não estão esperando mais nada. E, estranhamente, não me incomodo com isso. Eu gostava mesmo de filmes sobre correspondentes estrangeiros. Mas ser uma de verdade era bem diferente. Eu costumava ficar sozinha, presa a uma história sem fim, atendendo ligações de editores que sempre queriam mais. Eu às vezes visualizava o jornal como um touro mecânico de rodeio. Os homens que trabalhavam do mesmo jeito que eu tinham esposas costa-riquenhas ou colombianas que viajavam com eles. Pelo menos eles jantavam em uma mesa quando finalmente voltavam para casa. Os homens com quem eu saía eram menos disponíveis para viagens. E, de qualquer jeito, eu raramente ficava em uma cidade tempo o bastante para chegar a um terceiro encontro.

Fico aliviada por sair do jornal. Mas não estou preparada para me tornar socialmente tóxica. Na semana seguinte às demissões, enquanto ainda passo na redação, os colegas me tratam como se eu tivesse alguma doença contagiosa. As pessoas com quem trabalhei durante anos não dizem nada e evitam a minha mesa. Um colega me acompanha em um almoço de despedida, mas não entra no prédio comigo depois. Bem depois que terminei de tirar as coisas da minha mesa, meu editor (que estava fora da cidade quando a guilhotina caiu) insiste que eu volte ao escritório para um relatório humilhante, no qual ele sugere que eu me candidate a um emprego inferior, e sai correndo para almoçar.

De repente, duas coisas ficam claras para mim: não quero escrever mais sobre política nem dinheiro. E quero um namorado. Estou de pé em minha cozinha de um metro de largura, me perguntando o que fazer com o resto da minha vida, quando Simon telefona. Nós nos conhecemos seis meses antes em um bar em Buenos Aires, quando um amigo em comum o levou em um encontro de correspondentes estrangeiros. Ele é um jornalista britânico que estava passando alguns dias na Argentina para escrever um artigo sobre futebol. Fui enviada para lá para cobrir o colapso econômico do país. Pelo que ele diz, estávamos no mesmo voo de Nova York para lá. Ele se lembrava de mim como a mulher que tinha atrasado a decolagem quando, já a caminho do avião, reparei que tinha esquecido a compra do duty-free na sala de embarque e insisti em voltar para buscar. (Eu fazia a maior parte das minhas compras em aeroportos.)

Simon era exatamente meu tipo: moreno, atarracado e inteligente. (Embora seja de altura mediana, ele depois acrescenta "baixo" à lista, pois cresceu na Holanda em meio a gigantes louros.) Poucas horas depois de conhecê-lo, percebo que "amor à primeira vista" apenas significa me sentir extremamente à vontade com alguém assim que o conheço. Mas tudo que eu disse na época foi: "Definitivamente, não devemos dormir juntos."

Eu estava encantada, mas cautelosa. Simon tinha acabado de fugir do mercado de imóveis de Londres para comprar um apartamento barato em Paris. Eu vivia viajando entre a América do Sul e Nova York. Um relacionamento a distância com uma pessoa em um terceiro continente parecia impossível. Depois do encontro na Argentina, trocamos e-mails ocasionais. Mas não me permiti levá-lo muito a sério. Eu esperava que houvesse homens morenos e inteligentes no mesmo fuso horário que eu.

Vamos para sete meses depois. Quando Simon liga do nada e conto para ele que fui demitida, ele não fica emotivo nem me trata como pessoa problemática. Ao contrário, parece feliz por eu finalmente ter tempo livre. Ele diz que sente que temos "negócios não concluídos" e que gostaria de ir a Nova York.

"É uma péssima ideia", eu digo. Para quê? Ele não pode se mudar para os Estados Unidos, porque escreve sobre futebol europeu. Não falo francês e nunca pensei em morar em Paris. Embora eu de repente esteja com facilidade de me deslocar, tenho medo de ser puxada para a órbita de outra pessoa antes mesmo de ter uma nova que seja só minha.

Simon chega a Nova York usando a mesma jaqueta de couro surrada que estava usando na Argentina e carregando o sanduíche de *bagel* com salmão defumado que comprou em uma delicatéssen perto do meu apartamento. Um mês depois, conheço os pais dele em Londres. Seis meses depois, vendo a maior parte das minhas coisas e envio o resto para a França. Todos os meus amigos me dizem que estou sendo precipitada. Eu os ignoro e saio de meu apartamento alugado em Nova York com três enormes malas e uma caixa de moedas sul-americanas, que dou para o motorista paquistanês que me leva até o aeroporto.

E, de repente, sou parisiense. Vou morar no apartamento de solteiro de dois quartos de Simon em um antigo bairro de carpinteiros no leste de Paris. Enquanto ainda recebo meus cheques do seguro-desemprego, abandono o jornalismo financeiro e começo a pesquisar para um livro. Simon e eu trabalhamos um em cada quarto durante o dia.

O encanto de nosso novo romance termina quase de imediato, principalmente por questões de decoração. Uma vez, li em um livro sobre feng shui que ter pilhas de coisas no chão é sinal de depressão. Para Simon, parece apenas sinalizar uma aversão a prateleiras. Ele inteligentemente investiu em uma enorme mesa de madeira não terminada que ocupa a maior parte da sala e em um sistema de aquecimento a gás primitivo, o que torna a existência de água quente uma incerteza. Fico particularmente irritada pelo hábito dele de deixar as moedas dos bolsos caírem no chão, onde elas se acumulam de alguma maneira nos cantos de cada aposento. "Livre-se do dinheiro", eu imploro.

Também não encontro muito consolo fora de nosso apartamento. Apesar de estarmos na capital gastronômica do mundo, não consigo escolher o que comer. Como a maior parte das mulheres americanas, chego em Paris com preferências alimentares extremas. (Sou vegetariana com tendência à dieta do dr. Atkins.) Ao andar pela cidade, me sinto cercada por tantas padarias e menus de restaurante cheios de pratos de carne. Por um tempo, sobrevivo quase completamente de omeletes e saladas de queijo de cabra. Quando peço aos garçons para trazerem o "molho separado", eles me olham como se eu fosse louca. Não entendo por que os supermercados franceses têm estoque de todos os cereais americanos, exceto meu favorito, Grape-Nuts, e por que os cafés não servem leite desnatado.

Sei que parece ingrato não ficar louca por Paris. Talvez eu ache superficial me apaixonar por uma cidade só porque é tão bonita. As cidades pelas quais me apaixonei no passado eram todas um pouco, bem, mais morenas: São Paulo, Cidade do México, Nova York. Elas não relaxavam e esperavam para serem admiradas.

Nossa área de Paris nem é tão bonita. E a vida cotidiana é cheia de pequenas decepções. Ninguém menciona que a "primavera em Paris" é tão celebrada porque os sete meses antecedentes são nublados e gelados. (Eu chego, convenientemente, no começo desse período de sete meses.) E, apesar de estar convencida de me lembrar do francês que aprendi no oitavo ano, os parisienses têm outro nome para a língua que falo com eles: espanhol.

Há muitas coisas atraentes em Paris. Gosto de as portas do metrô abrirem alguns segundos antes de o trem parar, o que sugere que a cidade trata os cidadãos como adultos. Também gosto do fato de que, nos meus primeiros seis meses lá, praticamente todo mundo que conheço nos Estados Unidos ir me visitar, inclusive pessoas que mais tarde aprendo a colocar na categoria de "amigos de Facebook". Simon e eu acabamos por desenvolver uma rigorosa política de admissão e um padrão de avaliação para nossos hóspedes. (Dica: se você ficar por uma semana, deixe um presente.)

Não me incomodo com a famosa grosseria parisiense. Pelo menos, isso é interativo. O que me incomoda é a indiferença. Ninguém além de Simon parece gostar de eu estar lá. E ele sai com frequência para cuidar de sua fantasia parisiense, que é tão descomplicada que conseguiu durar. Até onde sei, Simon nunca foi a um museu. Mas ele descreve ler o jornal em um café como uma experiência quase transcendental. Uma noite, em um restaurante próximo de casa, ele fica extasiado quando um garçom coloca um prato de queijos na frente dele.

"É por isso que moro em Paris!", declara ele. Eu percebo que, pela propriedade transitória do amor e do queijo, devo morar em Paris por causa daquele prato de queijo fedido também.

Para ser justa, estou começando a achar que não é Paris o problema, sou eu. Nova York gosta que suas mulheres sejam meio neuróticas. Elas são encorajadas a criar uma agitação inteligente, adorável e conflitante ao redor de si, estilo Meg Ryan em *Harry e Sally – Feitos um para o outro* ou Diane Keaton em *Noivo Neurótico, Noiva Nervosa*. Apesar de não ter nada mais sério do que problemas amorosos, muitas das minhas amigas de Nova York gastavam mais com terapia do que com o aluguel.

Esse tipo de pessoa não funciona em Paris. Os franceses gostam dos filmes de Woody Allen. Mas, na vida real, a mulher parisiense é calma, discreta, um pouco distante e extremamente determinada. Ela pede pratos do cardápio. Não fica falando sobre a infância ou a dieta. Se a mulher de Nova York é aquela que rumina sobre os erros do passado e luta para se encontrar, a de Paris é aquela que, ao menos na aparência, não se arrepende de nada. Na França, ser "neurótica" não é um jeito de autodepreciação misturada com vanglória; é uma condição clínica.

Até Simon, que é apenas britânico, fica perplexo com meus autoquestionamentos e minha frequente necessidade de discutir nossa relação.

— Em que você está pensando? — eu pergunto periodicamente a ele, em geral quando está lendo o jornal.

— No futebol holandês — diz ele invariavelmente.

Não consigo saber se ele está falando sério. Percebi que Simon vive em um estado de perpétua ironia. Ele diz tudo, inclusive "eu te amo", com um sorrisinho de deboche. Mas raramente ri, mesmo quando tento contar uma piada. (Alguns amigos próximos não sabem que ele tem covinhas.) Simon insiste que não sorrir é um hábito britânico. Mas tenho certeza de que já vi ingleses rindo. E, de qualquer modo, é desmoralizante que, quando consigo falar inglês com alguém, ele não pareça estar ouvindo.

O fato de não rir também aponta para uma fenda cultural ainda maior entre nós. Como americana, preciso que as coisas sejam bem claras. No trem de volta a Paris depois do fim de semana com os pais de Simon, eu pergunto se eles gostaram de mim.

— É claro que gostaram, você não percebeu? — pergunta ele.

— Mas eles *disseram* que gostaram de mim? — eu pergunto, exigindo saber.

Em busca de outras companhias, cruzo a cidade em uma série de "encontros às escuras com amigos", com amigos de amigos americanos. A maioria é imigrante também. Nenhum parece animado de fazer contato com uma recém-chegada sem noção. Vários parecem ter transformado a "vida em Paris" em uma espécie de trabalho por si só e na resposta versátil para a pergunta "O que você faz?" Muitos chegam atrasados, como se quisessem provar que viraram cidadãos locais. (Depois de um tempo, descubro que os franceses costumam chegar na hora quando têm um encontro individual com outra pessoa. Só costumam chegar elegantemente atrasados a eventos em grupo, incluindo aniversários infantis.)

Minhas tentativas iniciais de fazer amigos franceses são ainda menos bem-sucedidas. Em uma festa, me dou razoavelmente bem com uma historiadora da arte que tem mais ou menos a minha idade e que fala um inglês excelente. Mas, quando nos encontramos de novo para tomar chá na casa dela, fica claro que cumprimos rituais de amizade feminina bem diferentes. Estou preparada para seguir o modelo americano de confissão e espelhamento, com vários reconfortantes "eu também". Ela come o doce com vontade e discute teorias da arte. Saio de lá com fome e sem nem saber se ela tem namorado.

O único espelhamento que tenho é em um livro de Edmund White, o escritor americano que morou na França nos anos 1980. Ele é a primeira pessoa que afirma que se sentir deprimido e sem propósito é uma reação perfeitamente racional a viver em Paris. "Imagine morrer e ficar grato por ter ido para o céu, até que um dia (ou um século) você percebe que seu humor principal era a melancolia, embora estivesse constantemente convencido de que a felicidade estava depois da próxima esquina. Assim é viver em Paris durante anos, até mesmo décadas. É um inferno brando e tão confortável que parece o céu."

Apesar de minhas dúvidas quanto a Paris, ainda estou bem segura quanto a Simon. Acabei me resignando ao fato de que "moreno" vem invariavelmente acompanhado de "bagunceiro". E aprendi a ler as microexpressões dele melhor. Um esboço de sorriso significa que ele entendeu a piada. O raro sorriso largo sugere grande elogio. Ele até ocasionalmente diz "isso foi engraçado" em um tom monótono.

Também me anima o fato de que, para um rabugento, Simon tem dezenas de amigos leais e antigos. Talvez seja porque, por trás das camadas de ironia, ele seja encantadoramente indefeso. Ele não sabe dirigir, encher um balão no sopro e nem dobrar roupas sem usar os dentes. Enche a geladeira com produtos enlatados fechados. Por questão de conveniência, ele cozinha tudo na temperatura mais alta. (Um amigo da faculdade me conta depois que ele era conhecido lá por servir coxas de galinha queimadas por fora e ainda congeladas por dentro.) Quando mostro a ele como fazer molho de salada usando azeite e vinagre, ele anota a receita e ainda recorre a ela um ano depois quando faz o jantar.

Também a favor de Simon, preciso dizer que nada na França o incomoda. Ele está em seu habitat sendo estrangeiro. Os pais dele são antropólogos que o criaram em várias cidades do mundo e o treinaram desde o nascimento para apreciar os costumes locais. Já tinha morado em seis países (incluindo um ano nos Estados Unidos) antes dos 10 anos. Ele adquire novas línguas do mesmo jeito que adquiro sapatos.

Decido que, por Simon, vou dar uma verdadeira chance à França. Nós nos casamos em um castelo do século XIII fora de Paris, que é cercado por um fosso. (Ignoro o simbolismo.) Em nome da harmonia marital, alugamos um apartamento maior. Compro estantes na Ikea e coloco tigelas para moedas em todos os aposentos. Tento canalizar minha pragmática interior em vez de minha neurótica interior. Em restaurantes, começo a pedir a comida que tem no cardápio e experimento de vez em quando um pedaço de foie gras. Meu francês começa a parecer menos com um excelente espanhol e mais com um francês bem ruim. Em pouco tempo, estou instalada: tenho um escritório em casa, um prazo de entrega de livro e até alguns novos amigos.

Simon e eu conversamos sobre bebês. Nós dois queremos ter um. Eu queria três, na verdade. E gosto da ideia de tê-los em Paris, onde serão bilíngues sem esforço e autenticamente internacionais. Mesmo se crescerem nerds, podem mencionar que "cresceram em Paris" e se tornarem instantaneamente legais.

Estou preocupada com engravidar. Passei muito tempo da minha vida adulta tentando, com bastante sucesso, não engravidar. Não faço ideia se sou boa no contrário. Isso acaba sendo tão vertiginoso quanto nossa paquera. Em um dia, jogo no Google "como engravidar". No dia seguinte, ao que parece, estou vendo as duas linhas cor-de-rosa em um teste de gravidez francês.

Estou extasiada. Mas, junto com minha onda de alegria, vem minha onda de ansiedade. Minha decisão de ser menos Carrie Bradshaw e mais Catherine Deneuve imediatamente desmorona. Este não parece o momento para agir como francesa. Estou tomada pela ideia de que tenho que controlar minha gravidez e fazer tudo certo. Horas depois de dar a boa notícia a Simon, entro na internet para procurar sites americanos sobre gravidez e vou correndo comprar alguns guias de gravidez na livraria de língua inglesa perto do Louvre. Quero saber, em inglês simples, exatamente com o que me preocupar.

Em poucos dias, estou tomando vitaminas pré-natal e viciada na coluna "É seguro?" do site BabyCenter. É seguro comer produtos não orgânicos na gravidez? É seguro passar o dia no computador? É seguro usar salto alto, exagerar nos doces de Halloween ou viajar de férias para lugares de grande altitude?

O que torna a coluna "É seguro?" tão compulsiva é que ela cria novas ansiedades (É seguro fazer fotocópias? É seguro engolir sêmen?), mas se recusa a acalmá-las com um simples "sim" ou "não". O que acontece é que especialistas discordam uns dos outros e desviam da resposta. "É seguro fazer a unha enquanto estou grávida?" Bem, sim, mas a exposição crônica aos solventes usados no salão não é boa para você. É seguro jogar boliche? Bem, sim e não.

Os americanos que conheço também acreditam que a gravidez (e, depois, a maternidade) vem com dever de casa. A primeira tarefa é escolher dentre uma miríade de estilos de criação. Todo mundo com quem falo se guia por livros diferentes. Compro muitos deles. Mas, em vez de me fazer sentir mais preparada, ter tantos conselhos conflitantes torna os próprios bebês enigmáticos e misteriosos. Quem eles são e de que precisam parecem depender de que livro você lê.

E nos tornamos especialistas em tudo o que pode dar errado. Uma nova-iorquina que está visitando Paris declara, durante o almoço, que há chance de cinco em mil que o bebê dela seja natimorto. Ela diz que sabe que isso é horrível e sem sentido, mas não consegue evitar. Outra amiga, que infelizmente tem doutorado em saúde pública, passa a maior parte do primeiro trimestre catalogando os riscos do bebê de contrair todas as doenças possíveis.

Percebo que essa ansiedade também está no inconsciente coletivo britânico, quando visitamos a família de Simon em Londres. (Decidi acreditar que os pais dele me adoram.) Estou sentada em um café quando uma mulher bem-vestida me interrompe para descrever um novo estudo que mostra que o consumo de muita cafeína aumenta o risco de aborto espontâneo. Para enfatizar o quanto é de confiança, ela diz que "é casada com um médico". Eu não estou nem aí para quem o marido dela é. Mas fico irritada pela suposição dela de que não li o estudo. É claro que li; estou tentando sobreviver com uma xícara por semana.

Com tantos estudos e preocupações, estar grávida cada vez mais parece um emprego de tempo integral. Passo cada vez menos tempo trabalhando no meu livro, que tenho que entregar antes de o bebê nascer. Em vez disso, me reúno com outras americanas em salas de bate-papo para mulheres com previsão de parto para a mesma época. Como eu, elas estão acostumadas a personalizar seus ambientes, mesmo que seja apenas para tomar café com leite de soja. E, como eu, elas acham o evento mamífero primitivo acontecendo dentro de seus corpos incrivelmente fora de controle. A preocupação (assim como agarrar os braços da poltrona durante uma turbulência no avião) pelo menos faz parecer que não está.

As publicações americanas sobre gravidez, que consigo acessar facilmente de Paris, parecem estar aguardando para canalizar essa ansiedade. Elas se concentram na única coisa que as mulheres grávidas conseguem controlar: a comida. "Enquanto você leva o garfo à boca, reflita: 'É um alimento que vai beneficiar meu bebê?' Se for, vá em frente...", explicam os autores de *O que esperar quando você está esperando*, o manual americano de gravidez reconhecidamente aflitivo e best-seller.

Estou ciente de que as proibições nos meus livros não são todas igualmente importantes. Os cigarros e o álcool são definitivamente ruins, enquanto frutos do mar, frios, ovos crus e queijo não pasteurizado são perigosos apenas se tiverem sido contaminados com algo tão raro quanto listéria ou salmonela. Mas, por segurança, tomo cada proibição literalmente. É fácil evitar ostras e foie gras. Mas, como estou na França, estou em pânico quanto ao queijo. "O parmesão no meu prato de massa é pasteurizado?", eu pergunto para garçons surpresos. Simon recebe a força da minha ira. Ele esfregou a tábua de corte depois de picar o frango cru? Ele realmente ama nosso filho ainda não nascido?

O que esperar contém algo chamado A Dieta da Gravidez, que o criador alega poder "melhorar o desenvolvimento cerebral fetal", "reduzir o risco de certos defeitos de nascimento" e "até tornar mais provável que seu filho cresça e se torne um adulto saudável". Cada porção parece representar potenciais pontos no exame SAT.* Não importa a fome: se eu sentir falta de uma porção de proteína no final do dia, a Dieta da Gravidez diz que devo mergulhar em uma porção de salada de ovo antes de dormir.

Eles me atingiram com a palavra "dieta". Depois de anos fazendo dieta para ficar magra, é emocionante fazer "dieta" para ganhar peso. Parece uma recompensa por passar tantos anos magra o bastante até conseguir um marido. Meus fóruns on-line estão cheios de mulheres que ganharam entre 20 e 25 quilos acima do limite recomendado. É claro que todas nós preferiríamos parecer aquelas celebridades compactamente grávidas usando vestidos de marca ou as modelos na capa da revista *FitPregnancy*. Algumas mulheres que conheço conseguem ficar assim. Mas uma mensagem americana concorrente diz que devemos nos dar passe livre. "Vá em frente e COMA", diz a autora gordinha de *De mulher para mulher: Tudo que você precisa saber sobre gravidez*, com o qual me aconchego na cama. "Que outros prazeres existem para as mulheres grávidas?"

Incrivelmente, a Dieta da Gravidez diz que posso "trapacear" com um ocasional cheesebúrguer ou donut com cobertura. A gravidez americana pode parecer uma grande trapaça. As listas de desejos de gravidez parecem um catálogo das comidas que as mulheres vêm se obrigando a não comer desde adolescentes: cheesecake, milk-shake, macarrão com queijo e torta de sorvete. Tenho desejo de colocar limão em tudo e de comer pães inteiros.

Alguém me contou que Jane Birkin, a atriz e modelo britânica que fez carreira em Paris e se casou com o famoso cantor francês Serge Gainsbourg, nunca conseguia lembrar se era *un baguette* ou *une baguette*, então ela pedia *deux baguettes* (duas baguetes). Não consigo encontrar a citação. Mas sempre que vou à padaria, sigo essa estratégia. Assim, certamente ao contrário da esquelética Birkin, eu posso comer as duas.

Não estou apenas perdendo meu corpo. Também estou perdendo a noção de mim mesma como alguém que saía para jantar e se preocupava com os palestinos. Agora, passo meu tempo livre estudando modelos de carrinho e decorando as possíveis causas de cólica. Essa evolução de "mulher" a "mãe" parece inevitável. Um editorial de moda em uma revista americana de gra-

---

* O SAT é um exame educacional nos Estados Unidos que serve de critério para admissão nas universidades norte-americanas. Semelhante ao ENEM brasileiro, embora as universidades não se baseiem somente nas notas dos alunos para aprová-los. (N. da E.)

videz, que compro em uma visita aos Estados Unidos, mostra mulheres de barrigas grandes com camisas largas e calças de pijamas masculinos e diz que essas roupas devem ser usadas o dia todo. Talvez para escapar de terminar meu livro, fantasio sobre largar o jornalismo e fazer treinamento para ser parteira.

O sexo de verdade é o último dominó simbólico a tombar. Embora seja tecnicamente permitido, livros como *O que esperar* presumem que o sexo durante a gravidez é naturalmente complicado. "O que levou você a esta situação agora pode se tornar um dos seus maiores problemas", avisam os autores. Eles descrevem 18 fatores que podem inibir sua vida sexual, incluindo "medo de que a introdução do pênis na vagina possa causar infecção". Se uma mulher efetivamente fizer sexo, eles recomendam uma nova faceta em múltiplas tarefas: aproveitar o momento para fazer exercícios Kegel, que tonificam seu canal vaginal em preparação ao parto.

Não sei bem se alguém segue esse conselho. Como eu, elas provavelmente assumem um tom e um estado mental preocupados. Mesmo no exterior, é contagioso. Considerando o quanto sou suscetível, provavelmente é melhor eu estar longe da fonte. Talvez a distância me dê alguma perspectiva na maternidade.

Já estou começando a desconfiar que criar um filho vai ser bem diferente na França. Quando sento em cafés em Paris, com minha barriga empurrando a mesa, ninguém dá um pulo para me avisar sobre os perigos da cafeína. Na verdade, as pessoas acendem cigarros ao meu lado. A única pergunta que estranhos fazem quando reparam em minha barriga é: "Você está esperando uma criança?" Demoro um tempo para entender que não acham que estou esperando uma criança de 6 anos para almoçar enquanto mata aula. É o francês para "Você está grávida?".

Estou esperando uma criança. Provavelmente, é a coisa mais importante que já fiz. Apesar dos meus lamentos quanto a Paris, tem alguma coisa bem gostosa em estar grávida em um lugar onde sou praticamente imune ao julgamento das outras pessoas. Embora Paris seja uma das cidades mais cosmopolitas do planeta, eu me sinto distante. Em francês, não identifico pessoas importantes quando são citadas, nem histórias de faculdade e nem nada que, para um francês, poderia sinalizar o ranking e a importância social de alguém. E, como sou estrangeira, os franceses também não sabem meu status.

Quando fiz as malas e fui para Paris, nunca imaginei que a mudança seria permanente. Agora, estou começando a me preocupar de Simon gostar demais de ser estrangeiro. Depois de morar em tantos países quando criança, é o estado natural dele. Ele confessa que se sente ligado a muitas pessoas e cidades e que não precisa de um lugar como lar oficial. Ele chama esse estilo de vida de "semidistanciado", como aquelas casas geminadas em Londres.

Vários de nossos amigos anglófonos já foram embora da França, normalmente quando mudaram de emprego. Mas nossos empregos não exigem que moremos aqui. Fora o prato de queijos, não temos motivo para morar em Paris. E "não temos motivo", somado a um bebê, está começando a parecer o motivo mais forte de todos.

Capítulo 2

Paris está arrotando

Nosso novo apartamento não fica na Paris dos cartões-postais. Fica em uma calçada estreita de um bairro de roupas chinesas, onde somos constantemente empurrados por homens carregando sacos de lixo cheios de roupas. Não há sinal de que estamos na mesma cidade que a Torre Eiffel, a Notre-Dame ou mesmo o elegantemente sinuoso Sena.

Mas, de alguma forma, esse novo bairro dá certo para nós. Simon e eu temos cafés favoritos ali perto e nos dirigimos a eles todos os dias de manhã para um pouco de solidão em sociedade. Também aqui a socialização segue regras fora do comum. Não há problema em conversar com os garçons, mas, em geral, não conversamos com os outros fregueses (a não ser que estejam no bar, falando com o garçom também). Embora eu me sinta distante, preciso de contato humano. Em determinada manhã, tento engatar uma conversa com outro freguês regular, um homem que vejo todo dia há meses. Digo para ele, com sinceridade, que ele parece um americano que conheço.

— Quem, George Clooney? — pergunta ele com desdém. Jamais voltamos a nos falar.

Tenho mais avanços com os novos vizinhos. A calçada entulhada em frente ao nosso prédio leva a um pátio com piso de pedra, onde casas baixas e apartamentos ficam de frente uns para os outros. Os moradores são uma mistura de artistas, jovens profissionais, pessoas misteriosamente desempregadas e mulheres idosas que caminham com hesitação e precariamente sobre as pedras irregulares. Moramos tão próximos uns dos outros que temos que reconhecer a presença dos outros, embora alguns ainda consigam não fazer isso.

O fato de a minha vizinha de porta, uma arquiteta chamada Anne, estar grávida com data prevista do parto para alguns meses antes de mim ajuda. Embora eu esteja envolvida pelo meu turbilhão americano de comer e me preocupar, não consigo não reparar que Anne e as outras grávidas francesas que conheço lidam com a gravidez de maneira bem diferente.

Para começar, elas não tratam a gravidez como um projeto de pesquisa independente. Há muitos livros franceses para pais, revistas e sites na internet. Mas não são leituras necessárias, e ninguém parece consumir isso em lotes. Ninguém que conheço está em busca comparativa de uma filosofia de criação de filhos, nem sabe citar técnicas diferentes pelo nome. Não há nenhum livro novo de leitura obrigatória, nem os especialistas têm o mesmo controle sobre os pais.

"Esses livros podem ser úteis para pessoas inseguras, mas acho que não dá para criar uma criança lendo um livro. Você tem que seguir seu *instinto*", diz uma mãe parisiense.

As francesas que conheço não são nada indiferentes quanto à maternidade, nem quanto ao bem-estar dos seus bebês. São temerosas, preocupadas e estão cientes da imensa transformação que estão prestes a passar na vida. Mas elas sinalizam isso de forma diferente. As mulheres americanas tipicamente demonstram sua dedicação se preocupando e deixando claro o quanto estão dispostas a se sacrificar, mesmo durante a gravidez; as mulheres francesas demonstram sua dedicação projetando calma e exibindo o fato de que não renunciaram ao prazer.

Uma foto na revista *Neuf Mois* (Nove Meses) mostra uma morena em final de gravidez com um conjunto de renda, mordendo um doce e lambendo a geleia do dedo. "Durante a gravidez, é importante mimar a mulher interior", diz outro artigo. "Acima de tudo, resista à vontade de pegar a camisa do companheiro emprestada." Uma lista de afrodisíacos para futuras mamães inclui chocolate, gengibre, canela e, como estamos falando da França, mostarda.

Percebo que as mulheres francesas comuns levam isso a sério quando Samia, uma mãe que mora em nosso bairro, me convida para conhecer o apartamento dela. Ela é filha de imigrantes argelinos e cresceu em Chartres. Estou admirando o teto alto e os candelabros quando ela pega uma pilha de fotos em cima da lareira.

"Nesta eu estava grávida, e aqui eu estava grávida. *Et voilà*, o barrigão!", diz ela, me entregando várias fotos. É verdade, ela está extremamente grávida nas fotos. Também está extremamente de topless.

Primeiro de tudo, fico chocada, porque usamos o formal tratamento de *vous* uma com a outra, e agora ela casualmente me entregou fotos dela nua. Mas também fico surpresa de as fotos serem tão glamourosas. Samia parece uma daquelas modelos de lingerie das revistas, mas *sans* a maior parte da lingerie.

É verdade que Samia é sempre meio dramática. Quase todos os dias, ela deixa o filho de 2 anos na creche com cara de quem acabou de sair de um film noir: sobretudo bege amarrado apertado na cintura, delineador preto e uma camada recente de batom vermelho intenso. Ela é a única pessoa francesa que conheço que realmente usa boina.

De qualquer modo, Samia apenas abraçou a sabedoria convencional francesa de que a metamorfose de quarenta semanas até você virar mãe não deve tornar você menos mulher. As revistas de gravidez francesas não apenas dizem que as grávidas podem fazer sexo; elas explicam exatamente como fazer. *Neuf Mois* indica dez posições sexuais diferentes, incluindo "cavalgada", "cavalgada invertida", "cachorrinho" (que ela chama de *"un grand classique"*) e "a cadeira". "Os remadores" tem seis etapas, sendo a última delas: "Ao balançar o torso para a frente e para trás, a mulher provoca deliciosas fricções…"

Neuf Mois também menciona os méritos de vários acessórios sexuais para grávidas (sim para "bolas ben-wa", não para vibradores ou qualquer coisa elétrica). "Não hesite! Todo mundo ganha, até o bebê. Durante um orgasmo, ele sente o 'efeito hidromassagem', como se estivesse recebendo uma massagem na água", explica o texto. Um pai em Paris avisa meu marido para não ficar "na área de trabalho" durante o trabalho de parto, para preservar meu mistério feminino.

Os casais grávidos franceses não são apenas mais tranquilos quanto a sexo. Também são mais tranquilos quanto à comida. Samia faz uma conversa com o obstetra parecer uma fala de peça cômica.

"Eu disse: 'Doutor, estou grávida, mas adoro ostras. O que faço?' Ele disse: 'Coma ostras!'", diz ela. "Ele me explicou: 'Você parece uma pessoa bem racional. Lave bem as coisas. Se comer sushi, coma em um bom restaurante.'"

O estereótipo de que as francesas fumam e bebem durante a gravidez está muito ultrapassado. A maior parte das mulheres diz que tomou uma ocasional taça de champanhe ou nada de álcool. Vejo uma mulher grávida fumando apenas uma vez, na rua. Podia ser o seu único cigarro do mês.

A questão não é que na França pode tudo. É que as mulheres devem ser calmas e sensatas. Ao contrário de mim, as mães francesas que conheço fazem distinção entre as coisas que são quase definitivamente perigosas e as que são perigosas só se estiverem contaminadas. Outra mulher que conheço no bairro é Caroline, uma fisioterapeuta com sete meses de gravidez. Ela diz que o médico nunca mencionou restrições alimentares, e ela nunca perguntou. "É melhor não saber!", diz ela. Ela me conta que come *steak tartare* e que é claro que comeu foie gras com a família no Natal. Ela só toma o cuidado de comer em bons restaurantes ou em casa. A única concessão dela é que, quando come queijo não pasteurizado, corta fora a casca.

Não vejo nenhuma grávida comendo ostras. Se visse, talvez jogasse meu enorme corpo em cima da mesa para impedi-la. Ela certamente ficaria surpresa. Fica claro por que os garçons franceses ficam perplexos quando os interrogo sobre os ingredientes em cada prato. As mulheres francesas não costumam criar caso por causa disso.

A imprensa francesa voltada para grávidas não se prolonga em improváveis situações de pior das hipóteses. *Au contraire*, sugere que o que as futuras mães mais precisam é serenidade. "Nove meses de spa" é a manchete de uma revista francesa. *O guia para novas mães*, um livreto gratuito preparado com o apoio do Ministério da Saúde francês, diz que as dicas alimentares favorecem o "crescimento harmonioso" do bebê e que as mulheres deveriam procurar "inspiração" em diferentes sabores. "A gravidez deveria ser um momento de grande felicidade!", declara o livreto.

E isso tudo é seguro? Parece que sim. A França bate os Estados Unidos em quase todas as medidas de saúde maternal e infantil. O índice de mortalidade infantil é 57% mais baixo na França em comparação aos Estados Unidos. De acordo com a Unicef, cerca de 6,6% dos bebês franceses têm baixo peso ao nascer em comparação com 8% dos bebês americanos. O risco de uma mulher americana morrer durante a gravidez ou durante o parto é de um em 4.800; na França, é de um em 6.900.[1]

O que realmente me faz entender a mensagem francesa de que a gravidez deve ser saboreada não é a estatística nem são as mulheres grávidas que conheço, é a gata grávida. É uma gata magra de olhos cinzentos que mora em nosso pátio e está prestes a parir. A dona dela, uma bela pintora na casa dos 40 anos, me diz que planeja castrar a gata depois que os gatinhos nascerem. Mas que não conseguia suportar a ideia de fazer isso antes de a gata ter passado por uma gravidez. "Eu queria que ela tivesse essa experiência", diz ela.

É claro que as futuras mães francesas não são apenas mais calmas do que nós. Como a gata, também são mais magras. Algumas grávidas francesas engordam, sim. Em geral, a proporção de gordura corporal parece aumentar quanto mais você se afasta do centro de Paris. Mas as parisienses de classe média que vejo ao meu redor têm a aparência daquelas celebridades americanas no tapete vermelho. Elas têm barrigas mínimas acima de pernas, braços e quadris finos. Vistas de costas, você normalmente não consegue perceber que estão grávidas.

São tantas as grávidas com essas proporções que deixo de reparar quando passo por uma na calçada ou no supermercado. Essa norma francesa é rigorosa. As calculadoras de gravidez americanas me dizem que, com minha altura e minha constituição física, devo ganhar até 16 quilos durante a gravidez. Mas as calculadoras francesas me dizem para não ganhar mais do que 12 quilos. (Quando vejo isso, já é tarde demais.)

Como as mulheres francesas ficam dentro desses limites? A pressão social ajuda. Amigas, irmãs e sogras transmitem abertamente a mensagem de que a gravidez não é um passe livre para se empanturrar. (Sou poupada do pior disso porque não tenho sogros franceses.) Audrey, uma jornalista francesa com três filhos, me conta que confrontou a cunhada alemã, que era alta e esbelta.

"Assim que ficou grávida, ela ficou enorme. E eu a vi e achei monstruoso. Ela me disse: 'Não, tudo bem, tenho o direito de relaxar. Tenho o direito de ficar gorda. Não é nada demais', etc. Para nós, franceses, é horrível dizer isso. Nós *jamais* diríamos isso." Ela acrescenta uma cutucada disfarçada de sociologia. "Acho que os americanos e os europeus do norte são muito mais relaxados do que nós quando se trata de estética."

Todo mundo acha natural que as mulheres grávidas devam lutar para manter o corpo intacto. Enquanto minha podóloga trabalha nos meus pés, ela diz de repente que devo passar óleo de amêndoas doces na barriga para evitar estrias. (Faço isso com obediência e não tenho nenhuma.) As revistas dirigidas a pais têm grandes matérias sobre como minimizar os danos da gravidez aos seios. (Não ganhe muito peso e tome um jato frio de água diariamente no peito.)

Os médicos franceses tratam os limites de ganho de peso como ordens sagradas. Os anglófonos em Paris ficam rotineiramente chocados quando os obstetras dão bronca por passarem até mesmo um pouco dos limites. "São apenas os homens franceses tentando manter suas mulheres magras", reclamou uma inglesa casada com um francês, lembrando-se das consultas pré-natal em Paris. Os pediatras sentem liberdade de comentar sobre a barriga pós-parto quando a mãe leva o bebê para uma consulta. (A minha apenas provoca uma olhada rápida e preocupada.)

A principal razão de as francesas grávidas não engordarem é que tomam o cuidado de não comer muito. Nos guias franceses para gestantes, não há porções noturnas de salada de ovo, nem instruções para comer além da fome para alimentar o feto. As mulheres que estão "esperando uma criança" devem comer as mesmas refeições balanceadas que qualquer adulto; um guia diz que, se a mulher ainda tem fome, deve acrescentar um lanche da tarde que consista de, por exemplo, "um sexto de uma baguete", um pedaço de queijo e um copo de água.

Na visão francesa, os desejos de uma grávida por comida são um incômodo a ser extirpado. As francesas não se permitem acreditar (como já ouvi as mulheres americanas alegarem) que o feto quer cheesecake. O *Guia para futuras mães*, um livro francês sobre gravidez, diz que em vez de desejar ter desejos, as mulheres devem distrair o corpo comendo uma maçã ou uma cenoura crua.

Não é tudo tão austero quanto parece. As francesas não veem a gravidez como um passe livre para exagerar na comida, em parte porque não negaram a si mesmas as comidas que amam (nem vêm atacando secretamente essas comidas) durante a maior parte da vida adulta. "É comum que as mulheres americanas comam escondido, e o resultado é muito mais culpa do que prazer", explica Mireille Guiliano em seu inteligente livro *As mulheres francesas não engordam*. "Fingir que tais prazeres não existem, ou tentar eliminá-los de sua dieta por um longo tempo, provavelmente vai levar a ganho de peso."

Na metade da minha gravidez, descubro que existe um grupo de apoio em Paris para pais falantes de inglês. Imediatamente identifico essas pessoas como sendo meu grupo. Os membros do grupo, chamado Message, sabem onde encontrar um terapeuta que fale inglês, onde comprar um carro com câmbio automático e onde encontrar um açougueiro que asse um peru inteiro para o Dia de Ação de Graças. (A ave não cabe na maior parte dos fornos franceses.) Quer saber como trazer caixas de macarrão com queijo Kraft de uma viagem aos Estados Unidos? É só deixar o macarrão, que dá para comprar na França, e colocar os pacotes de pó de molho de queijo na mala.

Os membros do Message gostam de muitas coisas na França. Em fóruns on-line, eles ficam maravilhados com o pão fresco, os remédios baratos e com o fato de seus próprios filhos pequenos pedirem camembert ao final de uma refeição. Uma mulher ri ao contar que o filho de 5 anos brinca de "greve de trabalhadores" com os bonecos Playmobil.

Mas o grupo também é uma fortaleza contra o que é visto como os aspectos sombrios da criação francesa. Os membros trocam números de celular de doulas que falam inglês, vendem uns para os outros almofadas de amamentação e se apiedam da tendência dos médicos franceses de dar supositórios para as crianças. Um membro que conheço estava tão relutante em sujeitar a filha à pré-escola pública francesa que a matriculou em uma escola Montessori nova, onde a garotinha foi, por um bom tempo, a única aluna.

Como eu, essas mulheres veem estar grávida como uma desculpa para criar laços, se preocupar, comprar e comer. Elas fortificam umas às outras contra a pressão social de perder o peso ganhado na gestação. "Em algum momento, vou fazer isso", escreve uma nova mãe. "Não vou perder tempo precioso pesando folhas de alface agora."

O dilema mais evidente entre os membros grávidos do Message e outros anglófonos que conheço é *como* dar à luz. Conheço uma americana em Roma que teve o bebê em uma tina de vinho italiano (cheia de água, não de Pinot Grigio). Uma amiga em Miami leu que a dor do parto é um conceito cultural, então ela se treinou para dar à luz gêmeos usando apenas respiração de ioga. Em nossa aula para pais patrocinada pelo Message, uma mulher estava planejando ir para sua cidade, Sydney, para ter um autêntico parto australiano.

O parto, como quase tudo mais, é uma coisa que tentamos personalizar. Minha obstetra diz que uma vez recebeu um plano de parto de quatro páginas de uma paciente americana, que a instruía a massagear o clitóris da mulher após o nascimento. As contrações uterinas do orgasmo feminino em teoria ajudam a expulsar a placenta. O que era interessante era que o plano de parto dessa mulher também especificava que os pais dela deviam ter permissão de ficar na sala de parto. ("Eu disse 'de jeito nenhum'. Eu não queria ser presa", lembra minha médica.)

Em toda essa conversa sobre dar à luz, nunca ouvi ninguém mencionar que, na última vez em que a Organização Mundial de Saúde avaliou os sistemas de saúde pública, o da França ficou em primeiro, enquanto o dos Estados Unidos ficou em trigésimo sétimo. O que nós, falantes de língua inglesa, fazemos é nos concentrar em como o sistema francês é médico demais e hostil ao que é "natural". Os membros grávidos do Message reclamam que os médicos franceses vão induzir o parto, obrigá-las a usar anestesia peridural e secretamente dar mamadeira para os recém-nascidos, de forma que elas não conseguirão amamentar. Todas lemos o material impresso em inglês dirigido para grávidas, que enfatiza os riscos da peridural. Aquelas que dão à luz "naturalmente" andam com pose de heroínas.

Apesar de a França ser o local de nascimento do dr. Fernand Lamaze,* a peridural agora é extremamente comum lá. Nas melhores maternidades e clínicas de Paris, cerca de 87% das mulheres tomam peridural[2] (sem contar cesáreas). Em alguns hospitais, chega a 98% ou 99%.

Bem poucas mulheres criam caso por causa disso. As mães francesas costumam me perguntar onde penso em ter o bebê, mas nunca como. Elas não parecem se importar. Na França, o modo como você dá à luz não insere você em um sistema de valores nem define o tipo de mãe que você será. É, de modo geral, um meio de tirar o bebê em segurança do útero e colocar em seus braços.

Na França, dar à luz sem peridural não é chamado de parto "natural". É chamado "dar à luz sem peridural" (*accouchement sans péridurale*). Alguns hospitais e maternidades franceses agora têm banheiras de parto e enormes bolas de borracha para as mulheres em trabalho de parto abraçarem. Mas poucas francesas fazem uso disso. Escuto que o 1% ou 2% dos partos feitos sem peridural em Paris são ou de americanas malucas como eu, ou de francesas que não chegaram ao hospital a tempo.

A francesa mais sensata que conheço é Hélène. Ela leva os três filhos para acampar e amamentou todos eles até depois dos 2 anos de idade. Hélène também tomou peridural em cada parto. Para ela, não há contradição. Ela gosta de algumas coisas naturais, e outras com uma enorme dose de drogas.

A diferença entre a França e os Estados Unidos se solidifica para mim quando, por amigos em comum, conheço Jennifer e Eric, um casal na faixa dos

---

* Médico francês que incentivava o parto natural, contemplando uma série de técnicas para controle das dores do parto, entre elas exercícios de respiração. (N. da E.)

30 anos. Ela é americana e trabalha em uma multinacional em Paris. Ele é francês e trabalha com publicidade. Eles moram nos arredores de Paris com as duas filhas. Quando Jennifer engravidou pela primeira vez, Eric supôs que eles encontrariam um médico, escolheriam um hospital e teriam o bebê. Mas Jennifer levou para casa uma pilha de livros sobre bebês e pressionou Eric para que estudasse com ela.

Eric ainda não consegue acreditar em como Jennifer queria planejar o parto. "Ela queria dar à luz sobre um balão, dar à luz na banheira", lembra ele. Ele diz que o médico disse para ela que "aqui não é um zoológico nem um circo. Basicamente, você vai parir como todo mundo, deitada de costas, de pernas abertas. E o motivo para isso é que, se houver um problema, poderemos fazer alguma coisa".

Jennifer também queria que o parto fosse sem anestesia, para que pudesse sentir como era parir. "Nunca ouvi falar de uma mulher querer sofrer tanto para ter um filho", diz Eric.

O que se destaca tanto para Eric quanto para Jennifer é o que passei a chamar de "história do croissant". Quando Jennifer entrou em trabalho de parto, ficou claro que todos os planos dela não serviriam de nada. Ela precisou de uma cesárea. O médico mandou Eric para a sala de espera. Depois de um tempo, Jennifer deu à luz uma saudável menina. Mais tarde, na sala de recuperação, Eric comentou com ela que tinha acabado de comer um croissant.

Três anos depois, o sangue de Jennifer ainda ferve quando ela pensa naquele pão. "Eric não estava fisicamente presente (na sala de espera) durante todo o procedimento. Ele saiu e comprou um croissant! Quando me levaram para a sala de cirurgia, Eric saiu da clínica, foi para a rua, andou até a padaria e comprou alguns croissants. Depois voltou e os comeu!"

Não era isso que Jennifer tinha imaginado. "Meu marido precisa estar sentado do lado de fora, roendo as unhas, pensando 'Ah, será que é menino ou menina?'", diz ela. Ela menciona que havia uma máquina de lanches perto da sala de espera. Ele podia ter comprado um saquinho de amendoins.

Quando Eric conta sua versão da história do croissant, ele também fica zangado. Sim, havia uma máquina de lanches. Mas "estava muito estressante, eu precisava de açúcar", diz ele. "Eu tinha certeza de que havia uma padaria na esquina, mas ela acabou sendo um pouco mais longe. Mas eles a levaram às sete. Eu sabia que tinham uma hora de preparativos e coisas assim, e acho que ela voltou às 11 horas. Então, de todo esse tempo, sim, passei pelo menos 15 minutos indo comer alguma coisa."

A princípio, vejo a história do croissant como um evento clássico de "os homens são de Marte". Mas acabo percebendo que é uma parábola franco-americana. Para Jennifer, a busca egoísta de Eric pelo croissant indicava que ele não sacrificaria seu próprio conforto pela família e pelo novo bebê. Ela temia que ele não estivesse suficientemente envolvido no projeto da paternidade.

Para Eric, a história não indica nada disso. Ele se sentia completamente envolvido com o parto e é um pai extremamente dedicado. Mas, naquele momento, também estava calmo, afastado e atento a si mesmo o bastante para sair para a rua. Ele queria ser pai, mas também queria um croissant. "Nos Estados Unidos, às vezes tenho a sensação de que, se não é difícil pra você, você tem que se sentir mal", diz ele.

Eu gostaria de pensar que sou o tipo de esposa que não se incomodaria com o croissant, ou pelo menos que Simon é o tipo de marido que esconderia as migalhas. Escrevo um plano de parto sim, no qual digo que Simon não pode ter permissão de cortar o cordão umbilical sob nenhuma circunstância. Mas, como tenho a tendência a gritar quando depilo a perna com cera, acho que não sou uma boa candidata ao parto natural. Desconfio que terei problema em ver a dor como um conceito cultural.

Estou mais preocupada em chegar ao hospital a tempo. Sigo o conselho de uma amiga e me inscrevo para fazer o parto em um hospital do outro lado da cidade. Se o bebê tentar nascer durante a hora do rush, pode haver problemas.

E isso se eu conseguir pegar um táxi. O boato entre os falantes de inglês em Paris (que, por morarem lá temporariamente, não costumam ter carros) é que os motoristas franceses se recusam a pegar mulheres em trabalho de parto por medo de acabarem tendo que raspar placenta de cima do banco. Um parto no banco de trás não seria ideal por outros motivos. Simon está apavorado demais até para ler as instruções para partos de emergência em casa no *O que esperar*.

Minhas contrações começam por volta das oito horas da noite. Isso quer dizer que não posso comer a fumegante comida tailandesa que acabamos de comprar. (Vou sonhar com *pad thai* quando estiver na cama do hospital.) Mas, pelo menos, as ruas estão livres. Simon chama um táxi, e fico em silêncio enquanto entro. Que o motorista (um homem de bigode na casa dos 50 anos) tente me arrancar dali.

Eu não precisava ter me preocupado. Assim que saímos e ele me ouve gemer no banco de trás, ele fica extasiado. Ele diz que esperou a vida toda desde que começou a trabalhar como taxista para viver essa cena de cinema.

Enquanto cruzamos Paris no escuro, tiro o cinto de segurança e deslizo para o chão do táxi, gemendo pela dor crescente. Não é uma depilação com cera quente. Deixo de lado minhas falsas fantasias de parto natural. Simon abre a janela, ou para deixar entrar ar fresco ou para disfarçar os sons que estou fazendo.

Enquanto isso, o motorista acelera. Vejo as luzes dos postes ziguezagueando acima. Ele começa a contar a história do nascimento do filho 25 anos antes. "Mais devagar, por favor!", eu imploro do chão, entre duas contrações. Simon está silencioso e pálido, olhando para a frente.

— Em que você está pensando? — eu pergunto para ele.

— Em futebol holandês — diz ele.

Quando chegamos ao hospital, o motorista para na entrada de emergência, pula do carro e corre para dentro. Parece que ele acha que vai se juntar a nós no parto. Ele volta alguns momentos depois, suado e ofegante.

— Estão esperando você! — grita ele.

Entro rápido no prédio e deixo que Simon pague a corrida e convença o motorista a ir embora. Assim que vejo a parteira, declaro em meu francês mais claro: *"Je voudrais une péridurale!"* (Eu quero uma peridural). Se eu tivesse uma pilha de dinheiro, teria sacudido na direção dela.

Acontece que, apesar da paixão francesa por peridurais, eles não a executam a pedidos. A parteira me leva para uma sala de exame a fim de verificar meu colo do útero e olha para mim com um sorriso perplexo. Estou apenas com 3 centímetros de dilatação, dentre possíveis 10 centímetros. As mulheres não costumam pedir a peridural tão cedo, diz ela. Ela não vai tirar o anestesista do *pad thai* dele para isso.

Mas ela coloca a música mais relaxante que já ouvi, uma espécie de canção de ninar tibetana, e aplica soro com uma medicação que alivia a dor. Exausta, acabo pegando no sono.

Vou deixar de lado os detalhes do meu parto muito agradável e cheio de medicamentos. Graças à peridural, empurrar o bebê tem a precisão e a intensidade de um movimento de ioga, mas sem o desconforto. Estou tão concentrada que nem me incomodo quando a filha adolescente da obstetra, que mora na esquina, aparece para pedir dinheiro à mãe.

Por coincidência, a anestesista, a parteira e a médica são todas mulheres. (Simon, posicionado longe de onde toda a ação acontece, também está presente.) O bebê sai quando o sol está nascendo.

Já li que os bebês se parecem com os pais quando nascem, para certificar os pais da paternidade e motivá-los a ir caçar (ou fazer investimentos bancários) para a família. Meu primeiro pensamento quando nossa filha sai de mim é que ela não apenas lembra Simon; ela tem o rosto dele.

Nós ficamos com ela por um tempo. Depois, eles a vestem com um moderno e sutil traje francês, fornecido pelo hospital, com até um gorro bege na cabeça. Damos um nome a ela. Mas, graças ao gorro, quase sempre a chamamos de Bean (gorro, em inglês).

Fico seis dias no hospital, o que é padrão na França. Não vejo motivo para ir embora. Tem pão fresco em todas as refeições (não precisamos sair para comer um croissant) e um jardim ensolarado para onde vou caminhar. A extensa carta de vinhos inclui champanhe. No terceiro dia, não consigo parar de dizer para Bean: "Você não nasceu ontem!" Simon nem finge achar engraçado.

Como se para enfatizar que há princípios universais de criação de filhos na França, os bebês nascidos aqui vêm com instruções. Cada recém-nascido vem acompanhado de um livro branco chamado *carnet de santé*, que acompanha a criança até os 18 anos. Os médicos registram todos os checkups e as vacinas nesse livrinho, e marcam a altura, o peso e o diâmetro da cabeça da criança. Também tem dicas básicas de como alimentar os bebês, dar banho, quando levá-lo ao pediatra e como identificar problemas de saúde.

O livro não me prepara para a transformação de Bean. No primeiro mês, mais ou menos, ela continua a se parecer com Simon, com olhos e cabelos castanho-escuros. Até tem covinhas. Se há alguma dúvida, é quanto a quem é a mãe. Meus genes de cabelos e olhos claros parecem ter perdido para os genes mediterrâneos em um nocaute no primeiro round.

Mas, aos dois meses, Bean sofre uma metamorfose. O cabelo dela fica louro e os olhos castanhos viram um azul improvável. Nosso pequeno bebê mediterrâneo de repente parece sueco.

Tecnicamente, Bean é americana. (Ela pode pedir cidadania francesa quando for mais velha.) Mas desconfio que o francês dela vai superar o meu em poucos meses. Não tenho certeza se vamos criar uma garotinha americana ou francesa. Talvez não tenhamos escolha.

Capítulo 3

Cumprindo as noites

Algumas semanas depois de levarmos Bean para casa, os vizinhos começam a perguntar: "Ela está cumprindo as noites dela?" (*Elle fait ses nuits?*)

É a primeira vez que escuto a maneira francesa de dizer "Ela está dormindo a noite toda?" A princípio, acho reconfortante. Se são as noites *dela*, ela vai inevitavelmente tomá-las para si. Se fossem apenas *as* noites, ela talvez não fizesse isso.

Mas em pouco tempo acho a pergunta irritante. É claro que ela não está "cumprindo as noites dela". Ela tem 2 meses (e depois 3, e depois 4). Todo mundo sabe que bebês pequenos dormem mal. Conheço alguns americanos que, por pura sorte, têm bebês dessa idade que dormem às 21h e acordam às 7h. Mas a maioria dos pais não tem uma noite ininterrupta de sono até os filhos fazerem um ano, mais ou menos. Eu conheço crianças de 4 anos que ainda vão para o quarto dos pais à noite.

Meus amigos americanos e ingleses e minha família entendem isso. Eles costumam fazer perguntas mais genéricas: "Como está o sono dela?" E mesmo isso não é exatamente um pedido de informações; é uma oportunidade para os pais exaustos reclamarem.

Para nós, os bebês estão associados automaticamente à falta de sono. Uma manchete no jornal britânico *Daily Mail* declara: "Os pais de recém-nascidos perdem SEIS MESES de sono nos primeiros dois anos do filho", citando um estudo patrocinado por um fabricante de camas. O artigo parece crível aos leitores. "Infelizmente, é verdade", comenta uma pessoa. "Nossa filha de um ano não dormiu nem uma noite inteira em 12 meses, e se conseguirmos dormir quatro horas, estamos tendo uma boa noite." Uma pesquisa feita pela National Sleep Foundation nos Estados Unidos descobriu que 46% dos bebês e das crianças pequenas acordam durante a noite, mas apenas 11% dos pais acreditam que o filho tem algum distúrbio do sono. A camiseta que vejo um bebê usando em Ft. Lauderdale diz simplesmente: "Festa hoje no meu berço às três da manhã."

Meus amigos falantes de inglês costumam ver os filhos como tendo necessidades únicas de sono, às quais eles precisam se adaptar. Estou andando por Paris com uma amiga inglesa um dia quando o filho pequeno sobe nos braços dela, enfia a mão debaixo da blusa para segurar o seio dela e adormece. Minha amiga fica constrangida por eu ter testemunhado esse ritual, mas sussurra que é o único modo de ele conseguir cochilar. Ela o carrega nessa posição pelos 45 minutos seguintes.

Simon e eu obviamente tínhamos escolhido uma estratégia de sono. A nossa estava baseada na ideia de que é crucial manter o bebê acordado depois de mamar. Quando Bean nasce, fazemos um tremendo esforço para cumprir isso. Pelo que posso perceber, não tem efeito nenhum.

Acabamos deixando essa teoria de lado e tentamos outras. Deixamos Bean em ambientes claros o dia todo e no escuro à noite. Damos o banho dela na mesma hora todas as noites e tentamos aumentar o tempo entre as mamadas. Durante alguns dias, não como quase nada além de torradas e queijo brie, depois que alguém me diz que comida com gordura vai engrossar meu leite. Uma nova-iorquina que está de passagem por Paris diz que leu que temos que fazer sons que imitem o barulho do útero. Fazemos barulhos obedientemente durante horas.

Nada parece fazer diferença. Aos 3 meses de idade, Bean ainda acorda várias vezes à noite. Temos um longo ritual no qual eu a amamento até voltar a dormir, depois fico com ela no colo durante mais 15 minutos para que não acorde quando eu a colocar no berço. A visão progressista de Simon de repente parece uma maldição: ele cai em depressão todas as noites, convencido de que isso vai durar para sempre, ao mesmo tempo que minha miopia de repente parece agora um golpe de genialidade evolutiva. Eu não penso se isso vai durar mais seis meses (mas vai); eu apenas vivo uma noite após a outra.

O que me consola é que isso é de se esperar. Não é para os pais de bebês conseguirem dormir. Quase todos os pais americanos e britânicos que conheço dizem que os filhos começaram a dormir a noite toda aos 8 ou

9 meses, ou até bem depois. "Foi bem cedo", diz um amigo de Simon, de Vermont, depois de consultar a esposa sobre quando o despertar às três da madrugada do filho parou. "Quando foi, quando ele tinha 1 ano?" Kristin, uma advogada britânica em Paris, me conta que o bebê de 1 ano e 4 meses dela dorme a noite toda, mas acrescenta: "Bem, quando digo 'dorme a noite toda', quero dizer que ela acorda duas vezes. Mas, em cada uma delas, é só por cinco minutos."

Eu me consolo muito ao ouvir sobre pais que vivem uma situação bem pior do que a nossa. É fácil encontrar gente assim. Minha prima, que dorme com o filho de 10 meses, não voltou para o emprego de professora, em parte porque fica amamentando o bebê por um grande período da noite. Eu costumo telefonar para perguntar: "Como ele está dormindo?"

A pior história que ouço é a de Alison, amiga de uma amiga de Washington, D.C., cujo filho tem 7 meses. Alison me conta que, durante os seis primeiros meses de vida do filho, ela o amamentou a cada duas horas *dia e noite*. Aos 7 meses, ele começou a dormir por períodos de quatro horas. Alison, que é especialista em marketing com diploma de Ivy League, faz pouco caso da exaustão que sente e do fato de sua carreira estar temporariamente suspensa. Ela acha que não tem escolha além de ceder ao cronograma de sono peculiar e punitivo do filho.

A alternativa a acordar tanto durante a noite supostamente é o "treinamento do sono", no qual os pais deixam os bebês sozinhos para "chorarem até dormir". Também leio sobre isso. Parece ser para bebês com pelo menos 6 ou 7 meses. Alison me conta que tentou esse método uma noite, mas desistiu porque pareceu cruel. Discussões on-line sobre treinamento do sono rapidamente se transformam em briga, na qual os oponentes alegam que a prática é no mínimo egoísta, e, na pior das hipóteses, abusiva. "O treinamento do sono me enoja", posta uma mãe no site babble.com. Outra escreve: "Se você quer dormir a noite inteira, não tenha um bebê. Adote uma criança de 3 anos."

Embora o treinamento do sono pareça terrível, Simon e eu somos teoricamente a favor. Mas temos a impressão de que Bean é pequena demais para uma coisa tão radical. Assim como nossos amigos anglófonos e nossos familiares, achamos que Bean acorda à noite porque sente fome, ou porque precisa de alguma coisa de nós, ou porque é o que os bebês fazem. Ela é muito pequena. Nós aceitamos isso.

* * *

Converso com pais franceses sobre sono também. Falo com vizinhos, conhecidos de trabalho e amigos de amigos. Todos alegam que os filhos começaram a dormir a noite toda bem mais cedo. Samia diz que a filha dela, que agora tem 2 anos, começou a "cumprir as noites" quando tinha 6 semanas de vida; ela anotou a data exata. Stephanie, uma mulher magra que trabalha como fiscal do imposto de renda e mora perto do mesmo pátio que nós, parece ter vergonha quando pergunto quando o filho dela, Nino, começou a "cumprir as noites".

"Muito tarde, tarde demais!", diz Stephanie. "Ele começou a cumprir as noites em novembro, então foi com… 4 meses! Pra mim, foi muito tarde!"

Algumas histórias de sono dos franceses parecem boas demais para serem verdade. Alexandra, que trabalha em uma creche francesa e mora em um subúrbio de Paris, diz que as duas filhas começaram a dormir a noite toda quase desde o nascimento. "Já na maternidade, elas acordaram para tomar mamadeira às seis da manhã", diz ela.

Muitos desses bebês franceses tomam mamadeira, ou tomam uma mistura de leite materno e fórmula para bebês. Mas isso não parece fazer uma diferença crucial. Os bebês franceses amamentados ao seio que conheço cumprem a noite desde cedo também. Algumas mães francesas que conheço me dizem que pararam de amamentar quando voltaram a trabalhar, por volta dos 3 meses. Mas, àquelas alturas, os bebês já estavam cumprindo as noites.

A princípio, concluo que conheci alguns pais franceses de sorte. Mas, em pouco tempo, as evidências se tornam esmagadoras: ter um bebê que dorme a noite toda desde cedo parece ser a regra na França. Assim como histórias de bebês que dormem muito mal à noite são comuns entre americanos, as histórias de bebês que dormem maravilhosamente são comuns entre os franceses. Meus vizinhos de repente parecem menos detestáveis. Eles não estavam me provocando; realmente acreditavam que um bebê de 2 meses talvez já estivesse "cumprindo a noite".

Os pais franceses não esperam que seus bebês durmam bem logo depois que nascem. Mas, quando essas noites interrompidas começam a parecer insuportáveis, normalmente depois de dois ou três meses, elas costumam terminar. Os pais falam sobre acordar no meio da noite como um problema de pouca duração, não um problema crônico. Todos com quem eu falo acham natural que os bebês consigam e provavelmente já durmam a noite toda por volta dos 6 meses de idade, e frequentemente bem antes disso. "Alguns bebês começam a dormir a noite toda com 6 semanas, outros precisam de quatro meses para encontrar seu ritmo", diz um artigo na revista *Maman!* Um guia de vendagem alta, *Le sommeil, le rêve et l'enfant (O sono, o sonho e a criança)*, diz que entre 3 e 6 meses "ele vai dormir noites inteiras, de oito ou nove horas no mínimo. Os pais vão finalmente redescobrir o prazer de longas e ininterruptas noites".

Há exceções, é claro. É por isso que a França tem livros sobre o sono do bebê e pediatras especialistas em sono. Alguns bebês que dormem a noite toda aos 2 meses começam a acordar de novo alguns meses depois. Ouço falar de bebês franceses que demoram um ano para começar a dormir a noite toda. Mas a verdade é que, em muitos anos na França, não conheci nenhum. Marion, a mãe de uma garotinha que se torna uma das amigas mais próximas de Bean, diz que o filho dela começou a dormir bem aos 6 meses. Foi o mais demorado que vi dentre meus amigos e conhecidos franceses. A maior parte deles é como Paul, outro arquiteto, que diz que o filho de 3 meses e meio dorme 12 horas por noite, das 20h às 8h da manhã.

O irritante é que, embora os pais franceses consigam dizer exatamente quando os filhos começaram a dormir a noite toda, eles não conseguem explicar como isso aconteceu. Não mencionam o treinamento do sono, a "ferberização" (uma técnica de sono desenvolvida pelo dr. Richard Ferber) e nenhum outro método conhecido. E alegam que nunca deixam os filhos chorando por longos períodos. Na verdade, a maior parte dos pais franceses parece meio incomodada quando menciono essa prática.

Falar com pais mais velhos também não ajuda muito. Uma publicitária francesa na casa dos 50 anos (que vai trabalhar de saia-lápis e salto agulha) fica chocada ao saber que tenho problemas com o sono do bebê. "Você não pode dar alguma coisa pra ela dormir? Algum medicamento ou coisa do tipo?", pergunta ela. No mínimo, diz ela, eu deveria deixar o bebê com alguém e me recuperar em um spa por uma ou duas semanas.

Nenhum dos pais franceses mais jovens que conheço deu remédio para os filhos e nem se escondeu em um spa. A maioria insiste que seus bebês aprenderam sozinhos a dormir durante longos períodos. Stephanie, a fiscal de imposto de renda, alega que não teve muito a ver com isso. "Acho que ela é a criança, é ela que decide", disse ela.

Ouço a mesma coisa de Fanny, de 33 anos, publicitária em um grupo de revistas financeiras. Fanny diz que, por volta dos 3 meses, seu filho Antoine parou de mamar às três horas da madrugada e passou a dormir a noite toda.

"Ele decidiu dormir", explica Fanny. "Nunca forcei nada. Você o alimenta quando ele precisa se alimentar. Ele se regulou sozinho."

O marido de Fanny, Vincent, que está ouvindo nossa conversa, observa que aos 3 meses do bebê foi exatamente quando Fanny voltou ao trabalho. Como outros pais franceses com quem converso, ele diz que essa sincronia não é coincidência. Ele diz que Antoine entendeu que a mãe precisava acordar cedo para ir trabalhar. Vincent compara essa compreensão ao modo como as formigas se comunicam por ondas químicas que se transmitem por suas antenas.

"Acreditamos muito em *le feeling*", diz Vincent, usando a palavra em inglês. "Achamos que as crianças entendem as coisas."

Os pais franceses nos dão algumas dicas de sono. Quase todos dizem que, nos primeiros meses, deixaram os bebês com eles na luz durante o dia, mesmo durante os cochilos, e os colocaram na cama no escuro à noite. E quase todos dizem que, desde o nascimento, "observaram" com cuidado seus bebês e seguiram o próprio "ritmo" dele. Os pais franceses falam tanto sobre ritmo que você acharia que estão montando bandas de rock em vez de criando filhos.

"Dos zero aos 6 meses, o melhor é respeitar o ritmo do sono do bebê", explica Alexandra, a mãe cujos bebês dormiram a noite toda praticamente desde o nascimento.

Eu também observo Bean, normalmente às três horas da madrugada. Então por que não há ritmo na nossa casa? Se dormir a noite toda é uma coisa que "simplesmente acontece", por que simplesmente não aconteceu conosco?

Quando exprimo minha frustração para Gabrielle, uma das minhas novas conhecidas francesas, ela recomenda que eu leia um livro chamado *L'enfant et son sommeil* (A criança e seu sono). Ela diz que a autora, Hélène De Leersnyder, é uma pediatra famosa em Paris especialista em sono.

O livro é frustrante. Estou acostumada ao estilo direto dos livros de autoajuda americanos sobre bebês. O livro de De Leersnyder começa com uma citação de Marcel Proust, que se desenrola em uma ode ao descanso.

"O sono revela a criança e a vida da família", escreve De Leersnyder. "Para ir para a cama e adormecer, se separar dos pais durante algumas horas, a criança precisa confiar que seu corpo a manterá viva, mesmo quando ela não está no controle. E ela deve ser serena o bastante para encarar a estranheza dos *pensée de la nuit* (pensamentos que ocorrem à noite)."

Le sommeil, le rêve et l'enfant também diz que um bebê só consegue dormir bem quando aceita a própria individualidade. "A descoberta de noites longas, tranquilas e serenas e a aceitação da solidão não são sinais de que a criança recuperou sua paz interior, de que passou do estado do sofrimento?"

Mesmo as seções científicas desses livros parecem existenciais. O que chamamos de "sono REM", os franceses chamam de *sommeil paradoxal* (sono paradoxal), chamado assim porque o corpo está parado, mas a mente está extremamente ativa. "Aprender a dormir, aprender a viver... Essas duas coisas não são sinônimos?", pergunta De Leersnyder.

Ainda não sei bem o que devo fazer com essas informações. Não estou procurando uma metateoria sobre como refletir a respeito do sono de Bean. Só quero que ela durma. Como posso descobrir por que os bebês franceses dormem tão bem se os próprios pais não sabem explicar e os livros sobre sono parecem poesia críptica? O que uma mãe precisa fazer para ter uma boa noite de descanso?

Estranhamente, minha epifania sobre as regras de sono francesas acontece quando estou em Nova York. Fui aos Estados Unidos visitar a família e amigos, e também para ter ajuda ao vivo sobre a criação americana de filhos. Em parte da viagem, fico em Tribeca, o bairro na parte baixa de Manhattan onde os prédios industriais foram convertidos em apartamentos no estilo loft. Frequento uma praça do bairro e converso com outras mães.

Eu achava que conhecia livros sobre criar filhos. Mas essas mulheres deixam claro que sou apenas amadora. Elas não só já leram tudo, mas também já montaram seus estilos de criação como se montassem visuais com roupas ecléticas de marca, seguindo gurus diferentes para sono, castigo e alimentação. Quando eu ingenuamente menciono a "criação com apego" (*attachment parenting*) para uma das mães de Tribeca, ela imediatamente me corrige.

"Não gosto desse termo. Afinal, quem não tem apego ao filho?", diz ela.

Quando a conversa aborda como as crianças dormem, espero que essas mulheres citem muitas teorias, depois façam as habituais reclamações americanas sobre crianças de 1 ano que acordam duas vezes durante a noite. Mas elas não fazem isso. O que fazem é dizer que muitos bebês em Tribeca dormem a noite toda *à la française* aos 2 meses de idade. Uma dessas mães, uma fotógrafa, menciona que ela e muitas outras levam os bebês a um pediatra local chamado Michel Cohen. Ela pronuncia o primeiro nome exatamente como se escreve.

— Ele é francês? — eu arrisco.
— É — diz ela.
— Francês da França? — eu pergunto.

— Francês da França — diz ela.

Eu imediatamente marco uma consulta para conhecer Cohen. Quando entro na sala de espera, não há dúvida de que estou em Tribeca, e não em Paris. Há uma poltrona Eames, papel de parede retrô dos anos 1970 e uma mãe lésbica de chapéu. Uma recepcionista de camiseta preta está chamando os nomes dos próximos pacientes. "Ella? Benjamin?"

Quando Cohen aparece, imediatamente percebo por que faz tanto sucesso com as mães. Ele tem cabelo castanho desgrenhado, olhos grandes e um belo bronzeado. Está com a camisa de marca para fora da bermuda e de sandálias. Apesar de duas décadas passadas nos Estados Unidos, ele continua com um charmoso sotaque e linguagem franceses ("Quando dou meus conselhos aos pais..."). Ele terminou as consultas do dia, então sugere irmos para um café do bairro. Eu imediatamente concordo.

Fica claro que Cohen adora os Estados Unidos, em parte porque o país venera seus idealistas e empreendedores. Na terra dos planos de saúde, ele se transformou em um médico de bairro. (Ele cumprimenta dezenas de transeuntes pelo nome enquanto tomamos cerveja.) O consultório dele, Tribeca Pediatrics, se expandiu para cinco localidades. E ele publicou um conciso livro para pais chamado *The New Basics — O que você precisa saber para cuidar do seu filho, de A a Z*, com a foto dele na capa.

Cohen reluta em creditar à França as inovações que implementou no sul de Manhattan. Ele foi embora do país no final dos anos 1980 e se lembra de lá como um lugar onde os recém-nascidos eram deixados chorando até dormir já no hospital. Mesmo agora, ele diz: "Não dá pra ir a um parque sem ver uma criança levar palmadas." (Talvez fosse assim antes. Mas, nas longas horas em que passei nos parques parisienses, só testemunhei palmadas uma vez.)

Mas alguns dos "conselhos" de Cohen são exatamente o que os pais parisienses fazem agora. Como os franceses, ele começa a introduzir legumes, verduras e frutas na alimentação dos bebês antes dos cereais. Não é obcecado com alergias. Ele fala de "ritmo" e de ensinar os filhos a lidar com a frustração. Valoriza a tranquilidade. E põe bastante peso na qualidade de vida dos pais, e não só no bem-estar dos filhos.

Então, como Cohen faz os bebês de Tribeca dormirem a noite toda?

"Minha primeira intervenção é para dizer que, quando seu bebê nasce, você não precisa pular em cima dele à noite", diz Cohen. "Dê a seu bebê a chance de se acalmar sozinho, não responda automaticamente. Mesmo logo depois do nascimento."

Talvez seja a cerveja (ou os grandes olhos de Cohen), mas sinto certo choque quando ele diz isso. Percebo que vi mães e babás francesas fazendo exatamente essa pequena pausa antes de atender ao chamado do bebê durante o dia. Não tinha me ocorrido que era deliberado, ou que era significativo. Na verdade, aquilo me incomodou. Eu não achava que nós deveríamos fazer os bebês esperarem. Será que isso explicava por que os bebês franceses dormiam a noite toda tão cedo, supostamente com poucas lágrimas?

O conselho de Cohen de fazer uma pequena pausa parece uma extensão natural de "observar" o bebê. A mãe não está exatamente "observando" se dá um pulo e segura o bebê assim que ele chora.

Para Cohen, essa pausa (estou tentada a chamá-la de *La Pause*) é crucial. Ele diz que usá-la desde cedo faz muita diferença em como os bebês dormem. "Os pais que demoravam um pouco mais a atender quando o bebê chorava de madrugada sempre tiveram filhos que dormiam melhor, enquanto os pais ansiosos tinham filhos que acordavam repetidamente à noite até se tornar insuportável", escreve ele. A maior parte dos bebês que Cohen atende é amamentada no seio. Isso não parece fazer diferença.

Uma razão para fazer a pausa é que os bebês pequenos fazem muitos movimentos e barulhos enquanto dormem. Isso é normal e não tem problema. Se os pais correm e pegam o bebê cada vez que ele faz um barulhinho, às vezes acabam acordando-o.

Outra razão para fazer a pausa é que os bebês acordam entre seus ciclos de sono, que duram por volta de duas horas. É normal que chorem um pouco quando estão começando a aprender a conectar esses ciclos. Se a mãe ou o pai automaticamente interpreta esse choro como fome ou sinal de incômodo e corre para acalmar o bebê, ele terá dificuldade em conectar os ciclos sozinho. Ou seja, ele precisará que um adulto vá acalmá-lo até voltar a dormir ao fim de cada ciclo.

Os recém-nascidos normalmente não conseguem passar de um ciclo de sono a outro sozinhos. Mas, a partir de 2 ou 3 meses, costumam conseguir se tiverem a chance de aprender como. E, de acordo com Cohen, passar de um ciclo a outro é como andar de bicicleta: se o bebê consegue voltar a dormir sozinho ao menos uma vez, vai ter mais facilidade de repetir na próxima. (Os adultos acordam entre ciclos de sono também, mas não costumam lembrar porque aprenderam a mergulhar no ciclo seguinte.)

Cohen diz que às vezes os bebês precisam sim de leite ou de colo. Mas, a não ser que façamos uma pausa para observá-los, não podemos ter certeza. "É claro que, se os pedidos [do bebê] ficarem mais insistentes, você vai ter que amamentá-lo", escreve Cohen. "Não estou dizendo para deixá-lo berrando." O que ele está dizendo é que você deve dar uma chance para seu bebê aprender.

Essa ideia não é completamente nova para mim. Ela me parece familiar de alguns dos meus livros americanos sobre sono. Mas é mencionada em meio a muitos outros conselhos. Devo ter tentado uma vez ou outra com Bean, mas nunca com convicção especial. Ninguém nunca falou comigo sobre essa ser a coisa mais importante e crucial a fazer e na qual insistir.

Essa instrução singular de Cohen poderia solucionar o mistério de por que os pais franceses alegam que nunca deixam os bebês chorando por longos períodos. Se os pais fizerem A Pausa nos dois primeiros meses do bebê, ele pode aprender a voltar a dormir sozinho. Assim, os pais não vão ter que recorrer a "deixar chorar até dormir" mais tarde.

A Pausa não causa a sensação brutal de treinamento de sono. É mais como ensinar a dormir. Mas a janela para ela é bem pequena. De acordo com Cohen, é só até o bebê fazer 4 meses. Depois disso, os maus hábitos do sono já estão formados.

Cohen diz que seus métodos de sono são fáceis de passar para os pais com foco em resultados da área de Tribeca. Mas em outros lugares, ele diz, os pais costumam precisar de mais persuasão. Eles se opõem a deixar o bebê chorar, mesmo que um pouco. Cohen diz que acaba persuadindo quase todos os pais de recém-nascidos que se consultam com ele a tentar seu método. "Eu tento explicar as raízes das coisas", diz ele. Ou seja, ele os ensina sobre o sono.

Quando volto a Paris, imediatamente pergunto às mães francesas se elas fazem A Pausa. Todas dizem que sim, é claro que fazem. Dizem que é tão óbvio que nem pensaram em mencionar. A maioria diz que começou a fazer A Pausa quando os bebês tinham poucas semanas de idade.

Alexandra, cujas filhas dormem a noite toda desde que ainda estavam no hospital, diz que é claro que não ia correndo para cima delas no mesmo segundo em que choravam. Às vezes, ela esperava de cinco a dez minutos antes de pegá-las. Queria ver se elas precisavam voltar a dormir entre ciclos do sono ou se alguma coisa as estava incomodando: fome, fralda suja ou apenas ansiedade.

Alexandra, que usa o cabelo louro cacheado preso em um rabo de cavalo, parece um cruzamento entre uma mãe moderna e uma líder de torcida. É extremamente calorosa. Não estava ignorando seus bebês recém-nascidos. Ao contrário, estava cuidadosamente *observando*-os. Ela acreditava que, quando choravam, estavam dizendo alguma coisa a ela. Durante A Pausa, ela observava e escutava. (Ela acrescenta que existe outra razão para A Pausa: "para ensiná-los a ter paciência".)

Os pais franceses não têm um nome para A Pausa; eles apenas a consideram questão de bom-senso. (É meu eu americano que precisa dar um nome a isso.) Mas todos parecem fazê-la e também lembrar uns aos outros que é importante. É uma coisa tão simples. Fico impressionada de a genialidade francesa não ser um truque de sono inovador e surpreendente. É afastar o amontoado de ideias concorrentes e se concentrar na única coisa que realmente faz diferença.

Agora que sei sobre A Pausa, começo a reparar que ela é muito mencionada na França. "Antes de responder a um interrogatório, o bom-senso nos diz para escutar as perguntas", diz um artigo em Doctissimo, um popular site de internet francês. "É exatamente a mesma coisa com um bebê que chora: a primeira coisa a fazer é ouvi-lo."

Quando passamos das partes filosóficas, os autores de *Le sommeil, le rêve et l'enfant* escrevem que intervir entre ciclos do sono "indiscutivelmente" leva a problemas no sono, como um bebê que desperta completamente a cada ciclo de noventa minutos a duas horas.

De repente, fica claro para mim que Alison, a especialista em marketing cujo filho mamava a cada duas horas durante seis meses, não recebeu um bebê com necessidades estranhas de sono. Ela inconscientemente o ensinou a mamar ao final de cada ciclo de sono de duas horas. Alison não estava atendendo às necessidades do filho. Apesar de suas melhores intenções, ela estava criando essas necessidades.

Nunca ouvi falar de um único caso na França como o de Alison. Os franceses tratam A Pausa como a solução número um para o sono, e como uma coisa a ser feita quando o bebê tem apenas algumas semanas de idade. Um artigo na revista *Maman!* observa que nos primeiros seis meses da vida de um bebê, 50% a 60% do sono dele é *sommeil agité* (sono agitado). Nesse estado, um bebê adormecido boceja de repente, se espreguiça e até abre e fecha os olhos. "O erro seria interpretar isso como um chamado, estragando o curso do sono do bebê ao pegá-lo no colo", diz o artigo.

A Pausa não é a única coisa que os pais franceses fazem. Mas é um ingrediente decisivo. Quando visito Hélène De Leersnyder, a médica especialista em sono que cita Proust, ela imediatamente cita A Pausa, sem qualquer pedido meu.

— Às vezes, quando os bebês estão dormindo, seus olhos se movem, eles fazem barulho, sugam, se mexem um pouco. Mas, na verdade, estão dormindo ainda. Portanto, você não deve ir lá todas as vezes e perturbá-lo enquanto está dormindo. Você precisa aprender como o bebê dorme.

— E se ele acordar? — eu pergunto.

— Se ele acordar completamente, você o pega no colo, é claro.

Quando converso com pais americanos sobre sono, a ciência raramente é mencionada. Com tantas filosofias de sono diferentes e aparentemente válidas, a que cada um escolhe é uma questão de gosto. Mas quando consigo fazer os pais franceses começarem a falar, eles mencionam ciclos de sono, ritmos circadianos e *sommeil paradoxal*. Eles sabem que uma das razões do choro dos bebês à noite é por estarem entre ciclos do sono, ou por estarem no *sommeil agité*. Quando esses pais disseram que "observavam" os filhos, eles queriam dizer que estavam se treinando para reconhecer esses estágios. Quando os pais franceses fazem uma pausa, fazem isso com regularidade e confiança. Estão tomando decisões esclarecidas baseadas em seus entendimentos de como os bebês dormem.

Por trás disso há uma importante diferença filosófica. Os pais franceses acreditam ser seu trabalho ensinar gentilmente aos bebês como dormir bem, assim como mais tarde vão ensiná-los a ter boa higiene, a fazer refeições balanceadas e a andar de bicicleta. Eles não veem ficar acordado metade da noite com um bebê de 8 meses como sinal de comprometimento materno. Eles veem como um sinal de que a criança tem um problema de sono e de que a família está muito desequilibrada. Quando descrevo o caso de Alison para as francesas, elas dizem que é impossível, tanto para a criança quanto para a mãe.

Os franceses acreditam, assim como nós, que seus filhos são lindos e especiais. Mas também aceitam que algumas coisas neles são simplesmente biológicas. Antes de concluir que nossos filhos dormem de maneira diferente dos outros, devemos pensar na ciência.

Armada com minha revelação sobre A Pausa, decido buscar literatura científica sobre bebês e o sono. O que encontro me choca: os pais americanos podem estar na luta da "guerra do sono do bebê", mas os pesquisadores americanos não estão. Os pesquisadores quase todos concordam sobre a melhor maneira de fazer os bebês dormirem. E as recomendações deles parecem incrivelmente francesas.

Os pesquisadores de sono, como os pais franceses, acreditam que desde cedo os pais devem ter papel ativo em ensinar os bebês a dormirem bem. Eles dizem ser possível começar a ensinar um bebê saudável a dormir a noite toda desde algumas semanas de idade, sem deixar o bebê "chorar até dormir".

Um metaestudo de dezenas de trabalhos[1] sobre sono atentamente revisados conclui que o crucial é uma coisa chamada "educação/prevenção dos pais". Isso envolve ensinar a mulheres grávidas e pais de recém-nascidos sobre a ciência do sono e dar a eles algumas regras básicas sobre sono. Os pais devem começar a seguir essas regras desde o nascimento, ou a partir das primeiras semanas do bebê.

Que regras são essas? Os autores do metaestudo fazem referência a uma pesquisa[2] que acompanhava mulheres grávidas que planejavam amamentar. Os pesquisadores deram a algumas delas um folheto de duas páginas com instruções. Uma das instruções no folheto era para não segurar, embalar ou amamentar o bebê até ele voltar a adormecer durante a noite, para ajudá-lo a aprender a diferença entre dia e noite. Uma instrução adicional para bebês de semanas era que, se chorassem entre meia-noite e cinco horas da madrugada, os pais deveriam ajeitar a manta que embrulha o bebê, dar batidinhas, trocar a fralda ou andar com o bebê, mas a mãe só deveria oferecer o seio se o bebê continuasse a chorar depois disso.

Outra instrução era que, desde o nascimento do filho, as mães deveriam distinguir entre quando os bebês estavam chorando e quando estavam apenas choramingando dormindo. Em outras palavras, antes de pegar um bebê que faz barulhos, é preciso fazer uma pausa para ter certeza de que ele está acordado.

Os pesquisadores explicaram a base científica para essas instruções. Um "grupo de controle" de mães que amamentam não recebeu instrução nenhuma. Os resultados foram incríveis: do nascimento à terceira semana, os bebês nos grupos de tratamento e de controle tinham padrões de sono quase idênticos. Mas, na quarta semana, 38% dos bebês do grupo de tratamento dormiam a noite toda, contra 7% dos bebês do grupo de controle. Na oitava semana, todos os bebês do grupo de tratamento dormiam a noite toda, em comparação a 23% dos bebês do grupo de controle. A conclusão dos autores é enfática: "Os resultados deste estudo mostram que a amamentação não precisa ser associada ao despertar noturno."

A Pausa não é sabedoria popular francesa. Nem é a crença de que dormir bem desde cedo é melhor para todo mundo. "Em geral, os despertares noturnos caem dentro da categoria de diagnóstico de insônia comportamental da infância", explica o metaestudo.

O estudo revela que existem cada vez mais evidências de que crianças pequenas que não dormem o bastante ou que têm sono perturbado podem sofrer de irritabilidade, agressividade, hiperatividade e pouco controle de impulso, e podem ter problemas para aprender e se lembrar de coisas. Elas têm mais tendência a acidentes, as funções metabólicas e imunológicas ficam enfraquecidas e a qualidade geral de vida diminui. E problemas de sono que começam nos primeiros meses de vida podem persistir por muitos anos. No estudo das mães que amamentam, os bebês do grupo de tratamento foram mais tarde avaliados como mais seguros, mais previsíveis e menos agitados.

Os estudos que li mostram que, quando uma criança dorme mal, isso afeta o resto da família, inclusive provocando depressão na mãe e prejudicando o funcionamento geral da família. Inversamente, quando os bebês dormem melhor, os pais relataram que o casamento melhorou e que se tornaram pais melhores e menos estressados.

É claro que alguns bebês franceses perdem a janela de 4 meses para o aprendizado do sono. Quando isso acontece, os especialistas franceses normalmente recomendam alguma versão da técnica de deixar a criança chorando até dormir.

Os pesquisadores do sono também não são ambivalentes quanto a isso. O metaestudo descobriu que deixar as crianças chorarem até dormir, seja de supetão (o que é conhecido pelo infeliz termo científico "extinção") ou por etapas ("extinção gradual"), funciona extremamente bem e costuma dar certo em poucos dias. "O maior obstáculo associado à extinção é a falta de consistência dos pais", diz o estudo.

Michel Cohen, o médico francês de Tribeca, recomenda uma versão um tanto extrema disso para os pais que perdem a janela dos 4 meses. Ele diz que os pais devem deixar o bebê confortável com o banho noturno de costume e com músicas. Em seguida, devem colocá-lo na cama em um horário razoável, preferivelmente ainda acordado, e voltar às sete da manhã.

Em Paris, chorar até dormir tem um toque francês. Eu começo a perceber isso quando conheço Laurence, uma babá da Normandia que está trabalhando para uma família francesa em Montparnasse. Laurence cuida de bebês há duas décadas. Ela me diz que, antes de deixar um bebê chorar até dormir, é crucial explicar para ele o que você vai fazer.

Laurence explica isso em mais detalhes: "À noite, você conversa com ele. Diz pra ele que, se ele acordar uma vez, você vai dar a chupeta dele uma vez. Mas, depois disso, você não vai levantar. É hora de dormir. Você não está longe, e vai entrar no quarto para acalmá-lo uma vez. Mas não a noite toda."

Laurence diz que uma parte essencial de fazer o bebê dormir a noite toda, em qualquer idade, é realmente acreditar que ele vai conseguir. "Se você não acredita, não vai dar certo", diz ela. "Eu sempre penso que a criança vai dormir melhor na próxima noite. Sempre tenho esperança, mesmo se ele acorda três horas depois. Você tem que acreditar."

Parece mesmo possível que os bebês franceses cresçam e satisfaçam as expectativas dos pais e cuidadores. Talvez todos nós tenhamos filhos com os padrões de sono que esperamos, e o simples fato de acreditar que os bebês têm um ritmo nos ajuda a encontrá-lo.

Para acreditar na Pausa ou em deixar um bebê mais velho chorar até dormir, você também precisa acreditar que um bebê é uma pessoa capaz de aprender coisas (nesse caso, como dormir) e de lidar com certas frustrações. Michel Cohen passa muito tempo convencendo pais dessa ideia francesa. Para a preocupação comum de que um bebê de 4 meses sente fome à noite, ele escreve: "Ele está com fome. Mas não precisa se alimentar. Você também sente fome no meio da noite; mas você aprende a não comer porque é bom para sua barriga descansar. Bem, é bom para a dele também."

Os franceses não acreditam que os bebês devam encarar desafios de proporções bíblicas. Mas também não acham que um pouco de frustração vai destruir as crianças. Ao contrário, eles acreditam que vai deixar a criança mais segura. De acordo com *Le sommeil, le rêve et l'enfant*, "sempre atender às exigências dele e nunca dizer 'não' é perigoso para a construção da personalidade. Porque a criança não vai ter nenhuma barreira contra a qual lutar, para saber o que se espera dela".

Para os franceses, ensinar um bebê pequeno a dormir não é uma estratégia para o benefício de pais preguiçosos. É uma primeira e crucial lição de autossuficiência e de apreciar a companhia um do outro. Um psicólogo citado na revista *Maman!* diz que os bebês que aprendem a brincar sozinhos durante o dia, mesmo nos primeiros meses, ficam menos preocupados quando são colocados na cama sozinhos à noite.

De Leersnyder escreve que até os bebês precisam de um pouco de privacidade. "O bebê pequeno aprende no berço que pode ficar sozinho de vez em quando, sem estar com fome, sem estar com sede, sem dormir, só ficando acordado calmamente. Desde muito pequeno, ele precisa de um tempo sozinho e precisa adormecer e despertar sem ser imediatamente observado pela mãe."

De Leersnyder até dedica uma parte do livro dela ao que a mãe deve fazer enquanto o bebê dorme. "Ela se esquece do bebê para pensar em si mesma. Agora ela toma seu banho, se veste, passa maquiagem, fica bonita para seu próprio prazer, do marido e de outros. O fim da tarde chega e ela se prepara para a noite, para o amor."

Sendo uma mãe americana, essa cena de filme noir (com insinuação de delineador e meias de seda) é difícil de imaginar fora da ficção. Simon e eu apenas concluímos que, por algum tempo, rearrumaríamos nossas vidas em torno dos caprichos de Bean.

Os franceses não acham isso bom para ninguém. Eles veem aprender a dormir como parte de aprender a pertencer à família e se adaptar ao que os outros membros precisam fazer. De Leersnyder me diz:

— Se ele acorda dez vezes durante a noite, [a mãe] não pode ir trabalhar no dia seguinte. Isso faz o bebê entender que, *voilà*, ele não pode acordar dez vezes à noite.

— O bebê entende isso? — eu pergunto.
— É claro que entende — diz ela.
— Como ele pode entender?
— Porque os bebês entendem tudo.

Os pais franceses acham que A Pausa é essencial. Mas eles não a encaram como uma panaceia. Na verdade, eles têm um número de crenças e hábitos que, quando aplicados com paciência e amor, colocam os bebês no clima em que dormem bem. A Pausa funciona em parte porque os pais acreditam que os bebês pequenos não são bolhas indefesas. Eles conseguem aprender coisas. Esse aprendizado, feito com gentileza e no ritmo do bebê, não é danoso. Ao contrário, os pais acreditam que dá confiança e serenidade aos bebês e os torna cientes das outras pessoas. E dá o tom para o relacionamento respeitoso entre pais e crianças que vejo mais tarde.

Se eu soubesse disso tudo quando Bean nasceu.

Nós perdemos a janela de 4 meses para ensiná-la sem sofrimento a dormir a noite toda. Aos 9 meses, ela ainda acorda todas as noites por volta das duas da madrugada. Nós nos preparamos para deixá-la chorar até dormir. Na primeira noite, ela chora durante 12 minutos (eu agarro Simon e choro também). Em seguida, ela volta a dormir. Na noite seguinte, ela chora durante cinco minutos.

Na terceira noite, Simon e eu acordamos às duas horas e só encontramos silêncio. "Acho que ela estava acordando por nós", diz Simon. "Ela achava que nós precisávamos que ela fizesse aquilo." Em seguida, voltamos a dormir. Bean dorme a noite inteira desde então.

Capítulo 4

Espere!

Estou me acostumando melhor a morar na França. Depois de uma peregrinação pelos parques do bairro certa manhã, anuncio para Simon que nos juntamos à elite global.

— Somos globais, mas não somos elite — responde ele.

Embora eu tenha feito progressos na França, sinto saudade dos Estados Unidos. Sinto falta de ir ao mercado de calça de moletom, de sorrir para estranhos e de poder falar besteira. Mais do que tudo, sinto saudade dos meus pais. Não consigo acreditar que estou criando uma filha a 7 mil quilômetros de distância deles.

Minha mãe também não consegue acreditar nisso. O que ela mais temia quando eu estava crescendo era que eu conhecesse um belo estrangeiro e me casasse com ele. Ela discutiu esse medo tão extensivamente que deve ter sido o que plantou a ideia na minha cabeça. Em uma visita a Paris, ela levou a mim e Simon para jantar e começou a chorar na mesa. "O que tem aqui que não tem nos Estados Unidos?", ela quis saber. (Se ela estivesse comendo escargot, eu poderia ter apontado para o prato dela. Infelizmente, ela tinha pedido frango.)

Embora morar na França tenha ficado mais fácil, eu ainda não incorporei o estilo de vida. Ao contrário, ter um bebê (e falar francês melhor) me faz perceber o quanto sou estrangeira. Pouco depois de Bean começar a dormir a noite toda, chegamos ao primeiro dia dela na creche do governo francês. Durante a entrevista inicial, respondemos perguntas sobre o uso da chupeta e posições favoritas para dormir. Temos os registros de vacinação dela e números de telefone de emergência. Mas uma pergunta nos deixa sem resposta: a que horas ela toma leite?

No assunto de quando alimentar os bebês, os pais americanos mais uma vez ficam em lados opostos. Pode-se chamar de luta da comida: um grupo acredita em alimentar os bebês em horários predeterminados. Outro diz para alimentá-los quando parecerem com fome. O site americano BabyCenter dá oito exemplos diferentes de planejamento para bebês de 5 a 6 meses, inclusive um no qual os bebês se alimentam dez vezes por dia.

Nós ficamos em um híbrido. Bean sempre toma leite quando acorda e também na hora de ir dormir. Fora isso, nós damos comida quando ela parece ter fome. Simon acha que não há problema que uma mamadeira ou um peito não resolvam. Nós dois fazemos qualquer coisa para que ela não comece a berrar.

Quando termino de explicar nosso sistema de alimentação para a moça da creche, ela olha para mim como se eu tivesse acabado de dizer que deixamos nosso bebê dirigir nosso carro. Não sabemos quando nossa filha come? Esse é um problema que ela logo vai resolver. O olhar dela diz que, apesar de morarmos em Paris, estamos criando uma criança que come e dorme (e sim, que provavelmente faz cocô) como uma americana.

O olhar da moça da creche revela que nisso também não há disputa na França. Os pais não se angustiam para saber quantas vezes os filhos devem se alimentar. Desde os 4 meses, a maior parte dos bebês franceses se alimenta em horários regulares. Assim como com as técnicas de sono, os pais franceses veem isso como bom-senso, não como parte de filosofia de criação.

O que é ainda mais estranho é que esses bebês franceses se alimentam mais ou menos nos mesmos horários. Com pequenas variações, as mães me contam que seus bebês se alimentam às 8h, 12h, 16h e 20h. *Votre enfant*, um respeitado guia francês voltado para os pais, tem apenas um exemplo de cardápio para bebês de 4 a 5 meses. É essa mesma sequência de alimentação.

Em francês, isso nem é chamado de "alimentação", que faz parecer que se está falando de dar feno às vacas. Eles chamam de "refeições". E a sequência lembra um esquema com o qual estou bem familiarizada: café da manhã, almoço e jantar, com um lanche da tarde no meio. Em outras palavras, por volta dos 4 meses, os bebês franceses já seguem o mesmo ritmo alimentar que seguirão pelo resto da vida (os adultos costumam deixar o lanche da tarde de lado).

espere!

  É de se pensar que a existência desse plano nacional de refeições do bebê seria óbvia. Na verdade, parece um segredo de estado. Se você simplesmente perguntar a pais franceses se seus bebês se alimentam de acordo com um planejamento, eles quase sempre dizem não. Assim como com o sono, eles insistem que estão apenas seguindo os "ritmos" dos bebês. Quando observo que os bebês franceses todos parecem se alimentar na mesma hora, os pais dizem que é só coincidência.

  O maior mistério para mim é como todos esses bebês franceses são capazes de esperar quatro horas entre uma refeição e outra. Bean fica ansiosa se tem que esperar mesmo alguns minutos para comer. Nós ficamos ansiosos também. Mas estou começando a achar que tem muita espera acontecendo na França. Primeiro, havia A Pausa, na qual os pais franceses esperam quando o bebê acorda. Agora, tem o planejamento de refeições do bebê, no qual eles esperam durante longos períodos de uma refeição até a próxima. E, é claro, tem todas aquelas crianças pequenas esperando com alegria no restaurante até a comida chegar.

  Os franceses parecem coletivamente ter atingido o milagre de fazer bebês e crianças pequenas não apenas esperarem, mas fazerem isso com alegria. Será que essa capacidade de esperar poderia explicar a diferença entre crianças francesas e americanas?

Para conseguir entender essas questões, mando um e-mail para Walter Mischel, o especialista mundial em como as crianças esperam por gratificação. Ele tem 80 anos e é professor e chefe do departamento de psicologia da Universidade de Columbia. Li tudo sobre ele e alguns de seus muitos trabalhos publicados sobre o assunto. Explico que estou em Paris pesquisando o modo francês de criar filhos e pergunto se ele tem tempo de falar comigo ao telefone.

  Mischel responde algumas horas depois. Para minha surpresa, ele diz que está em Paris também. Será que eu gostaria de tomar um café com ele? Dois dias depois, estamos à mesa da cozinha do apartamento da namorada dele no Quartier Latin, na descida da colina onde fica o Panthéon.

  Mischel nem parece ter 70 anos, muito menos 80. Tem a cabeça raspada e a energia contida de um boxeador, mas com um rosto doce, quase infantil. Não é difícil visualizá-lo como o garoto de 8 anos de Viena que fugiu da Áustria quando os nazistas anexaram o país.

A família acabou indo parar no Brooklyn. Quando Walter entrou na escola pública aos 9 anos, foi mandado para o jardim de infância para aprender inglês, e se lembra de "tentar andar de joelhos para não me destacar das crianças de 5 anos quando nossa turma andava pelos corredores". Os pais de Mischel, que eram cultos e pertenciam ao conforto da classe média de Viena, abriram com dificuldades uma loja de quinquilharias. A mãe dele, que tinha sofrido uma leve depressão em Viena, estava animada com os Estados Unidos. Mas o pai nunca se recuperou da queda de status.

Essa experiência precoce deu a Mischel a permanente perspectiva do estrangeiro e o ajudou a formular as perguntas a que ele passou a carreira respondendo. Aos 30 anos, ele provocou uma reviravolta na ciência da personalidade ao argumentar que as características das pessoas não são fixas; elas dependem de contexto. Apesar de ter se casado com uma americana e de criar três filhas na Califórnia, Mischel começou a fazer peregrinações anuais a Paris. "Eu sempre me senti europeu e achava que Paris era a capital da Europa", diz ele. (Mischel, que se divorciou em 1996, vive com uma francesa há uma década. Eles dividem o tempo entre Nova York e Paris.)

Mischel é famoso por criar o "teste do marshmallow" no final dos anos 1960, quando estava em Stanford. Nesse teste, um experimentador leva uma criança de 4 ou 5 anos para uma sala onde tem um marshmallow sobre a mesa. O experimentador diz que vai sair da sala por um tempinho. Se a criança conseguir não comer o marshmallow até ele voltar, vai ganhar dois marshmallows. Se comer o marshmallow, só vai ficar com aquele mesmo.

É um teste muito difícil. Das 653 crianças que o fizeram nos anos 1960 e 1970, só uma em cada três conseguiu resistir a comer o marshmallow durante os 15 minutos em que o experimentador passou fora. Algumas comeram assim que ficaram sozinhas. A maioria só conseguiu esperar uns trinta segundos.[1]

Em meados dos anos 1980, Mischel revisitou as crianças do experimento original, para ver se havia alguma diferença no modo como os que conseguiam e os que não conseguiam esperar estavam se saindo na adolescência. Quanto mais tempo as crianças tinham resistido ao marshmallow aos 4 anos, melhores foram as avaliações feitas por Mischel e seus colegas em várias categorias diferentes. Dentre outras habilidades, os que souberam esperar eram melhores em concentração e argumentação. E, de acordo com um relatório que Mischel e seus colegas publicaram em 1988, eles "não tendem a ruir em condições estressantes".

Será que fazer as crianças esperarem pela gratificação, como os pais da classe média francesa fazem, poderia torná-las mais calmas e flexíveis? Enquanto as crianças americanas de classe média, que em geral estão mais acostumadas a conseguir o que querem imediatamente, desmoronam em situações de estresse? Os pais franceses estão, mais uma vez, por tradição e instinto, fazendo exatamente o que os cientistas como Mischel recomendam?

Bean, que costuma ter o que quer quase imediatamente, pode passar da calma à histeria em questão de segundos. E sempre que volto para os Estados Unidos, percebo que crianças pequenas infelizes e choronas que exigem sair dos carrinhos ou se lançam pelas calçadas são parte do cenário da nossa rotina.

Raramente vejo cenas assim em Paris. Os bebês e as crianças pequenas franceses, que estão acostumados a esperar mais, parecem estranhamente calmos quando não têm o que querem imediatamente. Quando visito famílias francesas e passo tempo com crianças, percebo uma estranha falta de choros e reclamações. Frequentemente (ou pelo menos com bem mais frequência do que na minha casa), todos estão calmos e absortos no que fazem.

Na França, costumo ver o que se resume em um pequeno milagre: adultos em companhia de crianças pequenas em casa, tomando xícaras inteiras de café e envolvidos em conversas de adulto. Esperar até faz parte do vernáculo dos pais. Em vez de dizer "silêncio" ou "pare", os pais franceses costumam dizer um intenso *attend*, que significa "espere".

Mischel não fez o teste do marshmallow com nenhuma criança francesa. (Ele provavelmente teria que fazer uma versão com *pain au chocolat*.) Mas, como antigo observador na França, ele diz que fica impressionado com a diferença entre as crianças francesas e as americanas.

Nos Estados Unidos, diz ele, "a impressão que se tem é que o autocontrole foi ficando cada vez mais difícil para crianças". Isso às vezes é verdade até com os netos dele. "Não gosto quando ligo para uma das minhas filhas e ela me diz que não pode falar porque um dos filhos a está puxando e ela não pode dizer 'espere, estou falando com o vovô'."[2]

Ter filhos que sabem esperar torna a vida familiar mais agradável. As crianças na França "parecem bem mais disciplinadas e criadas de um jeito mais parecido com o que eu fui", diz Mischel. "Com amigos franceses vindo visitar com crianças pequenas, você ainda consegue fazer um jantar francês... a expectativa com as crianças francesas é que elas se comportem de uma maneira apropriada e calma e se divirtam no jantar."

"Divertir" é uma palavra importante aqui. A maior parte do tempo, os pais franceses não esperam que seus filhos sejam mudos, sem alegria e complacentes. Os pais apenas não veem como as crianças podem se divertir se não sabem se controlar.

Costumo ouvir pais franceses dizendo para os filhos serem *sage* (sábio). Dizer "*sois sage*" é meio como dizer "se comporte". Mas implica mais do que isso. Quando falo para Bean se comportar antes de entrarmos na casa de alguém, é como se ela fosse um animal selvagem que precisa parecer domado por uma hora, mas que pode ficar selvagem de novo a qualquer momento. É como se ser comportada fosse contrário à natureza dela.

Quando mando Bean ser *sage*, também estou mandando que se comporte de maneira apropriada. Mas estou pedindo que use o bom-senso e que preste atenção e respeite as outras pessoas. Estou dando a entender que ela tem uma certa sabedoria quanto à situação e que está no controle de si mesma. E estou dando a entender que confio nela.

Ser *sage* não significa ser chato. As crianças francesas que conheço se divertem muito. Nos fins de semana, Bean e os amigos correm gritando e rindo pelo parque durante horas. No recreio na creche e, mais tarde, na escola, é cada um por si. Também há diversão mais controlada em Paris, como festivais de cinema infantil, teatros e aulas de gastronomia, que exigem paciência e atenção. Os pais franceses que conheço querem que os filhos tenham experiências intensas e que sejam expostos à arte e à música.

Os pais não veem como os filhos podem absorver direito essas experiências se não tiverem paciência. Do ponto de vista francês, ter autocontrole para estar calmamente presente em vez de ansioso, irritado e exigindo coisas é o que permite que as crianças se divirtam.

Os pais e cuidadores franceses não acham que as crianças têm paciência infinita. Não esperam que crianças pequenas passem sinfonias ou banquetes formais inteiros sentadas. Costumam falar sobre esperar em termos de minutos ou segundos.

Mas mesmo essas pequenas demoras parecem fazer grande diferença. Agora, estou convencida de que o segredo de as crianças francesas raramente choramingarem ou terem crises de birra (ou pelo menos em menor quantidade do que as crianças americanas) é que elas desenvolveram os recursos internos para lidar com a frustração. Não esperam obter o que querem instantaneamente. Quando os pais franceses falam sobre a "educação" dos filhos, estão falando, em grande parte, sobre ensiná-los a não comer o marshmallow.

espere!

* * *

Então, como exatamente os franceses transformam crianças comuns em especialistas em esperar? E será que também podemos ensinar Bean a esperar?

Walter Mischel viu filmagens de centenas de crianças inquietas de 4 anos fazendo o teste do marshmallow. Acabou descobrindo que as que não sabiam esperar se concentravam no marshmallow, enquanto as que sabiam esperar se distraíam. "As crianças que conseguem esperar facilmente são as que aprendem durante a espera a cantar músicas para si mesmos, ou a mexer nas orelhas de um jeito interessante, ou a brincar com os dedos dos pés e transformar isso em um jogo", diz ele. As que não sabiam se distrair e se focavam no marshmallow acabavam comendo-o.[3]

Mischel conclui que ter a força de vontade de esperar não é questão de ser estoico. É questão de aprender técnicas que tornem a espera menos frustrante. "Há muitas, muitas maneiras de fazer isso, das quais a mais direta e simples... é se autodistrair", diz ele.

Os pais nem precisam especificamente ensinar "estratégias de distração" aos filhos. Mischel diz que as crianças aprendem isso sozinhas se os pais permitirem que pratiquem a espera. "Acho que uma coisa que costuma ser subestimada na criação de filhos é o quão extraordinárias... são as capacidades cognitivas das crianças muito pequenas se você as envolver", diz ele.

Isso é exatamente o que tenho visto os pais franceses fazerem. Eles não ensinam explicitamente técnicas de distração aos filhos. Em geral, apenas parecem dar muitas oportunidades para que as crianças pratiquem a espera.

Em uma tarde cinzenta de sábado, tomo um trem para Fontenay-sous-Bois, um subúrbio a leste de Paris. Um amigo marcou uma visita minha a uma família que mora lá. Martine, a mãe, é uma bonita advogada trabalhista no meio da casa dos 30 anos. Ela mora com o marido, médico de emergência, e os dois filhos, em um prédio moderno de poucos andares em meio a uma área arborizada.

Fico imediatamente impressionada com o quanto o apartamento de Martine se parece com o meu. Brinquedos tomam a área da sala de estar, que fica ao lado de uma cozinha americana. Temos a mesma geladeira de aço inoxidável.

Mas as similaridades terminam aqui. Apesar de ter dois filhos pequenos, a casa de Martine tem a calma que nós tanto desejamos. Quando chego, o marido dela está trabalhando no laptop na sala de estar enquanto Auguste, de 1 ano, cochila ali perto. Paulette, a filha de 3 anos com cabelo cortado curto, está sentada à mesa da cozinha colocando massa de bolo em pequenas forminhas. Quando cada forminha fica cheia, ela coloca confeitos coloridos e groselhas em cima.

Martine e eu nos sentamos para conversar na outra extremidade da mesa. Mas estou hipnotizada pela pequena Paulette e seus cupcakes. A menina está completamente absorta na tarefa. De alguma forma, ela resiste à tentação de comer a massa. Quando termina, ela pergunta à mãe se pode lamber a colher.

— Não, mas você pode comer alguns confeitos — diz Martine, levando Paulette a colocar várias colheradas de confeitos sobre a mesa.

Minha filha Bean tem a mesma idade de Paulette, mas eu não teria pensado em deixá-la fazer uma tarefa complicada como essa completamente sozinha. Eu ficaria tomando conta, e ela resistiria à minha supervisão. Haveria muito estresse e reclamação (meus e dela). Bean provavelmente pegaria massa, groselha e confeitos cada vez que eu me virasse. Eu certamente não estaria conversando calmamente com uma visita.

Eu definitivamente não iria querer repetir a cena toda uma semana depois. Mas fazer bolos e biscoitos parece ser um ritual semanal na França. Praticamente todas as vezes que visito uma família francesa no fim de semana, estão fazendo um bolo ou servindo o que fizeram mais cedo.

A princípio, penso que pode ser por causa da minha visita. Mas logo percebo que não tem nada a ver comigo. Existe um concurso nacional de bolos e tortas em Paris todos os fins de semana. Praticamente desde a idade em que os bebês conseguem se sentar, as mães começam a levá-los a projetos de cozinha semanais ou quinzenais. Essas crianças não só acrescentam um pouco de farinha ou amassam algumas bananas. Elas quebram ovos, colocam xícaras de açúcar e misturam com confiança sobrenatural. Elas realmente fazem o bolo todo sozinhas.

O primeiro bolo que a maior parte das crianças francesas aprende a fazer é o *gâteau au yaourt* (bolo de iogurte), no qual o pote vazio de iogurte é usado para medir os outros ingredientes. É um bolo leve e não muito doce, ao qual frutas vermelhas, gotas de chocolate, limão ou colheradas de rum podem ser acrescentados. É bem difícil errar.

Tanta atividade na cozinha não apenas rende muitos bolos. Também ensina as crianças a se controlarem. Com as medidas ordenadas e a sequência de ingredientes, fazer bolos é a aula perfeita de paciência. Também é o fato de que as famílias francesas não devoram o bolo assim que sai do forno, como eu faria. Eles costumam assar o bolo de manhã ou no começo da tarde e esperar para comer como *goûter* (pronuncia-se gutê), o lanche da tarde francês.

Tenho dificuldade em imaginar um mundo no qual as mães não andem por aí com sacos de biscoitos ou cereais na bolsa para controlar os momentos inevitáveis de nervosismo. Jennifer, que é mãe e repórter do *New York Times*, reclama que cada atividade que a filha frequenta, independente da pouca duração ou da parte do dia em que acontece, agora inclui um lanche.[4] "Aparentemente, nós decidimos de maneira coletiva, como cultura, que é impossível para as crianças tomarem parte em qualquer atividade sem simultaneamente enfiar alguma coisa nas goelas delas", escreve ela.

Na França, o *goûter* é o horário de lanche oficial e único. Costuma acontecer por volta das 16h ou 16h30, quando as crianças saem da escola. Tem o mesmo status das outras refeições e é cumprido sem exceção com as crianças.

O *goûter* ajuda a explicar por que as crianças francesas que vi no restaurante estavam comendo tão bem. Elas estavam realmente com fome, porque não tinham feito lanchinhos o dia todo. (Os adultos talvez tomem um café, mas raramente lancham. Um amigo meu que estava visitando a França reclamou que tinha dificuldade em encontrar lanches para adultos.)

Martine, a mãe que mora no subúrbio, diz que nunca se dedicou especificamente a ensinar paciência aos filhos. Mas os rituais diários da família dela (que vejo acontecerem em muitos outros lares de classe média franceses) são um aprendizado contínuo de como esperar pela gratificação.

Martine diz que costuma comprar doces para Paulette. (Há bombons em exibição em quase todas as padarias.) Mas a menina não pode comer o doce até o *goûter* do dia, mesmo que isso signifique esperar durante horas. Paulette está acostumada com isso. Martine às vezes precisa lembrá-la da regra, mas a filha não protesta.

Mas mesmo o *goûter* não é liberado. "A melhor coisa é que sempre tinha bolo para comer", relembra Clotilde Dusoulier, uma escritora francesa de gastronomia. "Mas o outro lado da moeda era que minha mãe dizia 'já chega'. Também ensinava a criança a se controlar." Clotilde, que agora está com 30 e poucos anos, diz que, quando criança, fazia bolos com a mãe "quase todos os fins de semana".

Não é só o que e quando as famílias francesas comem que torna as refeições delas pequenas cápsulas de treinamento de paciência. É também como comem e com quem. Desde muito cedo, as crianças francesas se acostumam a fazer as refeições em etapas, com no mínimo uma entrada, um prato principal e uma sobremesa. Elas também se acostumam a comer com os pais, o que deve ser melhor para aprender a ter paciência. De acordo com a Unicef, 90% dos jovens franceses de 15 anos fazem a principal refeição do dia com os pais várias vezes por semana. Nos Estados Unidos e no Reino Unido, esse número é de 67%.

Essas refeições não são corridas. Naquele estudo das mulheres de Rennes, na França, e de Ohio, nos Estados Unidos, as mulheres francesas passavam mais do que o dobro de tempo comendo por dia. Elas certamente passam esse ritmo para os filhos.

Felizmente, é hora do *goûter* quando os cupcakes saem do forno na casa de Martine. Paulette come dois com alegria. Mas Martine nem prova. Ela parece ter se acostumado a ver cupcakes como comida de criança para poder não comê-los. (Infelizmente, acho que ela supõe que domino os mesmos truques e não me oferece nenhum.)

Essa é outra maneira pela qual os pais franceses ensinam os filhos a esperar. Eles exemplificam a espera. Garotinhas que vivem em lares onde a mãe não come o cupcake crescem e se transformam em mulheres que também não comem o cupcake. (Minha própria mãe tem muitas qualidades maravilhosas, mas sempre come o cupcake.)

Eu percebo que Martine não espera que a filha seja perfeitamente paciente. Ela supõe que Paulette vai às vezes pegar coisas e cometer erros. Mas Martine não exagera na reação a esses erros, como eu costumo fazer. Ela entende que toda a preparação e espera pelos cupcakes são a prática para desenvolver uma habilidade.

Em outras palavras, Martine é paciente quanto a ensinar paciência.

Quando Paulette tenta interromper nossa conversa, Martine diz: "Espere dois minutos, pequenina. Estou no meio de uma conversa." É ao mesmo tempo educado e firme. Fico impressionada com o modo doce como Martine fala e com a certeza que ela parece ter de que Paulette vai obedecer-lhe.

Martine ensina os filhos a terem paciência desde que eram pequeninos. Quando Paulette era bebê, Martine costumava esperar cinco minutos antes de pegá-la quando ela chorava (e, é claro, Paulette começou a dormir a noite inteira com 2 meses e meio).

Martine também ensina aos filhos uma outra habilidade relacionada: saberem brincar sozinhos. "A coisa mais importante é que ele aprenda a ser feliz sozinho", diz ela sobre o filho, Auguste.

Uma criança que consegue brincar sozinha pode usar essa capacidade quando a mãe está no telefone. E é uma habilidade que as mães francesas explicitamente tentam cultivar nos filhos, mais do que as mães americanas. Em um estudo de mães com nível superior nos Estados Unidos e na França, as mães americanas disseram que encorajar o filho a brincar sozinho era de importância mediana. Mas as mães francesas disseram que era muito importante.[5]

Pais que valorizam essa capacidade provavelmente estão mais aptos a deixar a criança em paz quando ela está bem brincando sozinha. Quando as mães francesas dizem que é importante observar o próprio ritmo da criança, em parte o que elas querem dizer é que, quando a criança está ocupada brincando, elas as deixam sozinhas.

Esse parece ser outro exemplo de como as mães e cuidadoras francesas seguem intuitivamente a ciência. Walter Mischel diz que o pior cenário para uma criança de 18 a 24 meses de idade é "a criança está ocupada e feliz, e a mãe aparece com uma colherada de espinafre...

"As mães que estragam tudo são as que aparecem quando a criança está ocupada e não quer ou não precisa delas, e não estão presentes quando a criança está ansiosa para estar com elas. Ficar alerta a isso é absolutamente crucial."

Realmente, um minucioso estudo do governo americano sobre os efeitos dos cuidados infantis[6] descobriu que é especialmente importante a "sensibilidade" da mãe ou de quem cuida, o quanto ela está sintonizada com a experiência que a criança tem do mundo. "A mãe sensível está ciente das necessidades, dos humores, interesses e capacidades do filho", explica o responsável. "Ela permite que essa percepção guie suas interações com o filho." Inversamente, ter uma mãe deprimida é muito ruim, porque a depressão impede que ela se sintonize com o filho.

A convicção de Mischel sobre a importância da sensibilidade não vem apenas de pesquisa. Ele diz que sua própria mãe era alternadamente sufocante e ausente. Mischel ainda não sabe andar de bicicleta porque ela morria de medo de que ele machucasse a cabeça. Mas nenhum dos pais foi ouvir o discurso dele de despedida na formatura do ensino médio.

É claro que os pais americanos querem que os filhos sejam pacientes. Acreditamos que "a paciência é uma virtude". Encorajamos nossos filhos a dividir, a esperar a vez, a arrumar a mesa e a ensaiar no piano. Mas a paciência não é uma habilidade na qual trabalhamos com a mesma assiduidade dos pais franceses. Assim como com o sono, tendemos a ver se as crianças são boas em esperar como uma questão de temperamento. Em nossa visão, os pais tiram a sorte grande e ganham uma criança que sabe esperar, ou não.

Os pais e cuidadores franceses não conseguem acreditar que somos tão displicentes com essa habilidade importantíssima. Para eles, ter filhos que precisam de gratificação instantânea tornaria a vida insuportável. Quando menciono o assunto deste livro em um jantar em Paris, meu anfitrião, um jornalista francês, conta uma história sobre o ano em que morou no sul da Califórnia. Ele e a esposa, uma juíza, tinham feito amizade com um casal americano e decidiram passar um fim de semana com eles em Santa Barbara. Era a primeira vez que conheciam os filhos uns dos outros, que iam de 7 a 15 anos de idade.

Pela perspectiva dos meus anfitriões, o fim de semana se tornou enlouquecedor. Anos depois, eles ainda se lembram de como as crianças americanas costumavam interromper os adultos no meio das frases. E não havia horário certo para as refeições; as crianças americanas apenas iam até a geladeira e pegavam comida quando queriam.

Para o casal francês, parecia que as crianças americanas mandavam na casa. "O que nos chamou a atenção e nos incomodou foi que os pais nunca diziam 'não'", disse o jornalista. "Eles faziam *n'importe quoi*", acrescentou a esposa dele. Isso aparentemente era contagioso. "A pior parte foi que nossos filhos começaram a fazer *n'importe quoi* também", diz ela.

Depois de um tempo, percebo que a maior parte das descrições francesas de crianças americanas inclui a expressão "*n'importe quoi*", que significa "o que querem". Isso sugere que as crianças americanas não têm limites firmes, que os pais não têm autoridade e que tudo é permitido. É a antítese do ideal francês de *cadre*, ou moldura, de que os pais franceses falam. *Cadre* significa que as crianças têm limites bastante firmes (essa é a moldura) e que os pais reforçam com rigor esses limites. Mas, dentro desses limites, as crianças têm muita liberdade.

Os pais americanos também impõem limites, é claro. Mas eles costumam ser diferentes dos franceses. Na verdade, os franceses costumam achar esses limites americanos chocantes. Laurence, a babá da Normandia, me conta que não trabalha mais para famílias americanas, e que muitas das amigas dela que são babás também não. Ela diz que largou o último emprego com americanos depois de alguns meses, principalmente por causa de problemas com limites.

"Era difícil porque era *n'importe quoi*, a criança faz o que quer, quando quer", diz Laurence.

Laurence é alta, tem cabelo curto e um jeito gentil e prático. Ela tem medo de me ofender. Mas diz que, em comparação às famílias francesas para as quais trabalhou, em lares americanos havia bem mais choro e reclamação. (É a primeira vez que escuto o verbo onomatopaico francês *chouiner*, choramingar.)

A última família americana para a qual ela trabalhou tinha três filhos, de 8 anos, 5 anos e 1 ano e meio. Quanto à menina de 5 anos, choramingar "era o esporte preferido dela. Ela choramingava o tempo todo, com lágrimas que podiam cair a qualquer momento". Laurence acreditava que era melhor ignorar a menina para não reforçar o choramingo. Mas a mãe da menina, que frequentemente estava em casa, em outro aposento, costumava entrar correndo e cedia a qualquer coisa que a garota estivesse pedindo.

Laurence diz que o filho de 8 anos era pior. "Ele sempre queria um pouco mais, um pouco mais." Ela diz que, quando as exigências cada vez maiores dele não eram satisfeitas, ele ficava histérico.

A conclusão de Laurence é que, em uma situação assim, "a criança é menos feliz. Ela fica um pouco perdida... Nas famílias onde há mais estrutura, não uma família rigorosa, mas com um pouco mais de *cadre*, tudo corre com muito mais facilidade".

A gota d'água para Laurence aconteceu quando a mãe da família americana insistiu que ela colocasse as duas crianças mais velhas de dieta. Laurence se recusou e disse que simplesmente daria refeições balanceadas a elas. Mais tarde, ela descobriu que depois que colocava as crianças na cama e ia embora, por volta das 20h30, a mãe dava biscoitos e bolos a elas.

— Elas eram robustas — diz Laurence sobre as três crianças.
— Robustas? — eu pergunto.
— Digo "robusta" para não dizer "gorda" — diz ela.

Eu gostaria de não dar muita importância a essa história por ela ser um estereótipo. Obviamente, nem todas as crianças americanas se comportam assim. E as crianças francesas fazem bastante *n'importe quoi* também. (Bean mais tarde vai dizer com firmeza para o irmão de 1 ano e meio, imitando as próprias professoras: *"Tu ne peux pas faire n'importe quoi"* — Você não pode fazer o que quer.)

Mas a verdade é que, no meu lar, testemunhei crianças americanas fazendo muito *n'importe quoi*.[7] Quando famílias americanas nos visitam, os adultos passam a maior parte do tempo indo atrás ou cuidando dos filhos.

"Talvez em uns cinco anos a gente consiga conversar", brinca uma amiga da Califórnia que está visitando Paris com o marido e as duas filhas, de 7 e 4 anos. Passamos horas tentando apenas terminar nossas xícaras de chá.

Ela e a família chegaram em nossa casa depois de passarem o dia passeando por Paris, e a filha mais nova, Rachel, teve vários ataques de birra gigantescos durante o passeio. Quando veem que o jantar que estou preparando não está pronto, o pai e a mãe vão até a cozinha para dizer que as garotas provavelmente não conseguem esperar muito. Quando finalmente nos sentamos, eles deixam Rachel ir para debaixo da mesa enquanto o resto de nós (inclusive Bean) janta. Os pais explicam que Rachel está cansada, então não consegue se controlar. Em seguida, falam sobre a prodigiosa capacidade dela de leitura e a possível admissão em um jardim de infância para crianças superdotadas.

Durante a refeição, sinto alguma coisa mexendo no meu pé.

"Rachel está fazendo cócegas em mim", eu digo para os pais com nervosismo. Segundos depois, dou um gritinho. A criança superdotada me mordeu.

Impor limites a crianças não é uma invenção francesa, é claro. Muitos pais e especialistas americanos também acham que limites são muito importantes. Mas, nos Estados Unidos, isso se choca com a ideia concorrente de que as crianças precisam se expressar. Às vezes, sinto que as coisas que Bean quer (suco de maçã em vez de água, usar vestido de princesa para ir ao parque, ser carregada em vez de andar no carrinho) são imutáveis e primordiais. Não cedo a tudo. Mas repelir os desejos dela repetidamente me parece errado, e possivelmente até danoso.

Também tenho dificuldade em pensar em Bean como alguém que consegue ficar sentada quieta durante uma refeição de quatro etapas, ou como alguém que brinca em silêncio quando estou falando no telefone. Nem tenho certeza se quero que ela faça essas coisas. Será que vai sufocar a essência dela? Será que isso limitaria as manifestações pessoais dela e a possibilidade de ser quem vai criar o próximo Facebook? Com tantas ansiedades, costumo desistir.

Não sou a única. No quarto aniversário de Bean, um dos amigos dela de língua inglesa entra com um presente embrulhado para ela e outro para si mesmo. A mãe diz que ele se aborreceu na loja porque não ia ganhar presente. Minha amiga Nancy me conta sobre uma nova filosofia de criação que pretende eliminar essa batalha de vontades: você nunca deixa seu filho ouvir a palavra "não" para que ele não possa usá-la com você.

Na França, não existe tanta ambivalência com o *"non"*. "Você precisa ensinar a frustração ao seu filho" é uma máxima entre pais franceses. Em minha série favorita de livros franceses para crianças, Princesse Parfaite (A Princesa Perfeita), a heroína, Zoé, é vista puxando a mãe em direção a um vendedor de crepes. O texto explica: "Enquanto passava pela *crêperie*, Zoé fez uma cena. Queria um crepe com geleia de amora. A mãe disse não, porque elas tinham acabado de almoçar."

Na página seguinte, Zoé está na padaria, vestida como a Princesa Perfeita do título. Desta vez, ela está cobrindo os olhos para não ver as pilhas de brioches frescos. Ela está sendo *sage*. "Como [Zoé] sabe, para evitar a tentação, ela vira a cabeça para o outro lado", diz o texto.

Vale observar que, na primeira cena, quando Zoé não consegue o que quer, ela está chorando. Mas, na segunda, na qual se distrai, está sorrindo. A mensagem é que as crianças sempre terão o impulso de ceder aos desejos. Mas são mais felizes quando são *sage* e em controle de si mesmas. (Também vale observar que os pais parisienses não deixam suas filhas irem às compras com roupas de princesa. Elas são apenas para festas de aniversário ou para se fantasiarem em casa.)

No livro *Un enfant heureux* (Uma criança feliz), o psicólogo francês Didier Pleux argumenta que a melhor maneira de fazer uma criança feliz é frustrando-a. "Isso não significa que você a impede de brincar ou que não deve abraçá-la", diz Pleux. "É preciso respeitar os gostos dela, os ritmos e a individualidade. Mas a criança precisa aprender desde cedo que não está sozinha no mundo e que tem uma hora para tudo."

Fico impressionada com o quanto as expectativas francesas são diferentes quando, na mesma viagem à praia em que testemunhei todas as crianças francesas comendo com alegria em restaurantes, levo Bean para uma loja cheia de pilhas perfeitamente alinhadas de camisetas listradas "de marinheiro" de cores variadas. Bean imediatamente começa a puxá-las. Nem hesita quando chamo a atenção dela.

Para mim, o mau comportamento de Bean é previsível para uma criança pequena. Então, fico surpresa quando a vendedora diz sem maldade: "Nunca vi uma criança fazer isso." Peço desculpas e vou embora.

Walter Mischel diz que ceder às crianças desperta um ciclo perigoso. "Se as crianças têm a experiência de que, quando você as manda esperar, se elas gritarem, a mamãe vem correndo e a espera acaba, elas vão rapidamente aprender a não esperar. A não espera, o grito, a continuidade do ato e o choro estão sendo recompensados."

Os pais franceses adoram o fato de que cada criança tem seu temperamento. Mas consideram que qualquer criança saudável é capaz de não chorar e nem desmoronar depois de ouvir um "não", e em geral de não reclamar e nem sair pegando as coisas.

Os pais franceses são mais inclinados a ver as exigências um tanto aleatórias de uma criança como *caprices*, desejos impulsivos ou caprichos. Eles não têm problema em dizer não para essas exigências. "Acho [que as francesas] entendem antes das americanas que as crianças podem fazer exigências, e que essas exigências não são realistas", me diz um pediatra que trata de crianças francesas e americanas.

Uma psicóloga francesa escreve[8] que, quando uma criança tem um *caprice* (por exemplo, a mãe está em uma loja com ela e de repente ela pede um brinquedo), a mãe deve ficar extremamente calma e gentilmente explicar que o brinquedo não está nos planos daquele dia. Em seguida, deve tentar "contornar" o *caprice* com o redirecionamento da atenção da criança, por exemplo, contando uma história de sua própria vida. "Histórias sobre os pais sempre são interessantes para as crianças", diz o psicólogo. (Depois de ler isso, sempre que há uma crise, eu grito para Simon: "Conte uma história da sua vida!")

O psicólogo diz que, enquanto isso acontece, a mãe deve manter uma comunicação próxima com a criança, abraçando-a ou olhando-a nos olhos. Mas também deve fazê-la entender que "ela não pode ter tudo imediatamente. É essencial não deixá-la pensando que é toda-poderosa e que pode fazer tudo e ter tudo".

Os pais franceses não se preocupam se vão prejudicar os filhos ao frustrá-los. Ao contrário, eles acham que os filhos serão prejudicados se não conseguirem lidar com as frustrações. Também encaram lidar com frustrações como uma habilidade essencial de vida. Os filhos têm que aprender. Os pais seriam negligentes se não ensinassem.

Laurence, a babá, diz que, se uma criança quer que ela a pegue no colo enquanto cozinha, "basta explicar para ela: 'não posso pegar você agora', e explicar por quê".

Laurence diz que as crianças nem sempre aceitam bem isso. Mas ela se mantém firme e deixa a criança expressar a decepção. "Não deixo que ela chore durante horas, mas deixo que chore", diz ela. "Explico para ela que não posso fazer de outro jeito."

Isso acontece muito quando ela está cuidando de várias crianças ao mesmo tempo. "Se você está ocupada com uma criança e outra quer você, se você pode pegá-la, obviamente você pega. Mas se não posso, eu deixo chorando."

A expectativa francesa de que até as crianças pequenas devem saber esperar vem em parte dos dias mais sombrios da criação francesa, quando as crianças tinham que ficar quietas e obedecer. Mas também vem da crença de que até os bebês são pessoas racionais que podem aprender. De acordo com essa visão, quando corremos para alimentar Bean sempre que ela choraminga, estamos tratando-a como viciada. Esperar que ela tenha paciência seria uma maneira de respeitá-la.

Assim como quando ensinamos as crianças a dormir, os especialistas franceses encaram aprender a lidar com o "não" como um passo crucial na evolução da criança. Isso as força a entender que há outras pessoas no mundo, com necessidades tão importantes quanto as dela. Um psiquiatra infantil francês escreve que essa *éducation* deve começar quando o bebê tem de 3 a 6 meses. "A mãe começa a fazê-lo esperar um pouco às vezes, introduzindo uma dimensão temporal à realidade dele. É graças a essas pequenas frustrações que os pais impõem a ele dia após dia, junto com o amor que sentem, que fica permitido suportar e renunciar, entre as idades de 2 a 4 anos, de sua condição de todo-poderoso, como forma de humanização. Essa renúncia nem sempre é clara, mas é uma passagem obrigatória."[9]

Na visão francesa, não estou ajudando Bean quando cedo aos desejos dela. Os especialistas e os pais franceses acreditam que ouvir "não" resgata a criança da tirania de seus próprios desejos. "Quando você é uma criança pequena, tem necessidades e desejos que basicamente não têm fim. É uma coisa básica. Os pais estão ali — é por isso que você tem frustrações — para impedir esse [processo]", diz Caroline Thompson, uma psicóloga de família que tem consultório bilíngue em Paris.

Thompson, que tem mãe francesa e pai inglês, observa que as crianças costumam ficar com raiva dos pais quando eles a limitam. Ela diz que os pais falantes de língua inglesa costumam interpretar essa raiva como sinal de que estão fazendo alguma coisa errada. Mas ela avisa que os pais não devem confundir deixar uma criança com raiva com criar mal o filho.

Ao contrário, "se o pai ou a mãe não consegue suportar o fato de ser odiado, então ele ou ela não vai frustrar o filho, e a criança vai ficar em uma situação em que será o objeto de sua própria tirania, na qual basicamente ela tem que lidar com sua própria ganância e sua própria necessidade das coisas. Se os pais não estão perto para impedi-la, é ela que vai ter que se impedir ou não, o que causa muito mais ansiedade".

A visão de Thompson reflete o que parece ser o consenso na França: fazer os filhos encararem limitações e lidarem com frustrações os deixa mais felizes e os torna pessoas mais flexíveis. E uma das muitas maneiras de induzir gentilmente a frustração no dia a dia é fazendo as crianças esperarem um pouco. Assim como A Pausa como estratégia de sono, os pais franceses se concentram nesse ponto. Eles tratam a espera não só como uma habilidade importante dentre várias, mas como a base para a criação de filhos.

Ainda estou perplexa com a programação nacional de horários de alimentação de bebês da França. Como os bebês franceses todos acabam comendo nas mesmas horas se as mães não os obrigam? Quando menciono isso, as mães continuam a falar de ritmo e flexibilidade, e sobre como cada criança é diferente.

Mas, depois de um tempo, percebo que elas também encaram alguns princípios como óbvios, mesmo que nem sempre os mencionem. O primeiro é que, depois dos primeiros meses, um bebê deve se alimentar mais ou menos nos mesmos horários todos os dias. O segundo é que os bebês sempre devem fazer poucas refeições grandes em vez de várias pequenas. E o terceiro é que o bebê deve se encaixar no ritmo da família.

Assim, ao mesmo tempo que é verdade que as mães não obrigam o bebê a cumprir esses horários, elas os direcionam a ele ao seguir esses três princípios. O livro sobre criação de filhos chamado *Votre enfant* diz que o ideal é amamentar em livre demanda nos primeiros meses e depois colocar o bebê "progressivamente e com flexibilidade em horários regulares que sejam mais compatíveis com sua rotina".

Se os pais seguem esses princípios e o bebê acorda às 7h ou às 8h, e eles acham que ele deve esperar por volta de quatro horas entre as refeições, ele vai ficar preso ao horário nacional de refeições. Vai se alimentar de manhã. Vai voltar a comer por volta do meio-dia. Vai fazer uma refeição da tarde por volta das 16h. E vai comer de novo em torno das 20h, antes de ir dormir. Quando um bebê chora às 10h30 da manhã, os pais vão supor que o melhor para ele é esperar até o almoço para fazer uma boa refeição. Pode levar um tempo para ele se acostumar a esse ritmo. Os pais devem guiar o bebê até se encaixar nesses horários gradualmente, não de supetão. Mas o bebê acaba se acostumando, assim como os adultos. Os pais também se acostumam. E isso permite que toda a família faça as refeições junta.

Martine diz que nos primeiros meses amamentou Paulette em livre demanda. Por volta do terceiro mês, para fazer com que ela esperasse três horas entre as mamadas, ela a levava para passear ou a colocava em um *sling*, onde Paulette costumava parar de chorar rapidamente. Martine então fez a mesma coisa quando quis espaçar a alimentação a intervalos de quatro horas. Martine diz que nunca deixou nenhum dos filhos chorando por muito tempo. Gradualmente, eles entraram no ritmo de fazer quatro refeições por dia. "Fui bastante flexível, porque sou assim", diz ela.

A suposição crucial é que, enquanto o bebê tem seu próprio ritmo, a família e os pais também têm os seus. O ideal na França é encontrar um equilíbrio entre os dois. *Votre enfant* explica: "Você e seu bebê têm cada um os seus direitos, e cada decisão é um comprometimento."

O pediatra regular de Bean nunca mencionou esse plano de quatro refeições por dia. Mas está viajando na consulta seguinte dela. A substituta é uma jovem francesa que tem uma filha da idade de Bean. Quando pergunto sobre os horários, ela diz que, *bien sûr*, Bean só deveria se alimentar quatro vezes por dia. Em seguida, ela pega alguns Post-its e escreve O Planejamento. É o mesmo novamente: manhã, meio-dia, 16h e 20h. Quando pergunto depois ao médico de Bean por que ele nunca falou disso, ele diz que prefere não sugerir horários para pais americanos porque eles ficam fanáticos demais com isso.

Demoramos algumas semanas, mas gradualmente guiamos Bean para esse planejamento de horários. Descobrimos que ela consegue esperar. Só precisava de um pouco de prática.

Gâteau au yaourt
(Bolo de iogurte)

2 potes de 170g de iogurte natural (use o pote para medir os outros ingredientes)

2 ovos

2 potes de açúcar (ou apenas um, se você preferir menos doce)

1 colher de chá de baunilha

Um pouco menos de 1 pote de óleo vegetal

4 potes de farinha de trigo

1 ½ colher de sopa de fermento químico

Crème fraîche (creme de leite fresco) – opcional

Preaqueça o forno a 190°C.

Use óleo vegetal para untar uma forma redonda de bolo de 22cm ou uma forma de pão.

Misture delicadamente o iogurte, os ovos, o açúcar, a baunilha e o óleo. Em uma tigela separada, misture a farinha e o fermento. Acrescente os ingredientes secos aos úmidos; misture com delicadeza até absorção completa (não misture demais). Você pode acrescentar 2 potes de frutas vermelhas congeladas, um pote de gotas de chocolate ou qualquer outro ingrediente para dar sabor. Asse por 35 minutos, podendo aumentar em mais 5 minutos se o bolo não passar no teste do palito seco. Ele deve ficar quase crocante na parte de fora, mas macio por dentro. Deixe esfriar. O bolo é delicioso com chá e uma colherada de *crème fraîche*.

Capítulo 5

Pequenos humanos

Quando Bean está com 1 ano e meio, nós a matriculamos no Centro de Adaptação da Criança Pequena no Aquatic Milieu, também conhecido como Bebês na Água. É uma aula paga semanal de natação organizada pela administração do nosso bairro e que acontece todos os sábados em uma das piscinas públicas.

Um mês antes da primeira aula, os organizadores chamam os pais para um encontro informativo. Os outros pais se parecem muito conosco: com nível superior e dispostos a empurrar carrinhos em uma manhã fria de sábado para ensinar os filhos a nadar. Cada família recebe um horário de 45 minutos e um aviso de que, como em todas as piscinas públicas de Paris, os homens devem usar sunga, e não short. (Em teoria, isso é por motivo de higiene. Os homens podem ter usado o short em outro lugar e acabar levando sujeira para a piscina.)

Nós três chegamos à piscina, tiramos a roupa e vestimos nossas roupas de banho da maneira mais discreta possível no vestiário misto. Em seguida, vamos para a piscina junto com outras crianças e seus pais. Bean joga algumas bolas de plástico, desce no escorrega e pula de barquinhos. Em determinado momento, um professor nada até nós, se apresenta e sai nadando. Antes de percebermos, nosso horário acabou e a próxima leva de pais e crianças está entrando na piscina.

Imagino que deve ser a aula de apresentação e que as aulas verdadeiras começarão na semana seguinte. Mas a aula seguinte é igual: muita brincadeira e nada de ensinarem a bater a perna, fazer bolhas ou começar a nadar. Na verdade, não há nenhuma instrução organizada. De vez em quando, o mesmo professor nada até nós e observa se estamos felizes.

Desta vez, eu o pego na piscina: quando ele vai começar a ensinar minha filha a nadar? Ele sorri com indulgência. "As crianças não aprendem a nadar no Bebês na Água", diz ele, como se fosse completamente óbvio. (Mais tarde, descubro que as crianças parisienses não costumam aprender a nadar antes dos 6 anos.)

Então, o que estamos fazendo aqui? Ele diz que o sentido dessas aulas é que as crianças *descubram* a água e que *despertem* para as sensações de estarem nela.

Há? Bean já "descobriu" a água na banheira. Quero que ela nade! E quero que nade o mais cedo possível, de preferência antes dos 2 anos. Pensei estar pagando para isso, e ser por isso que arranquei minha família da cama em uma manhã gelada de sábado.

De repente, olho ao redor e percebo que todos aqueles pais na reunião informativa sabiam que estavam matriculando os filhos para que eles "descobrissem" e "despertassem" para a água, não para aprenderem a nadar. Será que os filhos deles "descobrem" o piano também, em vez de aprenderem a tocar?

Percebo que os pais franceses não estão apenas fazendo algumas coisas diferentes. Eles têm uma visão diferente de como as crianças aprendem e de quem elas são. Eu não tenho apenas um problema com a aula de natação; pareço ter um problema filosófico também.

Nos anos 1960, o psicólogo suíço Jean Piaget foi aos Estados Unidos compartilhar suas teorias sobre os estágios do desenvolvimento infantil. Depois de cada palestra, alguém na plateia costumava lhe perguntar o que ele passou a chamar de A Pergunta Americana: como podemos acelerar esses estágios?

A resposta de Piaget era: por que você iria querer fazer isso? Ele achava que forçar as crianças a adquirir habilidades antes da hora não era possível e nem desejável. Acreditava que as crianças chegam a esses marcos em seu próprio passo, guiadas por seus motores internos.

A Pergunta Americana resume uma diferença essencial entre os pais franceses e os americanos. Nós, americanos, nos damos a função de motivar, estimular e carregar nossos filhos de um estágio de desenvolvimento ao seguinte. Achamos que, quanto melhores pais formos, mais rápido nossos filhos vão se desenvolver. Em meu grupo anglófono de brincadeiras em Paris, algumas das mães se gabam do fato de os filhos terem aulas de música ou de participarem de um grupo de brincadeiras em que se fala português. Mas essas mesmas mães costumam resistir a revelar detalhes das atividades, para que mais ninguém possa matricular seu filho. Essas mães jamais admitiriam que estão sendo competitivas, mas a sensação é palpável.

Os pais franceses não parecem tão ansiosos para que os filhos se adiantem. Não os forçam a ler, nadar, nem fazer problemas de matemática antes da hora. Não tentam transformá-los em prodígios. Não tenho a impressão de que, secretamente ou não, estamos todos em uma corrida para ganhar um prêmio não revelado. Eles os matriculam em aulas de tênis, esgrima e inglês. Mas não exibem essas atividades como provas de serem bons pais. Nem ficam na defensiva quando falam sobre as aulas, como se fossem uma espécie de arma secreta. Na França, o objetivo de matricular uma criança em uma aula de música no sábado de manhã não é para ativar uma rede neural. É para diversão. Assim como aquele professor de natação, os pais franceses acreditam em "despertar" e "descoberta".

Na verdade, os pais franceses têm uma visão diferente da natureza da criança. Quando começo a ler sobre essa visão, sempre encontro duas pessoas que viveram com diferença de duzentos anos entre uma e outra: o filósofo Jean-Jacques Rousseau e uma francesa de quem já tinha ouvido falar, chamada Françoise Dolto. São as duas grandes influências no jeito francês de criar filhos. E o espírito deles está bem vivo hoje na França.

A ideia francesa moderna de como criar filhos começa com Rousseau. O filósofo não era exatamente pai (nem, como Piaget, nascido na França). Ele nasceu em Genebra em 1712 e não teve uma infância ideal. Sua mãe morreu dez dias depois de ele nascer. Seu único irmão, mais velho, fugiu de casa. Mais tarde, seu pai, que era relojoeiro, fugiu de Genebra por causa de um problema comercial, deixando Jean-Jacques para trás com um tio. Rousseau acabou indo morar em Paris, onde abandonou os próprios filhos em orfanatos logo depois que nasceram. Ele disse que era para proteger a honra da mãe deles, uma ex-costureira que ele contratou como empregada.

Nada disso impediu Rousseau de publicar *Emílio, ou Da Educação*, em 1762. Ele descreve a educação de um garoto fictício chamado Emílio (que, depois da puberdade, conhece a adorável e igualmente fictícia Sofia). O filósofo alemão Immanuel Kant comparou a importância do livro com a da Revolução Francesa. Os amigos franceses me contam que leram no ensino médio. O impacto de *Emílio* é tão duradouro que passagens e ditos do livro são clichês da criação de filhos moderna, como a importância do "despertar". E os pais franceses ainda aceitam como verdadeiros vários de seus preceitos.

Emílio foi publicado durante um período terrível para os pais franceses. Um órgão público parisiense estimou que, dos 21 mil bebês nascidos em Paris em 1780, 19 mil foram mandados para morar com amas de leite em lugares tão distantes quanto a Normandia ou a Borgonha.[1] Alguns desses recém-nascidos morreram no trajeto, enquanto sacolejavam na traseira de carroças frias. Muitos outros morreram aos cuidados das amas de leite mal pagas e sobrecarregadas, que assumiam bebês demais e costumavam deixá-los embrulhados em cueiros por longos períodos, supostamente para impedir que se machucassem.

Para os pais da classe trabalhadora, amas de leite eram uma escolha econômica; era mais barato pagar uma do que contratar alguém para substituir a mãe na loja da família.[2] Para as mães da classe alta, no entanto, era uma questão de escolha de estilo de vida. Havia a pressão social para que fossem livres para participar de uma vida social sofisticada. Um filho "interfere não apenas na vida de casada da mãe, mas também nos prazeres dela", escreve uma historiadora social francesa.[3] "Cuidar de uma criança não era nem divertido, nem *chic*."

Rousseau tentou modificar isso tudo com *Emílio*. Ele encorajou as mães a amamentarem seus bebês. Condenou o uso de cueiros para embrulhar os bebês, o uso de "toucas acolchoadas" e "coleiras", os aparatos para segurança infantil da época. "Em vez de ficar atento para proteger Emílio de ferimentos, eu ficaria muito aborrecido se ele nunca se machucasse e crescesse sem conhecer a dor", escreveu Rousseau. "Se ele pegar uma faca, não vai apertar com força a ponto de se cortar profundamente."

Rousseau achava que as crianças deviam ter espaço para que seu desenvolvimento desabrochasse naturalmente. Ele disse que Emílio devia ser "levado diariamente para o meio de um campo; lá, ele pode correr e brincar; pode cair cem vezes por dia". Ele imaginava uma criança livre para explorar e descobrir o mundo, para que seus sentidos gradualmente "despertassem". "De manhã, deixe Emílio correr descalço em todas as estações do ano", escreveu. Ele permite que o fictício Emílio leia apenas um livro: *Robinson Crusoé*.

Até ler *Emílio*, eu estava intrigada com toda a conversa entre pais e educadores franceses sobre deixar as crianças "despertarem" e "descobrirem". Uma das professoras na creche de Bean falou com orgulho para os pais durante a reunião que as crianças vão a um ginásio do bairro às quintas de manhã, não para fazerem exercício, mas para "descobrirem" seus corpos. A declaração da missão da creche diz que as crianças devem "descobrir o mundo com prazer e alegria...". Outra creche ali perto se chama simplesmente Enfance et Découverte (Infância e Descoberta). O maior elogio que alguém faz a um bebê na França é que ele é *éveillée* (alerta e desperto). Ao contrário dos Estados Unidos, isso não é um eufemismo para "feio".

Despertar é apresentar a criança a experiências sensoriais, incluindo gostos. Nem sempre requer o envolvimento ativo dos pais. Pode acontecer ao observar o céu, sentir o cheiro do jantar quando está sendo preparado ou brincar sozinha sobre um cobertor. É uma forma de afiar os sentidos da criança e prepará-la para distinguir entre experiências diferentes. É o primeiro passo para ensiná-la a ser um adulto culto que sabe se divertir. Despertar é uma espécie de treinamento para as crianças sobre como *profiter* — mergulhar no prazer e na intensidade do momento.

Sou a favor de todo esse despertar, é claro. Quem não seria? Só fico intrigada com toda a ênfase. Os pais americanos, como Piaget descobriu, tendem a ter mais interesse que nossos filhos adquiram habilidades concretas e alcancem marcos de desenvolvimento.

E tendemos a pensar que o tamanho e a rapidez do avanço das crianças dependem do que os pais fazem. Isso significa que as escolhas dos pais e a qualidade da intervenção deles são extremamente importantes. Sob essa luz, a linguagem de sinais para bebês, as estratégias de pré-leitura e escolher a pré-escola certa parecem cruciais, compreensivelmente. Assim como a busca infindável dos americanos por especialistas em educação e por conselhos.

Vejo essa diferença cultural no meu pequeno pátio parisiense. O quarto de Bean é cheio de cartões em preto e branco, blocos de montar com o alfabeto impresso e os (agora desacreditados) DVDs Baby Einstein que ganhamos com alegria de presente de amigos americanos e da família. Ouvimos Mozart constantemente para estimular o desenvolvimento cognitivo dela.

Mas minha vizinha francesa, Anne, a arquiteta, nunca tinha ouvido falar de Baby Einstein. E nem se interessou quando falei sobre os DVDs. Anne gosta de deixar a filha se sentar e brincar com brinquedos velhos comprados em vendas de garagem ou caminhar por nosso pátio compartilhado.

Mais tarde, comento com Anne que há uma vaga na pré-escola do bairro. Bean, que está entre as mais velhas da creche, poderia começar um ano mais cedo. Isso significaria tirá-la da creche, onde acho que não está tendo desafios suficientes.

"Por que você iria querer fazer isso?", pergunta Anne. "Ela tem tão poucos anos para ser criança."

Um estudo de uma universidade no Texas descobriu que, com todo esse despertar, as mães francesas não estão tentando ajudar o desenvolvimento cognitivo dos filhos e nem fazê-los se adiantar na escola. Na verdade, elas acreditam que o despertar vai ajudar seus filhos a produzir "qualidades internas psicológicas tais como segurança e tolerância ao diferente". Outros acreditam em expor a criança a uma variedade de gostos, cores e imagens, simplesmente porque fazer isso dá prazer à criança.[4]

Esse prazer é "a motivação da vida", diz uma das mães. "Se não tivéssemos prazer, não teríamos motivo para viver."

Na Paris do século XXI de pais e crianças onde moro, o legado de Rousseau toma duas formas aparentemente contraditórias. De um lado, tem a brincadeira nos campos (ou na piscina). Mas, do outro lado, há uma disciplina bastante rígida. Rousseau diz que a liberdade de uma criança precisa ser cercada de limites firmes e forte autoridade paternal.

"Sabe qual é a maneira mais certa de deixar seu filho infeliz?", escreve ele. "É acostumá-lo a receber tudo. Como seus desejos crescem constantemente devido à facilidade em satisfazê-los, mais cedo ou mais tarde a impotência vai forçar você, contra sua vontade, a acabar negando. Essa recusa a qual não está acostumado vai atormentá-lo mais do que ser privado de seus desejos."

Rousseau diz que a maior armadilha para os pais é pensar que, porque uma criança consegue argumentar bem, o argumento dela merece o mesmo peso do que o seu. "A pior educação é deixá-la à deriva entre a vontade dela e a sua, e disputar eternamente quem dará as ordens, você ou ela."

Para Rousseau, os únicos responsáveis por darem as ordens são pai e mãe. Ele costuma descrever com frequência o *cadre* (ou moldura), que é o modelo para os pais franceses de hoje. O ideal do *cadre* é que os pais sejam muito rigorosos com algumas coisas, mas muito flexíveis com quase todo o resto.

Fanny, a publicitária com dois filhos pequenos, me diz que antes de ter filhos ouviu um ator francês famoso no rádio falando sobre ser pai. Ele colocou em palavras as ideias dela sobre o *cadre* e o modo como ela mesma foi criada.

"Ele disse: 'A educação é um *cadre* firme, e dentro fica a liberdade.' Gosto muito disso. Acho que a criança fica segura. Sabe que pode fazer o que quer, mas que os limites sempre estarão lá."

Quase todos os pais franceses que conheço se descrevem como "rigorosos". Isso não significa que são ogros constantemente. Significa que, como Fanny, são muito rigorosos quanto a algumas coisas essenciais. Elas formam a espinha dorsal do *cadre*.

"Costumo ser severa o tempo todo, ao menos um pouco", diz Fanny. "Há algumas regras que descobri que, se você deixa passar, acaba dando dois passos para trás. Raramente deixo essas passarem."

Para Fanny, essas áreas são comer, dormir e assistir à TV. "Quanto a todo o resto, ela pode fazer o que quiser", diz ela sobre a filha, Lucie. Mesmo dentro dessas áreas essenciais, Fanny tenta dar a Lucie um pouco de liberdade e de escolhas. "Quanto à TV, é nada de TV, só DVDs. Mas ela escolhe o DVD. Tento fazer assim com tudo… Ao se vestir de manhã, digo para ela: 'Em casa, você pode se vestir como quiser. Se quiser usar saia de verão no inverno, tudo bem. Mas, quando saímos, nós decidimos.' Está funcionando. Vamos ver o que acontece quando ela tiver 13 anos."

A questão do *cadre* não é prender a criança; é criar um mundo previsível e coerente para ela. "Você precisa do *cadre*, ou acho que você fica perdido", diz Fanny. "Dá confiança. Você tem confiança em seu filho e ele sente isso."

O *cadre* parece uma visão evoluída que dá poder à criança. Mas o legado de Rousseau tem um lado obscuro também. Quando levo Bean para tomar as primeiras vacinas, eu a aninho nos meus braços e peço desculpas pela dor que ela vai sentir. O pediatra francês me repreende.

"Não peça desculpas", diz ele. "Tomar vacinas faz parte da vida. Não há motivo para se desculpar por isso." Ele parece estar canalizando Rousseau, que disse: "Se, ao cuidar demais, você os poupa de todo tipo de desconforto, você está preparando grandes sofrimentos para eles." (Não sei bem o que Rousseau achava de supositórios.)

Rousseau não era sentimental com as crianças. Ele queria transformar pedaços moldáveis de argila em bons cidadãos. Muitos pensadores continuaram a ver os bebês como *tabulae rasae* (folhas em branco) durante centenas de anos. Perto do final do século XIX, o psicólogo e filósofo americano William James disse que, para uma criança pequena, o mundo é "uma enorme confusão barulhenta em florescimento". Na primeira parte do século XX, era aceito como verdadeiro que as crianças apenas lentamente começavam a entender o mundo e a presença delas nele.

Na França, a ideia de que as crianças são seres de segunda classe que só gradualmente ganham status durou até os anos 1960. Conheci franceses na faixa dos 40 anos que, quando crianças, não podiam falar à mesa de jantar a não ser que um adulto falasse com eles. Era esperado que as crianças fossem *"sage comme une image"* (quietas como um quadro), o equivalente ao dito antigo inglês de que as crianças deviam ser vistas, mas não ouvidas.

Essa concepção das crianças começou a mudar na França no final dos anos 1960. Em março de 1968, uma passeata estudantil na Universidade de Paris, em Nanterre, adquiriu proporções bem maiores em uma série de revoltas de estudantes e trabalhadores por todo o país. Dois meses depois, 11 milhões de trabalhadores franceses entraram em greve, e o presidente Charles de Gaulle desfez a Assembleia Nacional.

Embora os manifestantes tivessem exigências financeiras específicas, o que muitos deles realmente queriam era um estilo de vida completamente diferente. A sociedade religiosa, socialmente conservadora e dominada pelos homens da França, existente havia anos, de repente parecia antiquada. Os manifestantes idealizavam uma espécie de liberação pessoal que incluía opções de vida diferentes para as mulheres, uma hierarquia de classes menos rígida e uma existência diária que não fosse composta só de *"métro, boulot, dodo"* (transporte, trabalho, cama). O governo francês acabou impedindo as manifestações, em alguns casos com violência. Mas a revolta teve um profundo impacto na sociedade francesa. (A França é agora, por exemplo, um dos países menos religiosos da Europa.)

O modelo autoritário de educação também foi vítima dos acontecimentos de 1968. Se todos eram iguais, por que as crianças não podiam falar durante o jantar? O modelo puramente rousseauniano, crianças como *tabulas rasas*, não se encaixava na sociedade recentemente emancipada da França. E os franceses eram fascinados por psicanalistas. De repente, pareceu que, ao fazer as crianças se calarem, os pais também podiam estar causando danos a eles.

Ainda era esperado que as crianças francesas se comportassem bem e se controlassem, mas gradualmente, depois de 1968, elas foram encorajadas a se expressar também. Os jovens pais franceses que conheço costumam usar *sage* como significando controlados, mas absortos na atividade com alegria. "Antes, era '*sage* como um quadro'. Agora, é '*sage* e despertos'", explicou a psicóloga e escritora francesa Maryse Vaillant, ela mesma participante da famosa "Geração de 68".

Françoise Dolto, o outro titã do estilo francês de educação, entrou no meio dessa reviravolta de gerações. Os franceses com quem falo, mesmo os que não têm filhos, não conseguem acreditar que não ouvimos falar de Françoise Dolto, e nem que apenas um dos livros dela foi traduzido para o inglês (esgotado há muito tempo).

Na França, Dolto é um nome comum nos lares, um pouco como o dr. Benjamin Spock era nos Estados Unidos. O centenário do aniversário dela foi comemorado em 2008 com uma onda de artigos, tributos e até um filme televisivo sobre a vida dela. A Unesco organizou uma conferência de três dias sobre Dolto em Paris. Os livros dela estão à venda em praticamente todas as livrarias francesas.

Em meados dos anos 1970, Dolto estava no final da casa dos 60 anos e já era a psicanalista e pediatra mais famosa da França. Em 1976, uma estação de rádio francesa começou a transmitir programas diários de 12 minutos nos quais Dolto respondia a cartas de ouvintes sobre educação de filhos. "Ninguém imaginou o sucesso imediato e duradouro" do programa, relembra Jacques Pradel, na época o radialista de 27 anos que apresentava o programa. Ele descreve as respostas dela às perguntas da audiência como "brilhantes, beirando a premonição". "Não sei de onde ela tirava as respostas",[5] diz ele.

Quando vejo trechos de filmes de Dolto daquele período, consigo ver por que ela tinha apelo com os pais ansiosos. Com os óculos grossos e roupas de matrona, ela tinha a aparência de uma avó sábia. (A pessoa famosa com quem ela mais se parece é Golda Meir.) E, como seu similar americano, o dr. Spock, Dolto tinha o dom de fazer tudo o que dizia, até as alegações mais absurdas, parecer bom-senso.

Dolto podia se parecer com a *grand-mère* de todo mundo, mas a mensagem dela sobre como tratar crianças era deliciosamente radical e adequada aos novos tempos. Em uma espécie de emancipação dos bebês, ela alegava que até as crianças menores são racionais e que entendem a língua assim que nascem. É uma mensagem intuitiva, quase mística. E é uma mensagem que os franceses comuns ainda aceitam, mesmo não a articulando com precisão. Depois de ler Dolto, percebo que tantas das alegações mais curiosas que ouvi os pais franceses dizerem, como a de que você deve conversar com os bebês sobre os problemas no sono, vieram diretamente dela.

As transmissões de rádio de Dolto a tornaram uma figura quase mística na França. Em meados dos anos 1980, livros com transcrições das transmissões e de outras conversas eram empilhados como alimentos nos supermercados franceses. Um grupo inteiro de crianças ficou conhecido como *"Génération Dolto"*. Um psicanalista citado em uma edição especial de *Télérama* em 2008, com Dolto como tema, se lembrava de andar em um táxi cujo motorista dizia nunca perder o programa. "Ele estava perplexo. Ele disse: 'Ela fala com as crianças como se elas fossem seres humanos!'"

A essência da mensagem de Dolto não é uma "filosofia de criação". Não tem muitas instruções específicas. Mas, se você aceitar que as crianças são racionais como o primeiro princípio, como faz a sociedade francesa, muitas coisas começam a mudar. Se os bebês entendem o que você diz para eles, você pode ensinar muitas coisas, mesmo quando são bem pequenos. Isso inclui, por exemplo, como comer em restaurantes.

A futura Françoise Dolto nasceu como Françoise Marette em 1908, em uma família católica grande e abastada de Paris. Na visão exterior, ela tinha uma vida encantada: aulas de violino, uma cozinheira e pavões vagando pelo quintal. Foi preparada para um bom casamento.

Mas Françoise não era a filha discreta e obediente que os pais esperavam ter. Não era *sage comme une image*. Era voluntariosa, extrovertida e apaixonadamente curiosa sobre as pessoas ao redor dela. Em suas primeiras cartas, a jovem Dolto parece sobrenaturalmente ciente do problemático hiato de compreensão entre ela e os pais. Aos 8 anos, ela decidiu se tornar uma "médica de educação", que trabalha como intermediária entre os adultos e as crianças. Era uma profissão que ainda não existia, mas que ela veio a criar mais tarde.[6]

Ter uma profissão de repente estava se tornando possível para as mulheres francesas. Como Simone de Beauvoir, que também nasceu em 1908, Françoise era parte da primeira geração de garotas que puderam fazer o *baccalauréat* francês, uma prova no final do ensino médio que permite que você entre na universidade.

Depois de passar no *le bac*, Dolto sucumbiu à pressão dos pais e concordou em estudar enfermagem. Só quando seu irmão mais novo, Philippe, estava se preparando para entrar na faculdade de medicina, os pais dela deram permissão a ela para também começar os estudos médicos, aos cuidados dele. Ela também entrou em psicanálise, que ainda era bem incomum na época. A família dela parecia pensar que isso acabaria com as ambições não femininas de Dolto. Em uma carta endereçada a ela, escrita em

1934,[7] o pai de Dolto disse que esperava que a psicanálise fosse "ajudar você a transformar sua natureza, e que você seja como diz, uma mulher real, o que vai acrescentar charme às suas outras qualidades…"

Mas foi a psicanálise — sob a orientação de René Laforgue, que fundou o primeiro instituto de psicanálise da França — que liberou Dolto para que finalmente se tornasse "médica de educação". Ela estudou tanto psicanálise quanto pediatria e fez estágios em hospitais por toda França.

Ao contrário do que costuma acontecer com os especialistas em criação de filhos, Dolto aparentemente foi ótima mãe para seus três filhos. A filha Catherine escreve sobre os pais: "Eles nunca nos obrigaram a fazer nosso dever, por exemplo. No entanto, levávamos bronca, como todo mundo, quando tirávamos notas ruins. Eu ficava de castigo na escola todas as quintas-feiras por mau comportamento. Mamãe me dizia: 'Que pena para você, é você quem fica de castigo. Quando se cansar, vai conseguir controlar o que fala.'"

Dolto sempre manteve uma lembrança lúcida rara de como via o mundo quando criança. Ela rejeitou a visão vigente de que as crianças deviam ser tratadas como uma coleção de sintomas físicos. (Na época, as crianças que urinavam na cama ainda eram ligadas a aparatos que davam choques elétricos.) O que ela fazia era conversar com as crianças sobre as vidas delas, e supôs que muitos dos sintomas físicos delas tinham origens psicológicas. "E você, o que acha?", ela perguntava aos pequenos pacientes.[8]

Dolto era famosa por insistir para que as crianças mais velhas "pagassem" no final de cada sessão com um objeto, como uma pedra, para enfatizar a independência e responsabilidade delas. Esse respeito pelas crianças teve forte eco nos alunos de Dolto. "Ela mudou tudo, e nós, os alunos, queríamos que as coisas mudassem", relembra a psicanalista Myriam Szejer.

O respeito de Dolto se estendia até aos bebês. Um ex-aluno descreveu o jeito como ela lidou com uma criança aborrecida que tinha vários meses de idade: "Com todos os sentidos em alerta, totalmente receptiva às emoções que o bebê despertou nela. Não era para consolar [o bebê], mas para entender o que o bebê estava dizendo para ela. Ou, mais precisamente, o que o bebê via." Há histórias lendárias sobre Dolto se aproximar de crianças pequenas inconsoláveis no hospital e simplesmente explicar para elas por que estavam lá e onde estavam os pais. De acordo com as lendas, os bebês de repente se acalmavam.

Isso não é o estilo americano de falar com os bebês, no qual se acredita que eles reconhecem a voz da mãe ou são acalmados por um som tranquilizador. Nem é um método para ensinar a criança a falar e nem prepará-la para se tornar o próximo Jonathan Franzen.

Na verdade, Dolto insistia que o conteúdo do que se diz a um bebê tem enorme importância. Ela dizia ser crucial que os pais dissessem a verdade para os bebês para reafirmar gentilmente o que eles já sabem.

Ela realmente achava que os bebês começam a escutar as conversas dos adultos (e a intuir os problemas e conflitos que se passam ao seu redor) desde o útero. Ela imaginava (na época anterior aos ultrassons) uma conversa entre uma mãe e o bebê de minutos de vida como sendo assim: "Sabe, estávamos esperando você. Você é um garotinho. Talvez tenha nos ouvido falando que queríamos uma menina. Mas estamos muito felizes por você ser menino."

Dolto escreveu que a criança deve ser incluída em conversas sobre o divórcio dos pais desde os 6 meses de idade. Quando um avô ou avó morre, ela dizia que até mesmo uma criança pequena devia ir rapidamente ao velório. "Alguém da família vai com ela e diz: '*Voilà*, é o enterro do seu avô.' É uma coisa que acontece na sociedade." Para Dolto, "o bem-estar da criança nem sempre é o que vai fazê-la feliz, mas sim a compreensão racional", escreveu a socióloga do Massachusetts Institute of Technology Sherry Turkle no prefácio do livro de Dolto, *Quando os pais se separam*. Turkle escreve que aquilo de que uma criança mais precisa, de acordo com Dolto, é "uma vida interior estruturada capaz de sustentar a autonomia e outros crescimentos".

Dolto foi criticada por alguns psicanalistas estrangeiros por usar demais a intuição. Mas, dentro da França, os pais pareciam ter um prazer tanto intelectual quanto estético nos saltos imaginativos dela.

Se as ideias de Dolto chegassem aos pais de língua inglesa, provavelmente pareceriam estranhas. Os pais americanos estavam sob a influência do dr. Spock, nascido cinco anos antes de Dolto e também psicanalista de formação. Spock escreveu que a criança consegue entender que vai ter um irmãozinho ou irmãzinha só a partir da idade de 1 ano e meio. O forte dele era ouvir com atenção os pais, não os bebês. "Confie em você mesmo. Você sabe mais do que pensa saber", é a famosa abertura do guia de criação de filhos chamado *Meu Filho, Meu Tesouro*.

Para Dolto, era a criança quem sabia mais do que qualquer um pensava. Mesmo na velhice, quando estava presa a um tanque de oxigênio, Dolto ia para o chão com os pacientes pequenos para ver o mundo como eles viam. A visão dela era sedutoramente sincera.

"Se não há ciúme quando o bebê chega... isso é um mau sinal. A criança mais velha *deve* dar sinais de ciúme, porque para ela é um problema quando vê pela primeira vez todo mundo admirando um bebê menor do que ela", disse Dolto.

Dolto insistia que as crianças têm motivos racionais, mesmo quando se comportam mal, e disse que é dever dos pais escutar e procurar esse motivo. "A criança que tem uma reação incomum sempre tem uma razão para isso... Nossa tarefa é *entender* o que aconteceu", diz ela.

Dolto dá o exemplo de uma criança pequena que de repente se recusa a continuar a andar na rua. Para os pais, parece apenas teimosia repentina. Mas, para a criança, há uma razão. "Devemos tentar entendê-la e dizer: 'Há um motivo. Não sei qual é, mas vamos pensar.' Acima de tudo, não transforme isso em um drama."

Em um dos tributos ao centenário de Dolto, uma psicanalista francesa resumiu os ensinamentos de Dolto desta forma: "Os seres humanos se comunicam com outros seres humanos. Alguns são grandes, outros são pequenos. Mas eles se comunicam."[9]

O enorme livro de Spock, *Meu Filho, Meu Tesouro*, parece se esforçar para tratar de todas as situações possíveis que envolvam crianças, desde dutos lacrimais obstruídos a pais gays (em edições póstumas). Mas os livros de Dolto são pequenos. Em vez de dar muitas instruções específicas, ela sempre volta a poucos princípios básicos e parece esperar que os pais tirem conclusões sozinhos.

Dolto concordou em fazer os programas de rádio com a condição de poder responder a cartas de pais e não a telefonemas. Ela achava que os pais começariam a ver soluções simplesmente ao escrever os problemas. Pradel, o radialista, recorda: "Ela me disse 'você vai ver, um dia vamos receber uma carta de uma pessoa que vai dizer que está mandando a carta, mas que acha que já entendeu o problema'. E recebemos uma, exatamente como ela previu."

Como Spock nos Estados Unidos, Dolto foi culpada na França por desencadear uma onda de criação permissiva demais, principalmente nos anos 1970 e 1980. É fácil entender como os conselhos dela poderiam ser interpretados assim. Alguns pais certamente achavam que, se ouvissem o que o filho dizia, tinham que fazer o que ele dizia.

Não era isso que Dolto advogava. Ela achava que os pais deveriam ouvir os filhos com atenção e explicar o mundo para eles. Mas achava que esse mundo obviamente incluiria muitos limites, e que a criança, por ser racional, conseguiria absorver e lidar com esses limites. Ela não queria virar o modelo de *cadre* de Rousseau de cabeça para baixo. Queria preservá-lo. Apenas acrescentou uma quantidade enorme de empatia e respeito pela criança, uma coisa que talvez estivesse faltando na França antes de 1968.

Os pais que vejo em Paris hoje em dia parecem ter encontrado um equilíbrio entre ouvir os filhos e serem claros que são os pais que mandam (mesmo que às vezes precisem lembrar a si mesmos disso). Os pais franceses escutam os filhos o tempo todo. Mas se a pequena Agathe diz que quer almoçar *pain au chocolat*, ela não vai ter o que quer.

Os pais franceses tornaram Dolto (apoiada nas bases de Rousseau) parte do firmamento de criação deles. Quando um bebê tem um pesadelo, "você o acalma conversando com ele", diz Alexandra, que trabalha na creche parisiense. "Sou muito favorável à conversa com as crianças, mesmo as menores. Elas entendem. Para mim, entendem."

A revista francesa *Parents* diz que, se um bebê tem medo de estranhos, a mãe deve avisá-lo que um visitante chegará em breve. Em seguida, quando a campainha tocar, "diga para ele que a visita chegou, demore alguns segundos para abrir a porta... se ele não chorar quando vir o estranho, não se esqueça de parabenizá-lo".

Ouço vários casos em que, ao sair com o bebê da maternidade, os pais franceses fazem um tour pela casa.[10] Os pais franceses costumam dizer para o bebê o que estão fazendo com ele: estou pegando você no colo; estou trocando sua fralda; estou preparando seu banho. Não é apenas para emitir sons tranquilizantes; é para passar informação. E, como o bebê é uma pessoa como qualquer outra, os pais costumam ser educados com ele. (Além do mais, aparentemente nunca é cedo demais para começar a ensinar boas maneiras.)

As implicações práticas de acreditar que um bebê ou uma criança pequena entende o que você diz e pode agir baseado nisso são consideráveis. Significa que você pode ensiná-lo a dormir a noite toda desde cedo, a não entrar como um furacão no seu quarto todos os dias de manhã, a se sentar de maneira adequada à mesa, a comer só nos horários de refeições e a não interromper os pais. Você pode esperar que ele se adapte (ao menos um pouco) ao que os pais precisam.

Tenho um gostinho forte disso quando Bean tem uns 10 meses. Ela começa a se levantar em frente a uma estante em nossa sala de estar e a puxar todos os livros que alcança.

Isso é irritante, é claro. Mas acho que não consigo impedi-la. Costumo apenas pegar os livros e colocá-los no lugar. Mas, em determinada manhã, Lara, uma amiga francesa de Simon, está nos visitando. Quando Lara vê Bean puxando os livros, imediatamente se ajoelha ao lado dela e explica, com paciência e firmeza: "Nós não fazemos isso." Em seguida, ela mostra a Bean como colocar os livros no lugar e diz para deixá-los lá. Lara fica repetindo a palavra francesa *doucement* (gentilmente). (Depois disso, começo a reparar que os pais franceses dizem *doucement* o tempo todo.) Fico chocada quando vejo que Bean escutou Lara e obedece.

Esse incidente revelou o enorme vão cultural entre Lara e eu como mães. Eu tinha suposto que Bean era uma criatura muito fofa e muito selvagem com muito potencial, mas quase sem autocontrole. Se ela ocasionalmente se comportava bem, era por causa de uma espécie de treinamento animal, ou apenas sorte. Afinal, ela não sabia falar e nem tinha cabelo ainda.

Mas Lara (que na época não tinha filhos, mas agora tem duas filhas muito bem-comportadas) supôs que, mesmo aos 10 meses de idade, Bean conseguia entender a língua e aprender a se controlar. Ela acreditou que minha filha conseguia fazer as coisas *doucement* se quisesse. Como resultado, Bean fez.

Dolto morreu em 1988. Algumas das intuições dela quanto aos bebês agora estão sendo confirmadas por experimentos científicos. Os pesquisadores descobriram que é possível compreender o que os bebês sabem ao medir o tempo que demoram olhando para uma coisa em comparação a outra. Como os adultos, os bebês olham mais tempo para as coisas que os surpreendem. A partir do começo dos anos 1990, pesquisas usando esse método mostraram que "os bebês podem fazer cálculos matemáticos rudimentares com objetos" e que "os bebês têm uma compreensão real da vida mental: eles entendem como as pessoas pensam e por que agem como agem", escreve o psicólogo de Yale Paul Bloom.[11] Um estudo na University of British Columbia descobriu que bebês de 18 meses entendem probabilidade.[12]

Também há provas de que os bebês têm senso moral. Bloom e outros pesquisadores mostraram para bebês de 6 e 10 meses uma espécie de teatro de fantoches no qual um círculo estava tentando rolar morro acima. Um personagem ajudava o círculo a subir, enquanto outro atrapalhava, empurrando-o para baixo. Depois do teatro, os pesquisadores ofereciam aos bebês os dois personagens em uma bandeja. Quase todos pegavam o que ajudou. "Os bebês são atraídos pelo personagem bonzinho e rejeitam o mau", explica Paul Bloom.

É claro que esses experimentos não provam que, como Dolto alega, os bebês entendem a fala. Mas parecem provar que, desde uma tenra idade, eles são racionais. As mentes deles não são uma "confusão barulhenta em florescimento". No mínimo, devemos ter cuidado com o que dizemos a eles.

Capítulo 6

Creche?

Quando ligo para minha mãe para contar que Bean foi aceita em uma creche pública da cidade de Paris, há uma longa pausa no lado dela da linha.

"Creche?", pergunta ela depois da pausa.

Os amigos nos Estados Unidos também agem com ceticismo.

"Não é uma situação que eu queira", diz uma amiga cujo filho tem 9 meses, a mesma idade que Bean terá quando começar na creche. "Quero que ele tenha um pouco mais de atenção individual."

Mas quando digo aos meus vizinhos franceses que Bean foi aceita na creche, eles me parabenizam e praticamente abrem uma garrafa de champanhe.

É a diferença mais intensa que já vi entre os dois países até agora. As mães de classe média nos Estados Unidos não costumam ser fãs de creches. A própria palavra creche conjura imagens de pedófilos e bebês chorando em quartos sujos e pouco iluminados. "Quero que ele tenha um pouco mais de atenção individual" é eufemismo para "Ao contrário de você, eu amo meu filho e não quero colocá-lo em uma instituição". Os pais americanos que têm dinheiro costumam contratar babás de tempo integral, depois começam a fazer a adaptação dos filhos na pré-escola quando eles estão com 2 ou 3 anos. Os que precisam mandar os filhos para a creche, o fazem com cautela e, geralmente, cheios de culpa.

Mas os pais de classe média franceses (arquitetos, médicos, colegas jornalistas) lutam entre si para conseguir uma vaga na creche do bairro, que fica aberta cinco dias por semana, em geral das 8h às 18h. As mães inscrevem os filhos quando estão grávidas e conversam, bajulam, imploram. As creches são subsidiadas pelo estado, e os pais pagam valores variáveis, de acordo com sua renda.

"Eu acho um sistema perfeito, simplesmente perfeito", diz minha amiga Esther, advogada francesa, cuja filha começou na creche com 9 meses. Até amigos meus que não trabalham tentam matricular os filhos na creche. Como uma segunda opção distante, eles pensam em creches de meio período ou babás, que também são custeadas pelo governo. (Sites do governo na internet dão todas as opções.)

Tudo isso me provoca uma espécie de vertigem cultural. Será que a creche vai tornar minha filha agressiva, negligenciada, apegada e insegura, como dizem as apavorantes matérias americanas? Ou será que ela vai "despertar" socialmente e ter os cuidados de pessoas capazes, como os pais franceses afirmam?

Pela primeira vez, tenho medo de estar levando nosso pequeno experimento intercultural longe demais. Uma coisa é começar a segurar o garfo como eles fazem. Outra coisa é sujeitar uma criança a uma experiência potencialmente estranha e prejudicial durante seus primeiros anos de vida. Será que estamos ficando nativos demais? Bean pode experimentar foie gras, mas será que deveria experimentar a creche?

Decido ler sobre a instituição. Descubro que a história da creche francesa começou nos anos 1840. Jean-Baptiste-Firmin Marbeau, um jovem e ambicioso advogado em busca de uma causa para defender, era representante na prefeitura do primeiro distrito de Paris. A Revolução Industrial estava em andamento, e cidades como Paris fervilhavam de mulheres chegadas das províncias para trabalhar como costureiras e nas fábricas. Marbeau foi encarregado de escrever um estudo sobre as *salles d'asile*, escolas gratuitas para crianças de 2 a 6 anos.

Ele ficou impressionado. "Eu disse para mim mesmo: com que zelo a sociedade cuida dos filhos dos pobres!", escreveu ele.

Mas Marbeau se questionava sobre como cuidar de crianças pobres entre o nascimento e os 2 anos enquanto suas mães trabalhavam. Ele consultou a "lista de pobres" do distrito e foi visitar várias mães. "Na extremidade de um quintal imundo, chamo madame Gérard, uma lavadeira. Ela vem até mim, sem querer que eu entre na casa dela, *suja demais para ser vista* (essas são as palavras dela). Ela está com um recém-nascido aninhado em um braço e uma criança de 18 meses segura pela mão."

Marbeau descobriu que, quando madame Gérard saía para lavar roupas, deixava as crianças com uma babá. Isso custava setenta centavos por dia, cerca de um terço do ganho diário dela. E a babá era uma mulher igualmente pobre que, quando Marbeau a visitou, estava "trabalhando, cuidando de três crianças pequenas que estavam no chão de um quarto velho".

Aquela não era uma maneira ruim de cuidar de crianças pelos padrões dos pobres. Algumas mães trancavam as crianças sozinhas nos apartamentos ou as amarravam às cabeceiras das camas o dia inteiro. Crianças um pouco mais velhas costumavam ter que cuidar de irmãos enquanto a mãe trabalhava. Muitos bebês pequenos ainda moravam com amas de leite, onde as condições eram uma ameaça à sobrevivência.

Marbeau foi tomado por uma ideia: a creche! Seria um cuidado de dia inteiro para crianças pobres do nascimento aos 2 anos. Os fundos viriam de donativos feitos pelos ricos, e alguns ajudariam a supervisionar as creches. Marbeau visualizou uma construção simples, mas imaculada, onde mulheres chamadas de amas cuidariam de bebês e aconselhariam as mães quanto à higiene e moral. As mães pagariam cinquenta centavos por dia. As que ainda amamentassem seus bebês iriam até lá duas vezes por dia para alimentá-los.

A ideia de Marbeau gerou uma reação. Logo havia uma comissão de creche para estudar o assunto, e ele saiu em busca de potenciais doadores. Como qualquer bom angariador de fundos, ele apelou tanto para o senso de caridade quanto para o interesse econômico das pessoas com que falou.

"Essas crianças são cidadãos como vocês, seus irmãos. São pobres, infelizes e fracos: vocês deveriam salvá-los", escreveu ele em um manual da creche publicado em 1845. E acrescentou: "Se você pode salvar as vidas de 10 mil crianças, apresse-se: 20 mil braços por ano não devem ser desdenhados. Braços equivalem a trabalho, e trabalho gera riqueza." A creche também tinha a função da dar tranquilidade à mãe, para que ela pudesse "se devotar ao trabalho com a consciência tranquila".

No manual, Marbeau instrui as creches a ficarem abertas de 5h30 às 20h30, para cobrir o dia típico de trabalho. A vida das mães que Marbeau descreve não é muito diferente da de muitas mães trabalhadoras que conheço hoje em dia: "Ela acorda antes das 5h, veste a criança, faz alguma tarefa de casa, corre até a creche, corre para o trabalho... às 20h ela corre de volta, pega a criança com as fraldas sujas do dia, corre para casa a fim de colocar a pobre criatura na cama e lavar as fraldas, para que estejam secas no dia seguinte, e todos os dias o processo se repete!... como é que ela consegue!"

Evidentemente, Marbeau era bastante persuasivo. A primeira creche foi aberta em um prédio doado na rue de Chaillot, em Paris. Dois anos depois, havia 13 creches. O número continuou a crescer, principalmente em Paris.

Depois da Segunda Guerra Mundial, o governo francês colocou as creches sob o controle do recém-formado serviço de Proteção a Mães e Crianças (PMI) e criou um programa oficial de graduação para o trabalho de *puéricultrice*, a pessoa especializada nos cuidados de bebês e crianças pequenas.

No começo dos anos 1960, os pobres franceses eram menos desesperados, e havia menos deles. No entanto, mais mães de classe média trabalhavam, então a creche começou a atrair famílias de classe média também. O número de vagas quase dobrou em dez anos, chegando a 32 mil em 1971. De repente, as mães de classe média passaram a se ressentir quando não conseguiam vaga em uma creche. Estava começando a parecer um direito de mães trabalhadoras.

Todos os tipos de variantes de creche foram abertas. Havia creches de meio período, creches "familiares", das quais os pais participavam dos custos, e creches "de empresas", para funcionários. Guiados pela insistência de Françoise Dolto de que os bebês também são crianças, houve um novo interesse no cuidado infantil que ia além de impedir que as crianças ficassem doentes ou de tratá-las como delinquentes em potencial. Em pouco tempo, as creches pregavam os valores da classe média, como "socialização" e "despertar".

Escuto falar da creche pela primeira vez quando estou grávida. Quem comenta é minha amiga Dietlind. Ela é de Chicago, mas mora na Europa desde que se formou na faculdade. (Em Paris, existe uma casta inteira de expatriados que vão passar um semestre no exterior e acabam se casando com namorados da faculdade ou simplesmente não vão embora.) Dietlind é simpática, fala francês sem dificuldade e ainda se refere a si mesma encantadoramente como "feminista". É uma das poucas pessoas que conheço que realmente luta para tornar o mundo um lugar melhor. O único defeito de Dietlind é que ela não sabe cozinhar. A família dela sobrevive basicamente de comidas do Picard, a cadeia de comidas congeladas francesa. Uma vez, ela tentou me servir sushi descongelado, com arroz e tudo.

Apesar disso, Dietlind é um modelo de mãe. Então, quando ela me diz que os dois filhos, de 5 e 8 anos, frequentaram a creche na esquina da minha casa, eu presto atenção. Ela diz que a creche era excelente. Anos depois, ela ainda passa por lá para cumprimentar a *directrice* e as antigas professoras dos filhos. Os meninos ainda falam dos dias de creche com alegre nostalgia. A cuidadora favorita deles costumava cortar os cabelos dos meninos.

Além do mais, Dietlind se oferece para conversar com a *directrice*. Ela fica repetindo que a creche não tem *frescuras*. Não sei bem o que isso quer dizer. Será que ela acha que exijo brinquedos chiques? "Não ter frescuras" não é um código para "sujo"?

Embora eu tenha erguido uma fachada multicultural para minha mãe, a verdade é que compartilho de algumas das dúvidas dela. O fato de a creche ser da prefeitura de Paris é meio apavorante. Parece que vou largar meu bebê no correio ou no departamento de trânsito. Tenho visões de burocratas sem rosto passando correndo pelo berço de Bean enquanto ela chora. Talvez eu queira algo que não seja "sem frescuras", seja lá o que isso queira dizer. Ou talvez eu só queira cuidar de Bean eu mesma.

Infelizmente, não posso. Estou no meio de escrever o livro que deveria ter entregado antes de ela nascer. Tirei alguns meses de folga depois do parto. Mas agora, meu prazo já estendido está se aproximando. Contratamos uma babá adorável, Adelyn, das Filipinas, que chega de manhã e cuida de Bean o dia todo. O problema é que trabalho em casa, em um escritório pequeno. A tentação de ficar tomando conta das duas, para a irritação de todo mundo, é irresistível.

Bean parece estar desenvolvendo uma compreensão passiva de tagalo, a língua principal das Filipinas. Mas desconfio que Adelyn costuma falar em tagalo com ela em nosso McDonald's do bairro, pois cada vez que passamos por lá, Bean aponta e grita. Talvez a creche sem frescuras seja uma opção melhor.

Também fico impressionada porque, graças a Dietlind, temos um "contato". Estou acostumada a estar fora de sintonia com o resto do país. Às vezes não sei que é feriado nacional até sair para a rua e ver que todas as lojas estão fechadas. Colocar Bean em uma creche nos aproximaria mais da França.

A creche também é tentadoramente conveniente. Tem uma do outro lado da rua. A de Dietlind fica a uma caminhada de cinco minutos. Assim como aquelas lavadeiras do século XIX, eu poderia aparecer para amamentar Bean e limpar o catarro do nariz dela.

Mas o principal é que é difícil resistir a toda essa pressão dos adultos franceses. (Fico feliz de não estarem tentando me fazer fumar.) Anne e as outras mães francesas em nosso pátio falam sobre as maravilhas da creche também. Simon e eu concluímos que, mesmo com nosso "contato", nossa chance de conseguir vaga é pequena. Assim, vamos até o posto da prefeitura e nos candidatamos.

Por que os americanos de classe média questionam tanto a creche? A resposta também tem raízes no século XIX. Em meados dos anos 1800, a notícia sobre as creches de Marbeau chegou aos Estados Unidos, que tinham suas próprias histórias de terror sobre crianças pobres amarradas em cabeceiras de camas. Filantropos curiosos e ativistas sociais viajaram para Paris. Ficaram impressionados. Nas décadas seguintes, creches financiadas por instituições beneficentes foram abertas em Boston, Nova York, Filadélfia e Buffalo, para os filhos das mães pobres e trabalhadoras. Algumas usaram o nome francês, mas a maioria era chamada de "berçário". Por volta dos anos 1890, havia noventa berçários americanos. Muitos cuidavam dos filhos de imigrantes recentes. A ideia era que mantivessem essas crianças fora das ruas e as transformassem em "americanos".[1]

No começo do século XX, houve um "movimento de berçário" nos Estados Unidos para criar pré-escolas particulares e jardins de infância para crianças de 2 a 6 anos de idade. Elas surgiram de novas ideias sobre a importância do aprendizado precoce e do estímulo ao desenvolvimento social e emocional. Desde o começo, elas chamaram a atenção dos pais de classes média e média-alta americanos.

As origens separadas das creches e das pré-escolas explicam por que, mais de cem anos depois, "creche" ainda tem uma conotação de classe trabalhadora nos Estados Unidos, enquanto os pais da classe média lutam para colocar seus filhos de 2 anos na pré-escola. Também explica por que as pré-escolas americanas de hoje costumam durar apenas algumas poucas horas do dia; presume-se que as mães dessas crianças não precisem trabalhar ou possam pagar babás.[2]

Um segmento da sociedade americana que não é dividido quanto à creche é o exército. O Departamento de Defesa tem o maior sistema de creche dos Estados Unidos, com cerca de oitocentos centros de desenvolvimento infantil (ou CDCs) em instalações militares ao redor do mundo. Os centros aceitam crianças a partir de 6 semanas e costumam ficar abertos das 6h às 18h30.[3]

O sistema de creche militar americano se parece muito com o sistema francês. As horas de funcionamento estão diretamente associadas ao horário de trabalho. O valor a pagar varia de acordo com a renda combinada dos pais. O governo subsidia metade do custo. E, como nas creches francesas, os centros militares são tão populares que costumam ter longas listas de espera.

Mas fora da esfera militar, os pais americanos de classe média permanecem divididos quanto a deixar seus filhos em creches.[4] O motivo disso é em parte um problema com a nomenclatura. "Se você chamar de 'educação da primeira infância, dos 0 aos 5 anos', vão achar que é válido", diz Sheila Kamerman, uma professora da Universidade de Columbia que observa creches há décadas. Atualmente, elas costumam ser chamadas simplesmente de *"child care"*.

Os americanos continuam a se perguntar como uma creche normal afeta a mente frágil de uma criança. Há artigos que debatem se a creche causa atrasos no aprendizado, torna as crianças mais agressivas ou as deixa apegadas às mães e inseguras. Sei de mães americanas que preferiram pedir demissão do emprego a sujeitar os filhos a uma creche.

Eles costumam estar certos em se preocupar, pois a qualidade das creches americanas é irregular. Não há regulamentações nacionais. Alguns estados não exigem que os cuidadores tenham treinamento. O Departamento de Trabalho dos Estados Unidos diz que funcionários de creche ganham menos do que zeladores, e que a "insatisfação com os benefícios, com o pagamento e com as condições estressantes de trabalho faz com que muitos deixem o setor". É comum uma taxa rotacional de 35%.

Existem boas creches, é claro. Mas elas podem ser muito caras, ou limitadas a funcionários de certas empresas. E as creches ruins acabam em evidência, com as crianças pobres tendo os piores cuidados. Outras creches, normalmente as caras, tratam a primeira infância como um curso preparatório para a universidade. Talvez para acalmar pais nervosos, uma empresa situada no Colorado se gaba de que, em suas creches, as crianças com menos de 1 ano aprendem "a ler".

As mães francesas estão convencidas de que a creche é boa para seus filhos. Em Paris, cerca de um terço das crianças com menos de 3 anos vão à creche, e metade é uma espécie de cuidado coletivo. (Há menos creches ainda fora de Paris.) As mães francesas se preocupam com pedófilos, mas não na creche. Elas acham que os filhos estão mais seguros em ambientes com muitos adultos capacitados cuidando deles em vez de "sozinhos com um estranho", de acordo com um relatório de um grupo nacional que advoga em favor dos pais. "Se ele vai ficar sozinho com alguém, quero que seja eu", diz a mãe de uma criança de 1 ano e meio da creche de Bean. A mãe diz que, se não tivesse conseguido uma vaga na creche, ela teria largado o emprego.

As mães francesas se preocupam com a angústia que vão sentir quando deixarem os filhos na creche pela primeira vez. Mas veem isso como um problema de separação delas mesmas. "Na França, os pais não têm medo de mandar os filhos para a creche", explica Marie Wierink, uma socióloga do Ministério do Trabalho da França. "*Au contraire*, eles têm medo de que, se não conseguirem uma vaga na creche, os filhos perderão uma coisa boa."

As crianças não aprendem a ler na creche. Não aprendem o alfabeto e nem qualquer outra habilidade de pré-alfabetização. O que elas fazem é socializar com outras crianças. Nos Estados Unidos, alguns pais mencionam isso para mim como um benefício da creche. Na França, todos os pais mencionam. "Eu sabia que era muito bom, era uma abertura para a vida social", diz minha amiga Esther, a advogada, cuja filha entrou na creche aos 9 meses.

Os pais franceses assumem que todas as creches são de qualidade alta e que os membros de suas equipes são cuidadosos e altamente capacitados. Em salas de bate-papo francesas sobre criação de filhos, a reclamação mais séria que descubro sobre a creche é de uma mãe cujo filho comeu ravióli com *moussaka*, dois pratos pesados. "Mandei uma carta para a creche, e eles me responderam dizendo que a cozinheira regular não estava", explica ela. E acrescenta, de forma sombria: "Vamos ver o que acontece no resto da semana."

Essa certeza de que a creche é boa para as crianças elimina muita culpa e muitas dúvidas maternais. Minha amiga Hélène, engenheira, não trabalhou nos primeiros anos depois do nascimento da filha mais nova. Mas nunca se sentiu mal por mandar a garotinha para a creche cinco dias por semana. Em parte, era para que Hélène pudesse ter tempo para si, mas também porque ela não queria que a filha perdesse a experiência em grupo.

A pergunta principal que as pessoas na França fazem sobre a creche é como colocar mais crianças nela. Graças à explosão atual de bebês na França, não se pode concorrer a cargos no governo, tanto na esquerda quanto na direita, sem prometer construir mais creches ou expandir as já existentes. Li sobre um programa para transformar áreas de bagagens que não são mais utilizadas em estações de trem em creches para os filhos de quem precisa usar o trem como transporte para o trabalho diariamente (boa parte dos custos de construção iria para o isolamento sonoro).

A concorrência para as vagas existentes nas creches é, como os franceses dizem, *énergique*. Um comitê de burocratas e diretores de creche em cada uma das vinte regiões de Paris se reúne para repartir as vagas disponíveis. No próspero 16º *arrondissement*, há 4 mil candidatos para quinhentas vagas. Em nossa área menos refinada, no leste de Paris, as chances de conseguir uma vaga são de uma em três.

Lutar por uma vaga na creche é um dos rituais de iniciação do novo modelo de paternidade. Em Paris, as mulheres podem oficialmente se inscrever na prefeitura quando estão com seis meses de gravidez. Mas as revistas insistem para que elas marquem as entrevistas com a diretora da creche que preferirem assim que receberem o resultado positivo.

A prioridade é dada a mães ou pais solteiros, nascimentos múltiplos, crianças adotadas, lares com três ou mais crianças e famílias com "dificuldades especiais". Como se encaixar nessa última e ambígua categoria é tópico de furiosas especulações em fóruns on-line. Uma mãe aconselha escrever para representantes da prefeitura sobre a urgência que você tem de voltar ao trabalho e seus épicos mas falhos esforços para encontrar outra forma de cuidado infantil. Ela sugere que você mande uma cópia dessa carta para o governador regional e para o presidente da França, e que depois requisite uma audiência particular com o representante da prefeitura na região. "Vá com o bebê nos braços, parecendo desesperada, e reconte a mesma história das cartas", diz ela. "Posso garantir que vai funcionar."

Eu e Simon decidimos trabalhar em cima de nosso único aspecto: sermos estrangeiros. Em uma carta enviada junto com o pedido de matrícula na creche, enaltecemos o poliglotismo iminente de Bean (ela ainda não fala) e descrevemos como o anglo-americanismo dela vai enriquecer a creche. Como prometido, Dietlind conversa com a diretora da creche que os filhos frequentaram. Tenho um encontro com ela e tento projetar um misto de desespero e encanto. Ligo para a prefeitura uma vez por mês (por alguma razão, como com os casais franceses, a maior parte das ações para conseguir a vaga cabe a mim) para lembrá-los de nosso "enorme interesse e necessidade de uma vaga". Como não sou francesa e não posso votar, decido não incomodar o presidente.

Incrivelmente, essas tentativas de ajudar o processo realmente funcionam. Uma carta de parabéns chega da prefeitura, explicando que Bean conseguiu uma vaga na creche para meados de setembro, quando terá 9 meses. Ligo para Simon me sentindo triunfante: nós, estrangeiros, ganhamos dos nativos no jogo deles! Ficamos maravilhados e felizes com a vitória. Mas também temos a sensação de que ganhamos um prêmio que não merecemos e nem temos certeza de querermos.

Ainda tenho minhas dúvidas quando levamos Bean para seu primeiro dia na creche. Ela fica no final de uma rua sem saída, em um prédio de concreto de três andares com um pequeno pátio de grama sintética na frente. Parece uma escola pública nos Estados Unidos, mas com tudo em miniatura. Reconheço alguns dos móveis infantis do catálogo da loja Ikea. Não é chique, mas é alegre e limpa.

As crianças são divididas por idade em seções chamadas pequena, média e grande. A sala de Bean é iluminada pelo sol e tem cozinhas de brinquedo, mobília pequena e nichos cheios de brinquedos apropriados para a idade. Há uma área de dormir com divisória de vidro adjacente à sala onde cada criança tem seu berço, com sua chupeta e seu bicho de pelúcia preferido, chamado *doudou*.

Anne-Marie, que vai ser a cuidadora principal de Bean, nos cumprimenta. (É a mesma senhora que cortava os cabelos dos filhos de Dietlind.) Anne-Marie é avó e está na casa dos 60 anos, tem cabelo louro curto e uma coleção de camisetas de lugares para onde as crianças de quem ela cuida já viajaram. (Vamos acabar levando uma do Brooklyn para ela, já que ela manifesta seu amor pelo local.) Os funcionários trabalham na creche há 13 anos, em média. Anne-Marie está lá há bem mais tempo. Ela e a maior parte das cuidadoras são treinadas como *auxiliaires de puériculture*, que não tem um equivalente exato em inglês.

Um pediatra e um psicólogo visitam a creche uma vez por semana. As cuidadoras mapeiam as sonecas e quantas vezes Bean evacua diariamente, e me relatam como ela comeu. Elas alimentam as crianças da idade de Bean uma de cada vez, com a criança no colo de alguém, ou em uma cadeirinha. Colocam as crianças para dormir na mesma hora todos os dias e dizem que não as acordam. Para esse período inicial de adaptação, Anne-Marie me pede para levar uma camiseta minha usada, para que Bean possa dormir com ela. Parece um pouco canino, mas faço o que ela pede.

Fico impressionada com a confiança de Anne-Marie e das outras cuidadoras. Elas têm certeza do que as crianças de cada idade precisam, e também têm confiança em suas habilidades de proporcionar isso. Elas passam isso sem serem presunçosas nem impacientes. Minha única reclamação é que Anne-Marie insiste em me chamar de "mãe de Bean", em vez de Pamela; ela diz que é difícil aprender os nomes de todos os pais.

Considerando nossas dúvidas sobre a creche, decidimos matricular Bean para frequentá-la quatro dias por semana, de 9h30 às 15h30. Vários colegas dela ficarão lá cinco dias por semana, por bem mais horas por dia. (A creche fica aberta das 7h30 às 18h.)

Como na época de Marbeau, Bean tem que chegar de fralda limpa. Isso se torna quase um ponto talmudista de discussão entre mim e Simon. O que constitui "chegar"? Se Bean fizer cocô no caminho para a porta ou quando estivermos nos despedindo, quem troca a fralda suja? Nós ou as *auxiliaires*?

As primeiras duas semanas são o período de adaptação, no qual ela fica cada dia por períodos maiores na creche, conosco e sozinha. Ela chora um pouco cada vez que vou embora, mas Anne-Marie me assegura que para logo depois. Uma das cuidadoras costuma segurá-la em frente à janela que dá para a rua, para que eu possa acenar para ela.

Se a creche está fazendo mal a Bean, não conseguimos perceber. Em pouco tempo, ela demonstra alegria quando a deixamos e parece estar feliz quando a buscamos. Depois que Bean está na creche há algum tempo, começo a reparar que lá é um microcosmo do jeito francês de criar filhos. Isso inclui as coisas ruins. Anne-Marie e as outras cuidadoras ficam perplexas por eu ainda estar amamentando Bean aos 9 meses, e principalmente quando a amamento lá. Elas não gostam do meu plano efêmero de levar leite materno tirado com uma bomba antes da hora do almoço todos os dias, embora não tentem me impedir.

Mas todas as ideias grandes e positivas da educação francesa também estão em evidência. Como há muita concordância quanto ao melhor modo de fazer as coisas, os pais franceses não precisam ter a preocupação de as cuidadoras não estarem seguindo a filosofia pessoal deles. Na maior parte do tempo, as cuidadoras reforçam os mesmos horários e hábitos dos pais.

Por exemplo, as cuidadoras falam até com os bebês menores o tempo todo, com o que parece uma perfeita convicção de que as crianças entendem.[5] E elas falam muito sobre o *cadre*. Em uma reunião de pais, uma das professoras fala quase poeticamente sobre isso: "Tudo é muito *encadré*, construído dentro de uma estrutura, como a hora em que chegam e vão embora, por exemplo. Mas, dentro dessa estrutura, tentamos introduzir a flexibilidade, a fluidez e a espontaneidade, para as crianças e também para a equipe [de funcionários]."

Bean passa boa parte do dia andando pela sala, brincando com o que quer. Eu me preocupo com isso. Onde estão os círculos com música e as atividades organizadas? Logo percebo que toda essa liberdade é intencional. De novo, é o modelo de *cadre* francês: as crianças têm limites firmes, mas muita liberdade dentro desses limites. E precisam aprender a lidar com o tédio e a brincar sozinhas. "Quando a criança brinca, ela se constrói", diz Sylvie, outra cuidadora de Bean.

Um relatório da prefeitura sobre as creches parisienses clama pelo espírito de "descoberta energética", no qual as crianças são "deixadas com liberdade para exercitar o apetite pela experimentação dos cinco sentidos, do uso dos músculos, das sensações e do espaço físico". Quando as crianças ficam mais velhas, elas têm algumas atividades organizadas, mas ninguém é obrigado a participar.

"Nós propomos, não forçamos", explica outra das professoras de Bean. Há música tranquila de fundo para criar o clima de soneca das crianças e uma pilha de livros que podem ler na cama. As crianças gradualmente acordam para fazer o *goûter*, o lanche da tarde. A creche não é o departamento de trânsito. Parece mais um spa.

No playground, da mesma forma, há poucas regras, também intencionalmente. A ideia é dar a maior liberdade possível para as crianças. "Quando elas estão lá fora, nós interferimos pouco", diz Mehrie, outra cuidadora. "Se interferirmos o tempo todo, elas ficam meio loucas."

A creche também ensina as crianças a serem pacientes. Observo uma criança de 2 anos pedir que Mehrie a pegue no colo. Mas ela está limpando a mesa na qual as crianças acabaram de almoçar. "Agora, não estou livre. Espere dois segundos", diz Mehrie delicadamente para a garotinha. Em seguida, ela se vira para mim e explica: "Tentamos ensiná-los a esperar, é muito importante. Eles não podem ter tudo imediatamente."

As cuidadoras falam com calma e respeito com as crianças, usando a linguagem dos direitos: você tem o direito de fazer isso; não tem o direito de fazer aquilo. Dizem isso com a mesma convicção absoluta que ouvi nas vozes dos pais franceses. Todo mundo acredita que, para o *cadre* parecer imutável, ele tem que ser consistente. "As proibições são sempre consistentes, e sempre damos uma razão para elas", diz Sylvie.

creche?

Sei que a creche é rigorosa com certas coisas porque, depois de um tempo, Bean repete frases que aprendeu. Sabemos que são expressões "da creche" porque as professoras são a única fonte de francês que ela tem. É como se ela tivesse passado o dia com uma escuta, e agora estamos ouvindo a fita. A maior parte do que Bean repete é no imperativo, como *"on va pas crier!"* (não vamos gritar). Minhas favoritas, rimadas, que imediatamente começo a usar em casa, são *"couche-toi!"* (vá dormir) e *"mouche-toi!"* (assoe o nariz), dita com você segurando um lenço de papel no rosto da criança.

Por um tempo, Bean fala francês *apenas* no imperativo ou naquelas declarações do que é permitido e o que não é. Quando ela brinca de "professora" em casa, fica de pé em uma cadeira, sacode o dedo e grita instruções para crianças imaginárias, ou ocasionalmente para convidados surpresos no almoço.

Em pouco tempo, além de imperativos, Bean volta para casa com músicas. Ela costuma cantar uma que só conhecemos como *"tomola tomola, vatovi"*, na qual ela canta mais e mais alto a cada verso enquanto faz um movimento de giro com os braços. Só mais tarde descubro que é uma das canções infantis francesas mais populares (que, na verdade, diz *"ton moulin, ton moulin va trop vite"*), sobre um moinho que gira rápido demais.

O que realmente nos conquista na creche é a comida, ou, mais especificamente, a experiência da refeição. Toda segunda-feira, a creche divulga o cardápio da semana em um enorme quadro branco perto da entrada.

Às vezes fotografo o cardápio e mando por e-mail para minha mãe. Eles parecem os menus escritos a giz nas brasseries parisienses. O almoço é servido em quatro etapas: uma entrada de legumes fria, um prato principal com acompanhamento de grãos ou legumes cozidos, um queijo diferente por dia e uma sobremesa de fruta fresca ou purê de frutas. Existe uma modificação leve a cada faixa etária; as crianças menores comem a mesma comida, mas em forma de purê.

Um cardápio típico começa com salada de tomate com palmito. Logo depois, é servido peru *au basilic* acompanhado de arroz em molho cremoso provençal. A terceira etapa é uma fatia de queijo St. Nectaire com uma fatia de baguete fresca. A sobremesa é kiwi.

Cada creche tem uma cozinheira que prepara toda a comida diariamente. Um caminhão chega várias vezes por semana com ingredientes frescos e às vezes até orgânicos, que variam de acordo com a estação. Fora uma ocasional lata de massa de tomate, nada é processado ou pré-cozido. Alguns legumes ou verduras são congelados, mas nunca pré-cozidos.

Tenho dificuldade em imaginar crianças de 2 anos sentadas durante toda uma refeição assim, então a creche me deixa ficar lá durante o almoço em uma quarta-feira, quando Bean está em casa com a babá. Fico perplexa ao perceber como minha filha almoça diariamente. Fico sentada em silêncio com meu bloquinho de repórter enquanto os colegas de sala dela se dividem em grupos de quatro em pequenas mesas quadradas. Uma das professoras entra com um carrinho cheio de pratos cobertos e pães embalados em plástico para que permaneçam frescos. Tem uma professora em cada mesa.

Primeiro, a professora tira a cobertura e mostra cada prato. A entrada é uma salada de tomate bem vermelho com molho vinagrete. "Em seguida, tem *le poisson*", diz ela, que é recebida com olhares de aprovação ao mostrar pedaços de um peixe branco em molho leve de manteiga e acompanhamento de ervilhas, cenouras e cebolas. Em seguida, ela mostra o queijo: "Hoje, é *le bleu*", diz ela, mostrando para as crianças um queijo gorgonzola em pedaços. Por fim, ela mostra a sobremesa: maçãs inteiras, que ela vai fatiar à mesa.

A comida parece simples, fresca e apetitosa. Exceto pelos pratos de melamina, pelos pedaços pequenos e pelo fato de que algumas das pessoas sentadas à mesa precisam ser lembradas de dizer *"merci"*, eu poderia estar em um restaurante elegante.

Quem são exatamente as pessoas que cuidam de Bean? Para descobrir, vou em uma manhã de outono ao exame anual de admissão no ABC Puériculture, uma das escolas que treina funcionários de creche. Há centenas de mulheres nervosas (e poucos homens) na casa dos 20 anos, que olham timidamente uns para os outros ou fazem atividades de último minuto em grossos livros.

Estão compreensivelmente nervosos. Das mais de quinhentas pessoas que fazem a prova, apenas trinta serão admitidas na escola de treinamento. Os candidatos são testados em questões de raciocínio, compreensão escrita, matemática e biologia humana. Os que passam para a segunda etapa encaram um exame psicológico, uma apresentação oral e um interrogatório por um painel de especialistas.

Os trinta melhores fazem um ano de curso e estágio, seguindo um currículo montado pelo governo. Eles aprendem o básico sobre nutrição infantil, sono e higiene, e treinam preparar mamadeira de bebês e mudar fraldas. Farão treinamentos adicionais de uma semana ao longo de toda a carreira.

Na França, trabalhar em creche é uma profissão. Há escolas por todo o país com padrões de admissão igualmente rigorosos, que criam um exército de funcionários capacitados para as creches. Apenas metade dos funcionários da creche são *auxiliares* ou têm uma formação similar. Um quarto tem que ter formação relacionada à saúde, lazer ou serviço social. Um quarto não precisa ter qualificação nenhuma, mas precisa ser treinado no estabelecimento.[6] Na creche de Bean, 13 das 16 cuidadoras são *auxiliares* ou alguma coisa similar.

Começo a ver Anne-Marie e as outras funcionárias da creche de Bean como os sábios do cuidado infantil. E entendo a confiança delas. Elas dominaram uma área e ganharam o respeito de pais. E tenho um débito com elas. Durante os quase três anos que Bean passa na creche, elas a desfraldam, ensinam modos à mesa e dão a ela um curso de imersão em francês.

No terceiro ano de Bean na creche, desconfio que os dias estão começando a parecer muito longos e talvez ela não tenha estímulo o bastante. Estou pronta para que ela passe para a pré-escola. Mas Bean ainda parece gostar da creche. Ela fala o tempo todo sobre Maky e Lila, os dois melhores amigos. (É interessante perceber que ela se aproximou de outros filhos de estrangeiros: os pais de Lila são marroquino e japonês. O pai de Maky é senegalês.) Ela definitivamente aprendeu a socializar. Quando Simon e eu levamos Bean para Barcelona a fim de passar um feriado prolongado, ela fica perguntando onde estão as outras crianças.

As crianças do grupo de Bean passam muito tempo correndo e gritando no pátio de grama sintética, que é cheio de pequenos triciclos e carros. Bean costuma estar lá quando vou buscá-la. Assim que ela me vê, ela corre e pula com alegria nos meus braços, gritando as novidades do dia.

No último dia de Bean na creche, depois da festa de despedida e de esvaziar o armário dela, Bean dá um abraço e um beijo de adeus em Sylvie, que foi a cuidadora principal dela. Sylvie foi o modelo de profissionalismo o ano todo. Mas quando Bean a abraça, a mulher começa a chorar. Eu também choro.

Quando chega o final do período de Bean na creche, Simon e eu achamos que ela teve uma boa experiência. Mas nos sentimos culpados com frequência por deixá-la lá diariamente. E não podemos deixar de reparar na sequência de manchetes alarmantes na imprensa americana sobre como as creches afetam as crianças.

Os europeus não fazem mais essas perguntas. Sheila Kamerman, de Columbia, diz que os europeus acreditam que a alta qualidade da creche, com pequenos grupos e cuidadores calorosos e capacitados que tornaram o emprego uma profissão, são bons para as crianças. E, inversamente, acham que uma creche ruim é ruim para seus filhos.

Os americanos têm muitos medos da creche para ignorar isso. Assim, o governo americano fundou o maior estudo sobre como procedimentos de creche nos primeiros meses de vida se correlacionam com o modo como as crianças se desenvolvem e se comportam mais tarde na vida.[7]

Muitas das manchetes sobre creches nos Estados Unidos estão desatualizadas quanto a esse estudo. Uma de suas principais descobertas é que a creche nos primeiros meses de vida não é tão significativa. "A qualidade do cuidado oferecido pelos pais é uma forma bem mais importante de avaliar o desenvolvimento infantil do que o tipo, a quantidade ou a qualidade da creche", explica um estudioso. As crianças se desenvolviam bem melhor quando os pais tinham mais escolaridade e mais condições financeiras, quando possuíam livros e brinquedos em casa e quando tinham "experiências enriquecedoras" como ir à biblioteca. O resultado era o mesmo para crianças que passavam trinta horas ou mais na creche por semana e para crianças que ficavam em casa com a mãe.

E como mencionei antes, o estudo descobriu que o que é especialmente crucial é a "sensibilidade" da mãe, o quanto ela está atenta à experiência que o filho tem do mundo. Isso é verdadeiro também quanto à creche. Um dos pesquisadores do estudo[8] escreve que as crianças recebem cuidado de "alta qualidade" quando o cuidador está "atento às necessidades [da criança], sensível aos sinais e dicas verbais e não verbais dela, pronto a estimular a curiosidade dela e o desejo de aprender sobre o mundo e emocionalmente caloroso, prestativo e atencioso".

As crianças se desenvolveram melhor com um cuidador sensível, fosse uma babá, um avô ou avó, ou funcionário de creche. "Não seria possível entrar em uma sala de aula e, sem informação adicional, apontar quais crianças tinham frequentado uma creche", escreve o pesquisador.

Eu percebo que o que deveria afligir os americanos não é apenas se uma creche ruim leva a consequências ruins (é claro que leva), mas o quanto é ruim para as crianças estar em uma creche ruim. Estamos tão preocupados com o desenvolvimento cognitivo que nos esquecemos de perguntar se as crianças que estão na creche estão felizes e se é uma experiência positiva para elas enquanto está acontecendo. É disso que os pais franceses estão falando.

Até mesmo minha mãe se acostuma à creche. Ela começa a chamar de *crèche* mesmo, em francês, vez de *"day care"*, em inglês. Isso deve ajudar. A creche certamente tem benefícios para nós. Sentimos fazer mais parte da França, ou pelo menos parte do nosso bairro. Felizmente, colocamos nossa frequente conversa sobre "ficar ou não ficar em Paris" em pausa. Não conseguimos imaginar nos mudarmos para outro lugar, onde teríamos dificuldade em encontrar uma creche decente e financeiramente viável. E podemos ver a próxima desculpa para ficar na França começando a surgir: a *école maternelle*, a pré-escola pública francesa, com vagas para todo mundo.

Em geral, gostamos da creche francesa porque Bean gosta. Ela come queijo roquefort, compartilha os brinquedos e brinca de "tomate, ketchup" (uma versão francesa de "galinha choca"). Além do mais, ela domina o imperativo em francês. Está um pouco agressiva; gosta de me chutar na canela. Mas desconfio que a irritação vem do pai dela. Acho que não posso culpar a creche por nenhum dos defeitos dela.

Maky e Lila ainda são amigos queridos de Bean. De vez em quando, até levamos Bean até a creche, para ver as crianças brincando no pátio através do portão. E muito de vez em quando, do nada, Bean se vira para mim e diz: "Sylvie chorou." Era um lugar onde ela tinha importância.

Capítulo 7

Bébé au lait

Gostar da creche acabou sendo fácil. Gostar das outras mães, não. Estou ciente de que a afinidade instantânea entre mulheres no estilo americano não acontece na França. Ouvi falar que as amizades femininas aqui começam lentamente e podem levar anos para se desenvolver. (Mas, quando você finalmente consegue ser amiga de uma francesa, em teoria é para a vida inteira. As amizades instantâneas americanas podem largar você a qualquer momento.)

Consegui fazer amizade com algumas francesas nesse tempo em que moro em Paris. Mas a maioria nem tem filhos ou mora do outro lado da cidade. Eu simplesmente supus que também conheceria outras mães do meu bairro com filhos da mesma idade de Bean. Na minha fantasia, trocaríamos receitas, organizaríamos piqueniques e reclamaríamos de nossos maridos. É assim nos Estados Unidos. Minha própria mãe ainda tem amizade com as mulheres que conheceu no parquinho quando eu era pequena.

Assim, não estou preparada quando as mães francesas da creche, que moram no meu bairro e têm filhos da mesma idade, me tratam praticamente com indiferença. Elas mal dizem *bonjour* quando deixamos nossos filhos um ao lado do outro de manhã. Acabo aprendendo o nome da maior parte das crianças na sala de Bean. Mas, mesmo depois de um ano ou mais, acho que nenhuma das mães sabe o nome de Bean. E certamente não sabem o meu.

Esse estágio inicial, se é que podemos chamar assim, não parece uma etapa de construção de amizade. As mães que vejo vários dias por semana na creche não parecem me reconhecer quando cruzo com elas no supermercado. Talvez, como dizem os livros sobre as diferenças culturais, elas estejam me dando privacidade; falar seria simular um relacionamento e, assim, criar obrigações. Ou talvez apenas se achem superiores.

É igual no parquinho. As mães canadenses e australianas que ocasionalmente encontro lá tratam o parquinho como eu trato: como um lugar para socializar e talvez fazer amigos para a vida toda. Minutos depois de nos vermos, podemos já ter contado qual é nossa cidade natal, estado civil e opinião sobre escolas bilíngues. Em pouco tempo, criamos um laço só nosso: "Você anda até Concorde para comprar cereal Grape-Nuts? Eu também!"

Mas, em geral, estamos apenas eu e as mães francesas. E elas não entram nesse tipo de conversa. Na verdade, mal trocam olhares comigo, mesmo quando nossos filhos estão brigando por brinquedos na caixa de areia. Quando tento quebrar o gelo com perguntas como "Quantos anos ele tem?", elas costumam murmurar um número e me olhar como se eu fosse uma criminosa. Raramente fazem perguntas. Quando fazem, é porque são italianas.

Tudo bem, estou no meio de Paris, sem dúvida um dos lugares onde as pessoas são menos simpáticas no mundo. A expressão de desprezo deve ter sido inventada aqui. Até as pessoas do resto da França dizem que acham os parisienses frios e distantes.

Eu provavelmente deveria apenas ignorar essas mulheres. Mas não consigo evitar: elas me intrigam. Para começar, muitas delas são bem mais bonitas do que as americanas. Deixo Bean na creche de manhã usando rabo de cavalo e a roupa que estava no chão ao lado da cama. Elas chegam com o cabelo feito e perfumadas. Eu nem olho mais espantada quando as mães francesas chegam no parquinho usando botas de salto alto e jeans *skinny* enquanto empurram carrinhos com pequenos recém-nascidos dentro. (As mães ficam um pouco mais gordas quanto mais você se afasta do centro de Paris.)

Essas mães não são apenas chiques; também são estranhamente contidas. Não gritam os nomes das crianças do outro lado do parque nem saem correndo com um bebê chorando. Elas têm boa postura. Não irradiam aquela famosa combinação de cansaço, preocupação e de estar no limite que emana da maior parte das mães americanas que conheço (inclusive eu). Exceto pela criança em si, você nem saberia que são mães.

Parte de mim quer enfiar patê gorduroso goela abaixo delas. Mas outra parte de mim está doida para saber os segredos delas. Ter filhos que dormem bem, esperam e não choramingam certamente as ajuda a permanecerem tão calmas. Mas deve ter mais coisa. Elas estão secretamente lutando contra alguma coisa? Onde está a gordura abdominal delas? As mães francesas são realmente perfeitas? Se sim, elas são felizes?

Depois que o bebê nasce, a primeira diferença óbvia entre as mães americanas e as francesas é a amamentação. Para nós, mães anglófonas, o tempo durante o qual amamentamos (como o tamanho de um bônus de Wall Street) é uma medida de nosso desempenho. Uma ex-empresária em meu grupo de brincadeiras de famílias falantes de inglês costuma parar do meu lado e perguntar, fingindo inocência: "Ah, você ainda amamenta?"

É fingido porque todas sabemos que nosso "número" de amamentação é uma forma concreta de competir umas com as outras. A pontuação de uma mãe é reduzida se ela reveza com leite em pó, usa muito a bomba para extrair leite ou amamenta por tempo demais (chegando ao ponto de começar a parecer uma hippie doida).

Nos círculos de classe média nos Estados Unidos, muitas mães tratam as fórmulas infantis como praticamente uma forma de abuso infantil. O fato de que amamentar exige resistência, inconveniência e, em alguns casos, sofrimento físico só aumenta o status.

Você recebe pontos de bônus das mães americanas por amamentar na França, onde a amamentação não é estimulada e muitas pessoas acham perturbador quando veem alguém fazendo. "A mãe que amamenta é vista, se não como uma coisa estranha interessante, então como alguém que está agindo além de sua obrigação", explica o guia publicado pelo Message, a organização para mães falantes de inglês em Paris.

Nós, expatriados, trocamos histórias de terror sobre médicos franceses que, quando perguntados sobre o ocasional mamilo rachado ou duto entupido, simplesmente mandam que as mães passem a dar mamadeira. Para combater isso, o Message tem seu exército de "defensores da amamentação" voluntários. Antes de Bean nascer, uma delas me avisou para nunca entregar o bebê para a equipe do hospital enquanto eu dormisse, pois eles desobedeceriam minhas instruções e dariam uma mamadeira quando ela chorasse. Essa mulher fez a "confusão de bicos" parecer mais apavorante do que autismo.

Toda essa adversidade faz as mães anglófonas em Paris se sentirem como super-heroínas lactantes, que lutam contra médicos do mal e estranhos que gostariam de roubar os anticorpos de nossos bebês. Em salas de bate-papo, mães expatriadas listam os lugares mais estranhos onde amamentaram em Paris: dentro da catedral de Sacré-Coeur, em uma tumba do cemitério Père Lachaise e em um coquetel no Four Seasons Hotel George V. Uma das mães diz que amamentou o bebê "de pé enquanto reclamava no balcão da easyJet no aeroporto Charles de Gaulle. Eu o coloquei meio deitado sobre o balcão". Tenho pena do pobre atendente.

Considerando nosso zelo, não conseguimos entender por que as mães francesas quase não amamentam. Cerca de 63% das mães francesas amamentam um pouco.[1] Um pouco mais da metade ainda amamenta quando sai da maternidade, e a maioria abandona completamente pouco depois. A amamentação prolongada é extremamente rara. Nos Estados Unidos, 74% das mães amamentam ao menos um pouco, e um terço ainda amamenta exclusivamente aos 4 meses do bebê.[2]

Para nós, é ainda mais difícil entender por que até um certo tipo de mãe francesa de classe média (aquelas que cozinham no vapor e fazem purê de alho-poró orgânico para os bebês de 7 meses e mandam os filhos de 3 anos para as mesmas aulas de batuque africano que nós) não amamenta quase nada.

"Elas não têm as mesmas informações médicas que nós?", pergunta uma incrédula mãe americana. Dentre as mães de língua inglesa, a teoria dominante sobre por que as mães francesas não amamentam inclui: não querem ter o trabalho; estão mais preocupadas com os peitos do que com os bebês (embora, aparentemente, seja a gravidez e não a amamentação que deixe os seios flácidos); e não sabem o quanto é importante.

Franceses me dizem que amamentar ainda tem uma imagem de coisa de camponeses, dos dias em que os bebês eram enviados para amas de leite. Outros dizem que as empresas de leite artificial pagam os hospitais, dão amostras em alas de maternidade e fazem propaganda incansável. Olivier, que é casado com minha amiga jornalista Christine, teoriza que amamentar desmistifica o seio feminino e o transforma em uma coisa utilitária e animalesca. Assim como os pais franceses evitam a "área de trabalho" da mulher durante o parto, também evitam olhar para os seios femininos quando são usados para propósitos não sexuais.

Há pequenos grupos de entusiastas da amamentação na França. Mas, em geral, há pouca pressão para se amamentar por um tempo prolongado. Quando minha amiga britânica Alison, que dá aulas de inglês em Paris, falou para o médico que ainda amamentava o filho de 13 meses, ela disse que o médico perguntou: "O que seu marido acha? E seu psicólogo?" *Enfant Magazine*, uma das revistas principais da França, diz que "amamentar depois dos 3 meses é sempre malvisto pelas pessoas que convivem com a mãe".

Alexandra, mãe de duas meninas e funcionária de uma creche, me diz que não deu uma gota de leite do seio para nenhuma das filhas. Ela diz isso sem arrependimento nem culpa. Diz que ficou feliz pelo marido, bombeiro, querer ajudar a cuidar das meninas, e que dar mamadeira foi uma ótima maneira de ele participar. Ela observa que as duas garotas são perfeitamente saudáveis agora.

Alexandra acrescenta: "Foi uma boa prática para o pai dar a mamadeira à noite. E eu podia dormir e tomar vinho nos restaurantes. Não era tão ruim para a *maman*."

Pierre Bitoun, um pediatra francês e antigo defensor da amamentação na França, diz que muitas francesas acham que não têm leite suficiente. O dr. Bitoun diz que é em razão de as maternidades francesas não encorajarem as mães a amamentar os recém-nascidos em intervalos de poucas horas. Isso é crítico nos primeiros dias, para que as mães produzam leite suficiente para o bebê. Se elas não amamentam com frequência desde o começo, realmente não terão leite suficiente, e recorrer à fórmula será inevitável. "No terceiro dia, o bebê perdeu 200 gramas e eles dizem: 'Ah, você não tem leite suficiente, vamos dar mamadeira, ele está morrendo de fome.' É isso que acontece. É uma loucura."

O dr. Bitoun costuma falar em hospitais franceses para explicar a parte científica e os benefícios da amamentação. Mas "a cultura é mais forte do que a ciência", diz ele. "Três quartos das pessoas com quem trabalho nos hospitais não acreditam que o leite do seio é mais saudável do que as fórmulas. Acham que não tem diferença. Acham que o leite artificial é bom, ou pelo menos é o que dizem para as mães para evitar que sintam culpa."

Na verdade, embora as crianças francesas consumam quantidades enormes de fórmula, elas superam as crianças americanas em quase todas as medições de saúde. A França fica cerca de seis pontos *acima* da média dos países desenvolvidos no ranking geral da Unicef de saúde e segurança, que inclui mortalidade infantil, taxas de vacinação até os 2 anos e mortes provocadas por acidentes e ferimentos até os 19 anos. Os Estados Unidos ficam 18 pontos *abaixo* da média.

Os pais franceses não veem motivo para acreditar que o leite artificial é terrível e nem para tratar a amamentação como um ritual sagrado. Eles consideram que o leite materno é bem mais crítico para um bebê nascido de uma mãe pobre na África subsaariana do que para um bebê nascido em uma família parisiense de classe média. "Olhamos ao redor e vemos que os bebês que tomam fórmula estão ótimos", diz Christine, a jornalista, que tem dois filhos pequenos. "Todos nós também tomamos fórmula."

Não fico tão tranquila com isso. Fico tão apavorada com minha conversa com a consultora de amamentação que, quando estou no hospital depois que Bean nasce, insisto que minha filha fique no quarto comigo o tempo todo. Acordo todas as vezes em que ela resmunga e quase não descanso.

Esse sofrimento e sacrifício parecem a ordem natural das coisas para mim. Mas, depois de alguns dias, percebo que devo ser a única mãe na maternidade que se sujeita a essa tortura. As outras, até as que estão amamentando, entregam os bebês para o berçário no final do corredor à noite. Elas sentem que merecem dormir algumas horas.

Eu acabo por me sentir exausta o bastante para também experimentar isso, embora a sensação seja de enorme egoísmo. Sou imediatamente vencida pelo sistema, e Bean não parece pior por causa disso. Ao contrário dos boatos, as enfermeiras e *puéricultrices* que trabalham no berçário ficam felizes em trazê-la até meu quarto quando ela precisa mamar, e depois a levam embora.

A França provavelmente nunca vai ser exemplo de amamentação. Mas existe o Protection maternelle et infantile (PMI — serviço de Proteção a Mães e Crianças), o mesmo órgão que supervisiona as creches. Esse serviço de saúde do governo tem consultórios espalhados por Paris e oferece check-ups gratuitos e vacinas para todas as crianças até os 6 anos, mesmo as que estão ilegalmente na França. Os pais de classe média raramente usam o PMI porque os planos de saúde do governo cobrem a maior parte dos custos das consultas com pediatras particulares. (O governo francês é o maior segurador, mas a maior parte dos médicos franceses é particular.)

Fico relutante em usar a clínica pública. Será que é impessoal? Será que é limpa? Um fato crucial me convence: é completamente gratuita. O consultório do PMI mais próximo fica a uma caminhada de dez minutos de casa. Acontece que podemos nos consultar com o mesmo médico sempre que vamos. Tem um parquinho coberto enorme na área imaculada de espera. O PMI manda uma *puéricultrice* à sua casa para dar uma olhada em você e no bebê quando você volta do hospital. Se você tiver depressão, eles têm um psicólogo. Tudo isso é de graça também: nenhuma conta para pagar. Vale a pena contrabalançar isso com 300ml de leite materno.

Não vou correr qualquer risco quanto à amamentação. A Academia Americana de Pediatria diz que devo amamentar por 12 meses, então eu faço, praticamente até o final desse prazo. Dou uma mamada final de formatura para Bean no dia do primeiro aniversário dela. Às vezes, gosto de amamentar. Mas costumo achar irritante ter que parar o que estou fazendo para correr para casa e amamentar, ou, cada vez mais, levar uma bomba elétrica para onde vou. O motivo principal de eu persistir é tudo o que li sobre os benefícios para a saúde e porque quero jogar na cara daquela mulher no grupo de brincadeiras.

Toda a pressão americana para amamentar tem um objetivo de saúde pública: colocar leite materno na boca dos bebês. Mas também nos deixa um pouco loucas. As francesas conseguem ver esse rolo compressor de ansiedade e culpa a quilômetros de distância, e pelo menos estão tentando resistir a ele.

O dr. Bitoun diz que, em seus anos de campanha pró-amamentação, ele descobriu que as mães francesas não são conquistadas pelos argumentos de saúde que envolvem pontos de QI e IgA segregativo. O que as persuade a amamentar, diz ele, é a alegação de que tanto ela quanto o bebê vão apreciar o ato. "Sabemos que o argumento do prazer é a única coisa que funciona", diz ele.

Muitas mães francesas certamente gostariam de amamentar mais tempo do que fazem. Mas não querem fazer sob pressão moral e nem exibir esse tipo de ato no aniversário de 2 anos. O leite em pó pode ser pior para os bebês, mas sem dúvida torna os primeiros meses da maternidade bem mais relaxantes para a mãe francesa.

As mães francesas podem ficar tranquilas quanto ao fato de não amamentarem, mas não ficam tranquilas quanto a voltar à forma depois do parto. Fico chocada quando descubro que a garçonete magrela do café aonde vou todos os dias para escrever tem um filho de 6 anos. Eu achava que ela era uma *hipster* de 23 anos.

Quando conto para ela sobre a expressão "MILF" ("*Mom I'd Like to Fuck*", ou "Mãe que eu gostaria de foder"), ela acha hilário. Não há equivalente na língua francesa. Na França, não há motivo a priori para uma mulher não ser sexy só porque tem filhos. Não é incomum ouvir um francês dizer que ser mãe dá à mulher um ar atraente de *plenitude* (felicidade e satisfação do espírito).

É claro que algumas mães americanas também perdem rapidamente o peso da gravidez. Mas é mais fácil encontrar exemplos encorajando as mulheres no outro sentido. As páginas de moda da revista *American Baby* mostram três mulheres constrangidas e um pouco acima do peso sorrindo com desconforto e com vestidos larguinhos. Todas colocaram estrategicamente seus filhos pequenos em frente aos quadris. O texto é contumaz: "Dar à luz muda seu corpo, e ser mãe muda sua vida", diz ele, antes de tecer elogios a calças de amarrar.

Para algumas mães americanas, existe algo moralmente correto em se comprometer com a maternidade à custa do próprio corpo. É como se entregar para uma causa maior. Uma consultora de marketing esportivo de Connecticut, que tem um bebê de 6 meses, me diz que uma francesa apareceu no grupo de brincadeiras recentemente e imediatamente perguntou no que imagino ser um encantador sotaque gaulês: "Muito bem, como vocês estão perdendo peso?" De acordo com a consultora, ela e as outras mães americanas ficaram em silêncio. Não era uma coisa sobre a qual costumavam falar. Claro, elas teriam adorado estalar os dedos e perder 10kg. Mas nenhuma delas estava emagrecendo muito. Parecia egoísmo tirar tempo dos bebês para cuidar da gordura acumulada ou mesmo falar demais sobre ela.

Você não vai silenciar nenhum aposento em Paris ao perguntar como vai a perda de peso das mães de recém-nascidos. Assim como há enorme pressão social para que as mulheres não ganhem muito peso quando estão grávidas, há uma pressão similar para que percam os quilos adicionais rápido depois do nascimento.

A irmã da consultora de marketing esportivo é minha amiga americana Nancy, que mora em Paris e tem um filho com o namorado francês. As duas irmãs, que até se parecem, são uma espécie de experimento social. Pelo simples fato de onde moram e quem são seus companheiros, elas encaram pressões sociais opostas. Nancy, a irmã em Paris, me diz que alguns meses depois que deu à luz, o namorado francês começou a insistir para que ela parasse de usar calça de moletom e perdesse o pneuzinho. Como incentivo, ofereceu levá-la para comprar roupas novas.

Nancy diz que ficou surpresa e ofendida ao mesmo tempo. Como a irmã em Connecticut, ela tinha imaginado estar em uma "zona materna" protegida, onde a aparência não era levada em consideração por um tempo, para que ela pudesse se dedicar a cuidar do bebê. Mas o namorado francês de Nancy estava lendo um script diferente. Ele ainda a via inteiramente como mulher e se sentia merecedor dos benefícios estéticos correspondentes. E ficou igualmente surpreso e incomodado por ela estar disposta a abrir mão disso.

Na França, três meses parece ser o número mágico: as francesas de todas as idades ficam me dizendo que "recuperaram a *ligne*" (forma) três meses depois do parto. Audrey, uma jornalista francesa, me diz enquanto tomamos café que recuperou a forma logo depois das duas gravidezes, uma delas de gêmeos. "É claro. Foi natural", diz ela. "Você também, não?" (Eu já estava sentada quando ela chegou no café.)

Como estrangeira não casada com um francês, eu me isentei da regra dos três meses. Nem sei se ouvi falar dela antes de Bean fazer 6 meses. Meu corpo tinha encantadoramente decidido acumular o volume extra ao redor da barriga e dos quadris, dando a impressão de que eu talvez ainda estivesse carregando a placenta.

Eu certamente seria mais magra se tivesse sogros franceses para me alfinetar. Parece que, assim como a obesidade se espalha pelas redes sociais, a magreza também. Se todo mundo ao seu redor decide perder os quilos extras, você tem mais chance de também conseguir. (E também é mais fácil perder peso se você não ganhou muito.)

Para perder o peso adquirido na gravidez, as francesas parecem fazer uma versão um pouco intensificada do que fazem o resto do tempo.

"Eu presto muita atenção", é como minha amiga Virginie, uma esbelta mãe de três filhos, me explica um dia durante o almoço, enquanto tomo uma tigela gigantesca de sopa cambojana com macarrão. (Todos os países que a França ocupou ou colonizou são representados em Paris por deliciosos e baratos restaurantes étnicos.)

Virginie diz que nunca faz dieta, conhecida em francês como *régime*. Ela apenas presta muita atenção, em parte do tempo.

— O que você quer dizer? — pergunto a Virginie entre goles de sopa.

— Nada de pão — diz ela com firmeza.

— Nada de pão? — eu repito, incrédula.

— Nada de pão — diz Virginie, com convicção fria e calma.

Virginie não quer dizer nada de pão nunca. Ela quer dizer nada de pão durante a semana, de segunda a sexta. Nos fins de semana e em noites ocasionais durante a semana, ela diz que come o que quer.

— Você quer dizer "o que quer" com moderação, certo? — eu pergunto.

— Não, eu como o que quero — diz ela, novamente com convicção.

Isso é similar ao que Mireille Guiliano prescreve em *As mulheres francesas não engordam*. (Guiliano sugere tirar um dia "de folga", e mesmo nesse dia, não exagerar.) É inspirador ver uma pessoa de fato implementando isso, evidentemente com grande sucesso.

Prestar atenção pode ser outro exemplo de as francesas seguindo intuitivamente a melhor ciência. Pesquisadores descobriram que o melhor modo de perder peso e não recuperar é monitorando-se cuidadosamente — por exemplo, mantendo um diário alimentar e se pesando dia após dia.[3] Também descobriram que as pessoas têm mais força de vontade quando não cortam completamente certas comidas, mas sim dizem para si mesmos que comerão esses alimentos depois[4] (como, presumivelmente, no fim de semana).

Também gosto da formulação francesa neutra e pragmática "prestar atenção" em comparação à americana, impregnada de valor, "ser bom" (e com os opostos carregados de culpa e desmoralizantes, "trapacear" e "ser mau"). Se você simplesmente parou de prestar atenção e comeu bolo, parece mais fácil se perdoar e comer com atenção novamente na próxima refeição.

Virginie diz que essa forma de comer é um segredo aberto entre as mulheres de Paris. "Todo mundo que você vê que é magro" — ela traça uma espécie de linha imaginária ao longo de seu corpo pequeno — "presta muita atenção." Quando Virginie sente que ganhou alguns quilos, ela presta ainda mais atenção. (Minha amiga Christine, a jornalista francesa, mais tarde resume esse sistema de uma maneira bastante sucinta: "As mulheres de Paris não comem muito.")

Durante o almoço, Virginie me olha de cima a baixo e, evidentemente, decide que não andei prestando atenção.

— Você toma *café crème*, não toma? — diz ela. *Café crème* é como os parisienses chamam café com leite. É uma xícara de leite fervendo servida em uma dose de expresso, sem a espuma que o tornaria um cappuccino.

— Tomo, mas uso leite desnatado — eu digo fracamente. Faço isso quando estou em casa. Virginie diz que até o leite desnatado é de difícil digestão. Ela toma *café allongé* (café comprido), que é o expresso diluído com água fervente. (O café americano filtrado ou chá também são boas opções.) Escrevo as sugestões de Virginie (Beber mais água! Subir de escada! Fazer caminhadas!) como se estivesse recebendo uma revelação.

Não sou obesa. Como minha amiga Nancy, apenas sou meio maternal. Não há risco de Bean ser perfurada pelo meu osso do quadril quando a balanço no colo. Mas tenho aspirações magrelas. Prometi a mim mesma que não vou pensar em engravidar de novo até terminar meu livro e chegar ao meu objetivo de número de quilos. (Depois de anos na França, ainda não sei se devo usar casaco quando ouço a temperatura em Celsius e nem a altura de alguém quando a pessoa diz o número em centímetros. Mas imediatamente sei se meu peso em quilos significa que vou caber no meu jeans ou não.)

É claro que as mães francesas não são diferentes apenas por serem magras. Nem todas são, pelo menos. E conheço americanas que cabem no jeans de antes da gravidez dentro da marca dos três meses também. Mas consigo identificar essas mães americanas de longe no parquinho apenas pela linguagem corporal. Como eu, elas ficam debruçadas em cima dos filhos, arrumando os brinquedos na grama enquanto avaliam o terreno em busca de perigos. Elas são dedicadas a servir os filhos de maneira transparente.

O diferente nas mães francesas é que elas voltam também para suas identidades pré-bebê. Para começar, elas parecem mais fisicamente separadas dos filhos. Nunca vi uma mãe francesa subir em um trepa-trepa, descer pelo escorrega com o filho ou se sentar em uma gangorra — visões comuns nos Estados Unidos e de americanos visitando a França. Na maior parte, exceto pelos bebês que estão aprendendo a andar, os pais franceses ficam nos arredores do parquinho ou da caixa de areia e conversam uns com os outros (mas não comigo).

Nos lares americanos, cada aposento da casa pode ficar tomado de brinquedos. Em uma casa que visitei, os pais tinham tirado todos os livros das prateleiras da sala e substituído por pilhas de brinquedos e jogos.

Alguns pais franceses guardam brinquedos na sala. Mas muitos, não. As crianças dessas famílias têm muitos brinquedos, mas eles não dominam o espaço comum. No mínimo, os brinquedos são guardados à noite. Os pais veem isso como uma separação saudável e uma chance para limpar a mente quando os filhos vão dormir. Samia, minha vizinha que durante o dia é uma mãe extremamente dedicada à filha de 2 anos, me diz que, quando a menina vai dormir, "nem quero ver brinquedos... O universo dela é no quarto dela".

Não é só o espaço físico que é diferente na França. Também fico impressionada com a compreensão quase universal de que até as boas mães não estão a serviço constante dos filhos e que não há motivo para se sentir mal quanto a isso.[5]

Os livros americanos sobre educação de filhos costumam dar lembretes às mães para terem vida própria. Mas costumo ouvir as mães americanas que não trabalham fora dizerem que nunca contratam babás porque consideram o cuidado dos filhos trabalhos *delas* mesmas.

Em Paris, até as mães que não trabalham tomam como certo que matricularão os filhos em uma creche de meio período para poderem ter um tempo para si. Elas se permitem janelas livres de culpa nas quais vão à aula de ioga e retocam as luzes dos cabelos. Como resultado disso, mesmo as mães mais estressadas que não trabalham fora não chegam no parquinho com aparência esgotada e desgrenhada, como se pertencessem a uma tribo diferente.

As mulheres francesas não apenas se permitem ter tempo de folga; elas também se permitem um afastamento mental dos filhos. Nos filmes de Hollywood, você sabe instantaneamente se um personagem feminino tem filhos. O filme costuma se tratar disso. Mas nos dramas românticos e comédias franceses a que ocasionalmente assisto quando fujo, o fato de a protagonista ter filhos costuma ser irrelevante para o enredo. Em um filme típico francês, *Les Regrets* (Arrependimentos), uma professora de cidade pequena retoma o caso amoroso com o ex-namorado quando ele volta para a cidade por causa da doença da mãe. Durante o filme, ficamos vagamente cientes de que a professora tem uma filha. Mas a garotinha aparece rapidamente. Em sua maior parte, o filme é uma história de amor, inclusive com cenas tórridas de sexo. A protagonista não é uma mãe ruim, mas ser mãe não faz parte da história.

Na França, a mensagem social dominante é que, enquanto ser pai e mãe é muito importante, isso não deve suprimir os outros papéis da pessoa. As mulheres que conheço em Paris exprimem isso dizendo que as mães não devem se tornar "escravas" dos filhos. Quando Bean nasce, um dos maiores canais de televisão transmite um talk show quase todas as manhãs chamado *Les Maternelles*, no qual especialistas e pais dissecam todos os aspectos de ter filhos. Logo em seguida, passa outro programa, *Não somos apenas pais*, que fala de trabalho, sexo, hobbies e relacionamentos.

É claro que algumas mulheres francesas de classe média se perdem na maternidade, assim como algumas mães americanas conseguem não deixar que isso aconteça. Mas os ideais em cada lugar são muito diferentes. Fico impressionada com as páginas de moda de uma revista francesa direcionada a mães,[6] nas quais aparece a atriz francesa Géraldine Pailhas. Pailhas, de 39 anos, é uma mãe da vida real com dois filhos que posa como diferentes tipos de mãe. Em uma foto ela está fumando um cigarro, empurrando um carrinho e olhando ao longe. Em outra, está usando uma peruca loura e lendo uma biografia de Yves Saint Laurent. Em uma terceira, está com um vestido preto de noite e saltos impossivelmente altos com decoração de penas enquanto empurra um carrinho de estilo antiquado.

O texto descreve Pailhas como um ideal da maternidade francesa: "Ela é no mínimo a expressão mais simples da liberdade feminina: feliz em seu papel de mãe, ávida e curiosa quanto às novas experiências, perfeita em 'situações de crise' e sempre atenta aos filhos, mas não acorrentada ao conceito da mãe perfeita, que, ela nos assegura, 'não existe'."

Tem alguma coisa nesse texto e na atitude de Pailhas que me lembra aquelas mães francesas que me desprezam no parque. Na vida real, elas não andam por aí de sapatos de salto de Christian Louboutin. Mas, como Pailhas, elas sinalizam que, ao mesmo tempo em que são mães devotadas, também pensam em coisas que não têm nada a ver com os filhos e apreciam momentos de *liberté* sem culpa.

Pailhas obviamente perdeu o peso da gravidez assim que os filhos saíram da barriga. Mas aquela vida interior, que vimos nas fotos e que vejo nas mães francesas na creche e no parquinho, também exige que ela se mantenha e se sinta sedutora.[7] Pailhas não parece uma MILF de revista em quadrinhos. Apenas aparenta ser uma mulher sexy e tranquila. Não consigo imaginá-la me contando que é tão feliz quanto o filho que está menos feliz.

Consulto minha amiga Sharon, que é uma agente literária belga falante de francês e casada com um belo francês. Ela já morou no mundo todo com ele e os dois filhos do casal. Sharon imediatamente observa outra coisa que estou vendo nas fotos de Pailhas e nas mães ao meu redor em Paris.

"Para as mulheres americanas, o papel de mãe é muito segmentado, muito absoluto", diz Sharon. "Quando vestem a camisa de 'mãe', vestem toda a roupa de mãe. Quando são sensuais, são totalmente sensuais. E as crianças só podem ver a parte em que ela é 'mãe'."

Na França (e pelo visto na Bélgica também), os papéis de "mãe" e de "mulher" são idealmente unificados. Em qualquer momento, você consegue ver os dois.

Capítulo 8

A mãe perfeita não existe

Eis uma coisa que talvez você não saiba: passar 12 horas por dia em frente ao computador comendo compulsivamente chocolates M&Ms não promove perda de peso.

Mas isso me permite terminar meu livro. E a mera presença do livro no Amazon.com desperta a "mulher" em mim. Assim como o tour de promoção do livro. Viajo para Nova York, *sans* marido e filha, para conversar sobre o livro com quem quiser ouvir e olhar com adoração para ele nas livrarias. (Um vendedor já viu esse comportamento antes. Ele se aproxima de mim e pergunta: "Você é a autora?")

Minha real transformação acontece quando o livro sai em francês. Depois de anos tendo uma presença um tanto afastada em Paris, de repente sou lançada nas conversas nacionais. O livro é um estudo jornalístico sobre como as diferentes culturas tratam a infidelidade. (Foi o mais distante que consegui chegar do texto financeiro, e pareceu um tópico importante a ser pesquisado na França.) Os americanos trataram o livro como uma investigação moral séria. Os franceses concluem que o livro foi escrito para divertir.

Um talk show chamado *Le Grand Journal* me convida para participar e falar sobre o livro, ao vivo e em francês. Eu nem tinha reparado nesse programa, que passa cinco noites por semana às 19h05. Minha editora francesa, uma mulher sábia na casa dos 50 anos com um Rolodex de ouro maciço, explica que esse programa é uma instituição francesa. O anfitrião,

Michel Denisot, é um jornalista lendário. Ele e um painel de entrevistadores fazem perguntas ao convidado. Todos são inteligentes, mas um pouco selvagens. É como um jantar chique francês que passa ao vivo na TV.

Minha editora fica animada com a publicidade, mas em pânico por causa do meu francês. Ela programa que eu passe horas treinando perguntas e respostas em francês com um empresário que ela conhece. Ele também parece nervoso. Fica me lembrando que *"affaire"* em francês não quer dizer nada extraconjugal; para isso, preciso dizer *aventure* ou *liaison*.

Na noite do programa, estou me sentindo imersa e pronta. Tomo três xícaras de expresso e me sento para fazer cabelo e maquiagem. De repente, estou de pé atrás de duas cortinas enormes. Michel Denisot diz meu nome, e as cortinas se abrem. Desço os degraus brancos lustrosos, no estilo Miss América, e ando até uma mesa grande onde Denisot e o painel de três pessoas me esperam.

Estou me concentrando tanto em entender as perguntas que nem fico nervosa. Felizmente, são quase todas as perguntas que ensaiei. Como tive a ideia para o livro? Como é a França em comparação aos Estados Unidos? Quando um dos entrevistadores me pergunta se fui infiel enquanto escrevia o livro, eu pisco os olhos com charme e digo que sou jornalista, portanto é claro que fui *très professionnelle*. Os entrevistadores e a plateia do estúdio adoram isso.

Nesse ponto alto, Denisot começa a encerrar a entrevista. Ele parece estar fazendo o resumo da noite. Paro de prestar atenção. Meu irmão, que assiste a uma reprise na internet, diz que, nesse ponto, pareço visivelmente aliviada.

E então, de repente, escuto meu nome de novo. Denisot está formulando outra pergunta para mim. Ele não consegue deixar de lado. É alguma coisa sobre Moïse (o nome francês de Moisés) e um blog. Moisés tinha blog? Meu irmão diz que quando a câmera volta para mim, pareço paralisada. Não faço ideia do que ele está me perguntando.

De repente, entendo: Denisot não está dizendo "blog"; está dizendo *"blague"*, a palavra francesa para piada. Ele quer que eu conte uma piada do livro. É uma na qual Moisés desce do monte e diz: "Tenho uma notícia boa e uma ruim. A boa é que o convenci a ficar só em dez mandamentos. A ruim é que o adultério ainda está incluído."

Essa não foi uma das perguntas que ensaiei. Naquele momento, não consigo lembrar direito como é a piada, e muito menos como é em francês. Como se diz "monte"? Como se diz "mandamento"? Só consigo dizer: "O adultério ainda está incluído!" A plateia, felizmente, ainda está bem-humorada o bastante para rir. E Denisot sabiamente passa para o convidado seguinte.

Apesar desse incidente, fico feliz por estar no mundo das pessoas que trabalham de novo. Isso me coloca em sincronia com a sociedade francesa. O motivo disso é que, depois de ousadamente não amamentar e de recondicionar suas mentes e seus corpos, as mães francesas voltam ao trabalho. As mães com nível superior raramente largam a carreira, temporária ou permanentemente, depois de ter filhos. Quando conto para americanos que tenho uma filha, eles costumam perguntar: "Você está trabalhando?" Já os franceses apenas perguntam: "O que você faz?"

Nos Estados Unidos, conheço muitas mulheres que pararam de trabalhar para criar os filhos. Na França, conheço uma. Tenho uma visão de como seria minha vida como mãe em tempo integral na França quando deixo de trabalhar certa manhã para levar Bean ao parquinho. Nosso parquinho do bairro foi construído no século XIX no local de um antigo palácio dos Cavaleiros Templários (engole essa, Central Park). Isso pode parecer coisa do *Código Da Vinci*, mas na verdade é bem burguês. É mais provável que você desenterre uma chupeta abandonada do que uma relíquia medieval. Tem um laguinho, um gazebo de ferro fundido e um parquinho que enche logo depois do horário de saída da escola.

Bean e eu estamos no gazebo quando sou surpreendida pelo som de inglês americano, vindo de uma mulher com duas crianças. Ela e eu logo estamos trocando histórias de vida. Ela me conta que largou o emprego de verificadora de fatos para acompanhar o marido em uma licença não remunerada de um ano em Paris. Os dois concordaram que ele faria a pesquisa dele enquanto ela apreciaria a cidade e cuidaria dos filhos.

Depois de nove meses do início da licença, ela não parece alguém que está apreciando a Cidade Luz. Parece uma pessoa que vive arrastando duas crianças do parquinho para casa. Ela tropeça um pouco nas palavras, depois pede desculpas, explicando que não costuma conversar com adultos. Já ouviu falar dos grupos de brincadeira organizados pelas mães falantes de inglês, mas diz que não quis passar o precioso tempo na França com outros americanos. (Tento não levar isso para o lado pessoal.) Ela fala francês muito bem, e eu tinha concluído que ela conheceu mães francesas e fez amizade com elas.

"Onde estão todas as mães?", pergunta ela.

A resposta, é claro, é que elas estão no trabalho. As mães francesas voltam ao trabalho, em parte, porque podem. As creches de alta qualidade, babás pagas pelo governo e outras opções de cuidado infantil tornam a transição logisticamente possível. Não é por acaso que as mulheres francesas precisam recuperar o corpo em três meses. É a época em que voltam ao trabalho.

As mães francesas também voltam a trabalhar porque querem. Em uma pesquisa de 2010 feita pelo Pew Research Center, 91% dos adultos franceses disseram que o tipo de casamento mais satisfatório é aquele no qual tanto o marido quanto a esposa trabalham fora. (Só 71% dos americanos e britânicos disseram isso.[1])

Algumas mulheres com nível superior que conheço trabalham quatro dias por semana e ficam em casa com os filhos na quarta-feira, dia em que não há aula nas pré-escolas e no primeiro segmento do ensino fundamental. Mas as mães com quem converso dizem que quase não conhecem nenhuma mulher que escolha ficar em casa em tempo integral. "Conheço uma, e ela está prestes a se divorciar", diz minha amiga Esther, a advogada. Esther reconta a história dessa mulher como um alerta: ela largou o emprego de vendedora para cuidar dos filhos. Mas ficou financeiramente dependente do marido e perdeu parte do direito de emitir opiniões.

"Ela sufocava sentimentos e reclamações, e depois de um tempo os desentendimentos foram piorando", explica Esther. Ela diz que há circunstâncias em que as mães realmente não podem trabalhar, como quando chega o terceiro filho. Mas diz que qualquer interrupção de trabalho deve ser por um tempo limitado, até o mais novo fazer 2 anos, mais ou menos.

As francesas que trabalham me dizem que largar o trabalho mesmo que por alguns poucos anos é uma escolha perigosa. "Se amanhã seu marido fica desempregado, o que você vai fazer?", me pergunta minha amiga Danièle. Hélène, a engenheira com três filhos, diz que preferiria não trabalhar e contar com o salário do marido. Mas não para. "Maridos podem desaparecer", explica ela.

As mulheres francesas trabalham não só por segurança financeira, mas também por status. Mães em tempo integral não têm muito, ao menos em Paris. Há uma imagem francesa recorrente de uma dona de casa sentada com tristeza em um jantar porque ninguém quer conversar com ela. "Tenho duas amigas que não trabalham. Sinto que ninguém se interessa por elas", diz Danièle. Ela é jornalista, tem 50 e poucos anos e uma filha adolescente. "Quando os filhos crescem, qual é sua utilidade social?"

As mulheres francesas também questionam abertamente como seria a qualidade de vida delas se cuidassem dos filhos o dia todo. A mídia francesa não tem problema em descrever essa experiência com ambivalência fria. Um artigo que leio diz que, para as mães "sem atividade profissional... a principal vantagem é ver os filhos crescerem. Mas o fato de ser mãe em tempo integral traz inconveniências, principalmente isolamento e solidão".

Como não existem muitas mães em tempo integral de classe média em Paris, também não há muitos grupos de brincadeiras durante a semana, nem grupos de leitura de histórias, nem aulas que incluam a mãe e o filho. As que existem são mais para falantes de inglês. Tem uma criança completamente francesa no grupo de brincadeiras do bairro, mas ele vai com a babá. A mãe, advogada, aparentemente quer que o garoto seja exposto à língua inglesa. (Não o escuto falando inglês.) A mãe comparece uma vez, quando é a vez dela de ser a anfitriã. Ela saiu correndo do escritório, de saltos altos e terninho. Olha para nós, mães de países de língua inglesa, de tênis e carregando bolsas enormes, como se fôssemos um bando de animais exóticos.

O estilo americano de educar filhos e seus acessórios (cartões com figuras para os bebês e pré-escolas competitivas) agora são clichês. Aconteceu tanto um retrocesso quanto um retrocesso do retrocesso. Portanto, fico surpresa com o que vejo em um parquinho em Nova York. É uma área especial para crianças pequenas, com escorrega em tamanho menor e alguns animais de plástico para as crianças sentarem e saltarem, separados do resto do parquinho por um portão alto de metal. O parquinho é feito para as crianças subirem nas coisas e caírem com segurança. Algumas babás estão sentadas em bancos ao redor, no estilo francês, conversando e observando as crianças brincando.

Uma mãe branca de classe média-alta entra com seu filho. Ela anda atrás dele em meio aos brinquedos em miniatura enquanto fala em um monólogo ininterrupto: "Quer subir no sapinho, Caleb? Quer andar no balanço?"

Caleb ignora as perguntas. Ele evidentemente planeja apenas andar de um lado para o outro. Mas a mãe fica atrás e continua a narrar cada movimento dele. "Você está indo muito bem, Caleb!", diz ela em certo momento.

Eu concluo que Caleb tem uma mãe particularmente zelosa, mais nada. Mas outra mulher de classe média-alta passa pelo portão, empurrando uma criança loura de camiseta preta. Ela também imediatamente começa a narrar todos os atos do filho. Quando o garoto vai até o portão para olhar para o gramado, a mãe decide que isso não é estimulante o bastante. Ela corre até ele e o segura de cabeça para baixo.

"Você está de cabeça pra baixo!", grita ela. Momentos depois, ela levanta a blusa para oferecer um gole de leite ao garoto. "Viemos pro parquinho! Viemos pro parquinho!", diz ela enquanto ele bebe.

A cena fica se repetindo com outras mães e seus filhos. Depois de cerca de uma hora, consigo prever com precisão se uma mãe vai executar essa "narrativa das brincadeiras" só pela marca da bolsa dela. O que me surpreende mais é que essas mães não têm vergonha do quanto parecem loucas. Elas não sussurram o que dizem; elas anunciam.

Quando descrevo essa cena para Michel Cohen, o pediatra francês em Nova York, ele sabe imediatamente o que quero dizer. Diz que essas mães falam em voz alta para divulgar o quanto são boas mães. A prática de narrar a brincadeira é tão comum que Cohen incluiu uma seção em seu livro chamada Estimulação, que essencialmente diz para as mães pararem com isso. "Períodos de brincadeira e risadas devem se alternar naturalmente com períodos de silêncio e tranquilidade", escreve Cohen. "Você não precisa falar, cantar nem entreter constantemente."

Independentemente de você achar ou não que essa supervisão intensiva é boa para as crianças, ela parece tornar o ato de cuidar do filho menos agradável para as mães.[2] Assistir já é exaustivo. E isso continua fora do parquinho. "Podemos não passar a noite acordadas preocupadas em como deixar as roupas mais brancas, mas pode apostar que estamos perdendo o sono ao pensar no motivo do pequeno Jasper não ter desfraldado ainda", escreve Katie Allison Granju no site babble.com. Ela descreve uma mãe que conhece e que tem mestrado em biologia que passou a semana anterior (a semana *inteira*) ensinando o filho a usar a colher.

Essa bióloga certamente questionou sua própria sanidade também. Nós, mães americanas, sabemos que ser mãe com essa intensidade toda tem seu preço. Mas, como os pais que faziam a Piaget a Pergunta Americana (Como podemos acelerar os estágios do desenvolvimento de uma criança?), acreditamos que o ritmo no qual nossos filhos progridem resulta das escolhas que fazemos e em como nos dedicamos a elas ativamente. O preço de não treinar o filho para usar a colher ou de não narrar uma brincadeira no escorrega parece inaceitavelmente alto, principalmente quando os outros estão fazendo tudo isso.

O padrão do quanto as mães de classe média devem se dedicar aos filhos parece ter aumentado. A narração das brincadeiras e o treinamento intensivo para o uso da colher são expressões do "cultivo orquestrado" que a socióloga Annette Lareau observou entre pais de classe média brancos e afrodescendentes.[3]

Esses pais "veem os filhos como um projeto", explica Lareau. "Eles buscam desenvolver os talentos e as habilidades das crianças por uma série de atividades organizadas, por um processo intensivo de argumentação e desenvolvimento da língua e pela supervisão intensa das experiências deles na escola."

Minha decisão de morar na França é comprovadamente um enorme ato de cultivo orquestrado. Meu projeto é tornar meus filhos bilíngues, internacionais e amantes de bons queijos. Mas, pelo menos na França, tenho outros modelos, e não há jardins de infância para crianças superdotadas. Nos Estados Unidos, fazer um "cultivo orquestrado" não parece uma escolha. Ao contrário, as exigências parecem ter aumentado. Uma amiga minha, que trabalha em horário integral, reclamou que não esperam apenas que ela vá aos jogos de futebol da filha; é esperado que vá também *aos treinos*.[4]

Elisabeth, uma mãe francesa que mora no Brooklyn, ficou surpresa de os pais americanos se dedicarem tanto ao sucesso dos filhos nos esportes. Ela escreve que teve que mudar repetidamente a data e a hora da festa de aniversário do filho de 10 anos para encaixar os horários de jogos dos amigos americanos. Cada mãe americana descreveu a presença do filho no jogo como "indispensável" e alegou que, sem ele ou ela, "o time poderia perder!".[5]

O impulso americano para ser o melhor costuma começar antes de as crianças saberem andar. Ouço falar de uma mãe em Nova York cujo bebê de 1 ano tinha professores particulares de francês, espanhol e mandarim. Quando a criança tinha 2 anos, a mãe cancelou o francês, mas acrescentou aulas de artes, música, natação e um tipo de matemática. Enquanto isso, a mãe, que tinha largado o emprego de assessora empresarial, passava a maior parte do tempo preenchendo formulários de matrícula para dezenas de pré-escolas.

Histórias assim não são apenas caso de alguns nova-iorquinos extremos. Em uma viagem a Miami, almoço com uma mãe americana particularmente sã que conheço chamada Danielle. Eu achava que, se alguém podia resistir à sedução da família frenética, era ela. Ela é equilibrada, calorosa e, em uma cidade onde as pessoas costumam seguir a moda até nas joias, assertivamente não materialista. Ela passou parte da infância na Itália, fala três línguas e se sente bem consigo mesma. Tem também mestrado e um currículo cheio de empregos de cargos altos na área de marketing.

Danielle não gosta de cuidados exagerados com os filhos. Fica horrorizada com uma mãe do bairro cujo filho de 4 anos já faz aula de tênis, futebol, francês e piano. Danielle diz que essa mãe é exagerada, e o simples fato de estar perto dela deixa todos angustiados.

"Você começa a pensar: a criança está fazendo aquelas coisas todas. Como meu filho pode competir? E então, você precisa ficar alerta e dizer para si mesmo: essa não é a questão. Não queremos nosso filho competindo com alguém assim."

Ainda assim, Danielle acabou ela mesma com uma agenda praticamente sem intervalos com os quatro filhos (os mais novos são gêmeos). Em uma semana comum, Juliana, a filha de 7 anos, tem futebol nas tardes de terças e quintas, aula de catecismo às quartas, escotismo às quintas de duas em duas semanas (depois do futebol) e um grupo de brincadeiras às sextas. Quando Juliana chega em casa, tem duas horas para fazer o dever de casa e estudar.

"Ontem à noite, ela teve que escrever uma história folclórica, uma pequena redação sobre como Martin Luther King mudou os Estados Unidos e teve que estudar para uma prova de espanhol", diz Danielle.

Recentemente, Juliana disse que também queria fazer uma aula de cerâmica fora do horário da escola. "E eu, me sentindo culpada por não ter aula de artes na escola, acabei concordando com a aula de cerâmica. O único dia que ela tinha livre era a segunda-feira." A semana toda de Juliana agora é ocupada. E Danielle tem três outros filhos.

"A logística de fazer com que todos cheguem onde precisam estar na hora certa tem sido o melhor uso do que aprendi na aula de gerenciamento de operações na faculdade de administração", diz ela.

Danielle reconhece que poderia simplesmente cortar todas essas atividades, exceto pelo futebol (o marido dela é o técnico). Mas o que as crianças fariam em casa? Ela diz que não haveria outras crianças na vizinhança, porque todos também estão fazendo atividades.

O resultado disso é que Danielle não voltou ao trabalho. "Sempre achei que poderia ter um emprego em tempo integral de novo depois que meus filhos entrassem para o ensino fundamental", diz ela. Em seguida, se desculpa e sai correndo para o carro.

* * *

O fato de o estado francês fornecer e subsidiar formas de cuidado infantil torna a vida bem mais fácil para as mães francesas. Mas quando volto para a França, fico impressionada ao ver como as mães francesas tornam suas próprias vidas bem mais fáceis também. O equivalente francês de um encontro para brincar é eu deixar Bean na casa de uma amiga e ir embora. (Meus amigos americanos e ingleses já pressupõem que vou ficar lá o tempo todo.) Os pais franceses não são grossos; são práticos. Eles supõem corretamente que tenho outras coisas para fazer. Às vezes, fico para tomar uma xícara de café quando volto para buscá-la.

É o mesmo nas festas de aniversário. As mães americanas e britânicas esperam que eu fique e socialize, com frequência durante várias horas. Ninguém nunca diz claramente, mas acho que estamos lá em parte para ter certeza de que nossos filhos estão à vontade e bem.

Mas quando uma criança chega aos 3 anos, as festas de aniversário também são do tipo em que só a criança fica. Temos que acreditar que nossos filhos vão ficar bem sem nós. Os pais costumam ser convidados para voltar no final para uma taça de champanhe e um pouco de socialização com os outros pais e mães. Simon e eu adoramos sempre que recebemos convites; é como ter uma babá de graça, seguido de um coquetel.

Na França, existe uma expressão para as mães que passam o tempo todo levando os filhos de um lado para o outro: *maman-taxi*. Não é um elogio. Nathalie, uma arquiteta parisiense, me diz que contrata uma babá para levar os três filhos a todas as atividades aos sábados de manhã. Ela e o marido saem para almoçar fora. "Quando estou presente, dou 100% de atenção a eles, mas quando não estou, não estou", diz Nathalie.

Virginie, minha guru das dietas, se reúne na maior parte das manhãs com um grupo de mães da escola do filho. Eu me junto ao grupo uma manhã e menciono atividades extracurriculares. A temperatura à mesa imediatamente sobe. Virginie se senta mais ereta e fala pelo grupo: "Você precisa deixar os filhos sozinhos, eles precisam ficar um pouco entediados em casa, precisam ter tempo para brincar", diz ela.

Virginie e as amigas não são preguiçosas. Elas são formadas e têm bons currículos. São mães devotadas. Suas casas são cheias de livros. Seus filhos têm aulas de esgrima, violão, tênis, piano e luta livre (estranhamente chamada de *catch* em francês). Mas a maioria escolhe apenas uma atividade a cada semestre escolar.

Uma das mães no café, uma publicitária bela e encorpada (como eu, ela está tentando "prestar mais atenção"), diz que parou de mandar os filhos para a aula de tênis e para todas as outras porque as achava "limitadoras".

— Limitadoras para quem? — eu pergunto.
— Limitadoras para mim — diz ela.
Ela explica:
— Você os leva e espera durante uma hora, depois tem que voltar para buscar. Se a aula é de música, você tem que fazer com que ensaiem à noite... É uma perda de tempo para mim. E as crianças não precisam disso. Eles têm muito dever de casa, têm a casa, têm outros jogos em casa, e eles são dois, então não podem ficar entediados. Estão juntos. E viajamos todos os fins de semana.

Fico impressionada com a maneira como essas pequenas decisões e suposições tornam a rotina diferente para as mães francesas. Quando têm tempo livre, as mães francesas se orgulham em conseguir se distanciar e relaxar. No cabeleireiro, arranco as páginas de um artigo de uma edição francesa de *Elle* no qual uma mãe diz que ama levar os dois filhos ao carrossel de estilo antigo que tem perto da torre Eiffel.

"Enquanto Oscar e Léon tentam pegar os anéis de madeira... passo trinta minutos de puro relaxamento. Costumo desligar meu celular e me afasto da realidade enquanto espero por eles... é como uma babá de luxo!" Conheço bem esse carrossel. Costumo passar minha meia hora lá esperando para acenar para Bean a cada volta que ela dá.

Não é coincidência que tantas mães francesas pareçam ser assim. O princípio de deixá-los sozinhos vem direto de Françoise Dolto, a patrona da educação francesa. Dolto claramente argumentava a favor de deixar a criança sozinha, em segurança, para fazer bagunça e descobrir as coisas sozinha.

"Por que a mãe faz tudo pelo filho?", pergunta Dolto em *As etapas decisivas da infância*, uma coletânea de suas observações. "Ele fica tão feliz em lidar com as coisas sozinho, em passar a manhã se vestindo sozinho, em calçar os sapatos, feliz em colocar o suéter ao contrário, em se enrolar na calça, em brincar, remexer nas coisas em seu cantinho. Então por que ele não vai ao mercado com a mãe? É uma grande pena!"

No Dia da Bastilha, levo Bean para o campo gramado no parque do nosso bairro. Está cheio de pais com filhos pequenos. Não estou narrando a brincadeira de Bean, mas não espero ter a chance de ler a revista de três semanas antes que levei comigo, junto com uma sacola enorme de livros e brinquedos para ela. Passo boa parte do dia ajudando-a a brincar e lendo para ela.

No cobertor ao lado do nosso está uma mãe francesa. É uma mulher magra e de cabelos castanho-claros e está conversando com uma amiga enquanto a filha de 1 ano brinca com quase nada. A mãe parece ter levado apenas uma bola para distrair a filha pela tarde inteira. Elas almoçam e a garotinha brinca com a grama, rola um pouco e observa o local. Enquanto isso, a mãe tem uma conversa adulta inteira com a amiga.

É o mesmo sol e a mesma grama. Mas estou fazendo um piquenique americano e, *voilà*, ela está fazendo um francês. Não muito diferente daquelas mães em Nova York, estou tentando estimular Bean a ir para o próximo estágio de desenvolvimento. E estou disposta a sacrificar meu próprio prazer para isso. A mãe francesa, que dá a impressão de poder comprar uma bolsa cara se quiser, parece feliz em deixar a filha "despertar" sozinha. E a garotinha não parece se importar nem um pouco.

Isso tudo serve para explicar o misterioso ar calmo das mães francesas que vejo ao meu redor. Mas ainda não conta a história toda. Está faltando uma peça crucial. O fantasma na máquina da maternidade francesa, na minha opinião, é como as mulheres francesas lidam com a culpa.

As mães americanas de hoje passam muito mais tempo cuidando de filhos do que os pais de 1965.[6] Para fazer isso, elas precisam deixar de lado parte das tarefas domésticas, do seu descanso e do sono. Ainda assim, os pais de hoje acreditam que deveriam passar ainda mais tempo com os filhos.

O resultado é uma culpa enorme. Vejo isso quando visito Emily, que mora em Atlanta com o marido e com a filha de 1 ano e meio. Depois de passar algumas horas com Emily, percebo que ela disse "sou uma mãe ruim" meia dúzia de vezes. Ela diz quando cede ao pedido da filha por mais leite e quando não tem tempo de ler mais do que dois livros para ela. Diz de novo quando está tentando fazer a garotinha dormir de acordo com os horários programados e para explicar por que a deixa chorar um pouco à noite.

Também ouço outras mães americanas dizerem "sou uma mãe ruim". A frase se tornou uma espécie de tique verbal. Emily diz "sou uma mãe ruim" com tanta frequência que, embora soe negativo, percebo que ela deve achar a mensagem tranquilizadora.

Para as mães americanas, a culpa é um imposto emocional que pagamos por ir trabalhar, não comprar legumes e verduras orgânicos ou por deixarmos os filhos na frente da televisão para podermos acessar a internet ou fazer o jantar. Se nos sentimos culpadas, é mais fácil fazer essas coisas. Não somos simplesmente egoístas. Nós "pagamos" por nossos lapsos.

Nisso também os franceses são diferentes. As mães francesas reconhecem a tentação da sensação de culpa. Elas se sentem tão esgotadas e inadequadas quanto nós, americanas. Afinal, elas trabalham enquanto criam filhos pequenos. E, como nós, costumam não chegar ao seu melhor, seja no emprego, seja como mãe.

A diferença é que as mães francesas não valorizam a culpa. Ao contrário, elas a consideram não saudável e desagradável, e procuram bani-la. "A culpa é uma armadilha", diz minha amiga Sharon, a agente literária. Quando ela e as amigas de origem francesa se encontram para tomar drinques, elas lembram umas às outras que "a mãe perfeita não existe... dizemos isso para tranquilizarmos umas às outras".

Os padrões são altos para as mulheres francesas. Elas precisam ser sensuais, bem-sucedidas e ter uma refeição feita em casa sobre a mesa todas as noites. Mas elas tentam não acrescentar a culpa ao peso que carregam. Minha amiga Danièle, a jornalista francesa, foi coautora de um livro chamado *La mère parfaite, c'est vous* (A mãe perfeita é você).

Danièle ainda se lembra de quando deixou a filha na creche aos 5 meses. "Eu me senti mal de deixá-la, mas teria me sentido mal se ficasse com ela e não trabalhasse", ela explica. Ela se forçou a confrontar essa culpa e deixá-la de lado. "Vamos sentir culpa e seguir em frente com a vida", ela disse para si mesma. De qualquer modo, ela acrescenta, para tranquilizar nós duas: "A mãe perfeita não existe."

O que realmente fortifica as mulheres francesas contra a culpa é a convicção de que não é saudável para as mães e para as crianças passarem o tempo todo juntas. Elas acreditam que existe um risco de sufocar as crianças com atenção e ansiedade, ou de haver o desenvolvimento da temida *relation fusionnelle*, na qual as necessidades da mãe e da criança estão misturadas demais. As crianças, mesmo os bebês e as crianças pequenas, passam a cultivar suas vidas interiores sem a interferência constante da mãe.

"Se seu filho é seu único objetivo na vida, isso não é bom para a criança", diz Danièle. "O que acontece com a criança se ela é a única esperança da mãe? Acho que essa é a opinião de todos os psicanalistas."

Essa separação pode ir longe demais. Quando a ministra da Justiça francesa Rachida Dati voltou ao trabalho cinco dias depois de dar à luz sua filha Zohra, houve uma reação de surpresa coletiva da mídia francesa. Em uma pesquisa feita pela edição francesa da revista *Elle*, 42% dos entrevistados descreveram Dati como "carreirista demais". (Houve menos controvérsia quanto ao fato de Dati ser mãe solteira aos 43 anos e de não citar o nome do pai.)

Quando nós, americanos, falamos sobre equilíbrio entre trabalho e vida, estamos descrevendo uma espécie de malabarismo, no qual tentamos manter todas as partes das nossas vidas em movimento sem fazer uma besteira muito grande em nenhuma delas.

Os franceses também falam sobre *l'équilibre*. Mas o que eles querem dizer é diferente. Para eles, trata-se de não deixar que nenhuma parte da vida, inclusive ser pai e mãe, sobrecarregue o resto. É mais como uma refeição balanceada, na qual há uma boa mistura de proteínas, carboidratos, frutas, legumes, verduras e doces. Nesse sentido, a "carreirista" Rachida Dati teve o mesmo problema que as mães em tempo integral: peso demais em apenas um elemento da vida.

É claro que, para algumas mães francesas, *l'équilibre* é apenas um ideal. Mas, pelo menos, é um ideal tranquilizador. Quando peço à minha amiga parisiense Esther, que trabalha em tempo integral como advogada, para se avaliar como mãe, ela diz uma coisa que acho espetacular por sua simplicidade e falta de tensão neurótica: "Em geral, não questiono se sou boa o bastante, porque acho mesmo que sou."

Inès de la Fressange não é uma mulher francesa comum. Nos anos 1980, ela foi a musa de Karl Lagerfeld e principal modelo de Chanel. Depois, De la Fressange foi convidada para ser o novo rosto de Marianne, o símbolo da República Francesa, que aparece em selos e bustos em prefeituras. Mariannes do passado incluíram Brigitte Bardot e Catherine Deneuve. De la Fressange e Lagerfeld se separaram depois que ela aceitou. Ele teria dito que não queria "vestir um monumento".

Agora com 50 e poucos anos, De la Fressange ainda é uma morena de olhos grandes, cujas pernas compridas parecem não caber debaixo de mesas dos cafés. Ela tem uma marca de roupas que leva seu nome e ocasionalmente ainda desfila. Em 2009, as leitoras de *Madame Figaro* a elegeram a melhor representação da mulher parisiense.

De la Fressange também é mãe. Suas duas filhas igualmente fotogênicas e com pernas longas (Nine, adolescente, e Violette, de 20 e poucos anos) já iniciaram suas carreiras como modelos e na moda. De la Fressange costumava fazer pouco de seus encantos ao se chamar de "aspargo escuro". Ela diz que é uma mãe imperfeita também. "Esqueço a ioga matinal e sempre passo gloss e rímel no carro. O que é importante é se livrar da culpa de não ser perfeita."

Obviamente, De la Fressange não é típica. Mas ela encarna um certo ideal francês sobre alcançar um equilíbrio. Em uma entrevista para a revista *Paris Match*, ela descreve como, três anos depois que o marido morreu, conheceu um homem em um resort de esqui nos Alpes franceses, onde estava passando férias com as filhas. O homem era o presidente de uma das revistas francesas mais importantes e tinha ganhado a condecoração francesa da Legião da Honra. (De la Fressange não era a musa de Lagerfeld por nada.)

Ela manteve o pretendente afastado por alguns meses, explicando que não estava pronta. Mas, como ela conta para a *Paris Match*, "finalmente, fui eu que liguei para ele para dizer: 'Certo, sou mãe e trabalho, mas também sou mulher.' Para as meninas, achei que era bom ter uma mãe apaixonada".

Capítulo 9

Caca boudin

Quando Bean tem uns 3 anos, ela começa a usar uma expressão que nunca ouvi antes. A princípio, acho que é *caca buda*, que parece poder ser meio ofensiva para meus amigos budistas (como em inglês, *caca* é o termo que as crianças francesas usam para dizer cocô). Mas, depois de um tempo, percebo que ela está dizendo *caca boudin* (pronunciado bu-dã). *Boudin* significa linguiça. Minha filha anda por aí dizendo, com o perdão das palavras, "cocô linguiça".

Como todo bom palavrão, *caca boudin* é versátil. Bean grita com alegria quando está correndo pela casa com os amigos. Ela também o usa no sentido de "tanto faz", "me deixa em paz" e "não é da sua conta". É uma resposta que serve para tudo.

Eu: O que você fez na escola hoje?
Bean: *Caca boudin*. (risadinha debochada)
Eu: Quer mais brócolis?
Bean: *Caca boudin!* (risada histérica)

Eu e Simon não sabemos bem como interpretar *caca boudin*. É grosseiro ou fofo? Deveríamos ficar zangados ou achar graça? Não entendemos o contexto social e não temos experiências de infância na França com a qual comparar. Por via das dúvidas, pedimos a ela que pare de dizer isso. Ela aceita um acordo, mas continua falando, com o adendo: "Não dizemos *caca boudin*. É palavrão."

O francês florescente de Bean tem vantagens. Quando vamos passar o Natal nos Estados Unidos, as amigas da minha mãe ficam pedindo que ela pronuncie o nome do cabeleireiro dela, Jean-Pierre, com sotaque parisiense. (Jean-Pierre fez um corte curtinho nela que elas adoram e dizem que é muito francês.) Bean fica feliz em cantar, quando pedem, algumas das dezenas de músicas francesas que aprendeu na escola. Fico impressionada na primeira vez em que ela abre um presente e diz, espontaneamente, *oh la la!*

Mas está ficando claro que ser bilíngue é mais do que apenas um truque de festa ou uma habilidade neutra. Conforme o francês de Bean melhora, ela começa a trazer para casa não apenas expressões com as quais não estamos familiarizados, mas também novas ideias e regras. A nova linguagem dela a está tornando não apenas uma falante de francês, mas uma pessoa francesa. E não tenho certeza se fico à vontade com isso. Nem tenho certeza do que é uma "pessoa francesa".

O principal modo pelo qual a França entra em nossa casa é pela escola. Bean começou a *école maternelle*, a pré-escola gratuita pública da França. É em período integral, quatro dias por semana. Não há aulas às quartas-feiras. A *maternelle* não é obrigatória e as crianças podem ficar meio período. Mas a grande maioria das crianças de 3 anos na França frequenta a *maternelle* em período integral e tem uma experiência similar. É o modo francês de transformar as crianças pequenas em franceses.

A *maternelle* tem objetivos grandiosos. Ela é, em efeito, um projeto nacional para transformar as crianças egocêntricas de 3 anos do país em pessoas civilizadas e com empatia. Um livreto para os pais fornecido pelo Ministério da Educação explica que, na *maternelle*, as crianças "descobrem a riqueza e as limitações do grupo do qual fazem parte. Sentem o prazer de serem bem recebidas e reconhecidas, e progressivamente participam do bom recebimento dos outros alunos".

Charlotte, que é professora da *maternelle* há trinta anos (e ainda pede que as crianças a chamem de *maîtresse*: professora, ou, literalmente, amante), me diz que, no primeiro ano, as crianças são muito egoístas. "Elas não percebem que a professora está ali para todos", diz ela. Por outro lado, os alunos só começam a entender gradativamente que, quando a professora fala com o grupo, o que ela está dizendo também é direcionado a cada um individualmente. As crianças costumam fazer atividades da escolha delas em grupos de três ou quatro, em mesas ou partes separadas da sala.

caca boudin

Para mim, a *maternelle* parece uma escola de artes para pessoas pequenas. Durante o primeiro ano de Bean, as paredes da sala de aula são rapidamente cobertas com desenhos e pinturas das crianças. Conseguir "perceber, sentir, imaginar e criar" também são objetivos da *maternelle*. As crianças aprendem a levantar a mão *à la française*, com um dedo apontando para o alto.

Eu estava com medo de matricular Bean. A creche era como um furacão dentro de uma sala. A *maternelle* era mais como uma escola. As salas são grandes. E fui advertida de que os pais recebem poucas informações sobre o que acontece lá. Uma mãe americana me diz que parou de pedir informações à professora da filha quando ela deu a explicação: "Se eu não disser nada, quer dizer que ela está bem." A professora do primeiro ano de Bean é uma mulher mal-humorada, cujo único comentário sobre Bean o ano inteiro é que ela é "muito calma". (Bean adora essa professora e ama os amiguinhos.)

E, apesar de todas as pinturas e desenhos, há muita ênfase em aprender a seguir instruções. No primeiro ano de Bean, fico chocada de ver que a turma inteira costuma pintar exatamente a mesma coisa. Em uma manhã, há 25 bonecos-palitos amarelos idênticos com olhos verdes pendurados na sala de aula. Sendo uma pessoa que não consegue escrever nada sem ter um prazo (ou dois), percebo a necessidade de limitações. Mas ver todas aquelas figuras quase idênticas é perturbador. (Os trabalhos de arte de Bean no segundo ano são mais livres.)

Eu demoro um tempo para me dar conta de que, na sala de aula do primeiro ano de Bean, não tem nenhum alfabeto preso na parede junto com os trabalhos das crianças. Em uma reunião com os pais, ninguém menciona leitura. Há mais falação sobre dar alface para os escargots que a turma tem em um tanque (bem pequenos, que não são para serem comidos).

Na verdade, como vou descobrir, as crianças não aprendem a ler na *maternelle*, que dura até o ano em que fazem 6 anos. Elas apenas aprendem as letras, os sons, e a escrever os próprios nomes. Ouço dizer que algumas crianças começam a ler sozinhas, embora eu não consiga identificar quais, pois os pais não mencionam. Aprender a ler não faz parte do currículo francês até o equivalente ao primeiro ano, o ano em que as crianças completam 7 anos.

Essa atitude relaxada vai contra minha crença mais básica americana de que quanto mais cedo, melhor. Mas mesmo os pais de classe mais alta dentre os amigos da escola de Bean não estão com pressa. "Prefiro que eles não passem tempo aprendendo a ler agora", diz Marion, uma jornalista. Ela e o marido dizem que, nesse estágio, é muito mais importante que as crianças aprendam as habilidades sociais, a organizar o pensamento e a falar bem.

Eles têm sorte. Ao mesmo tempo que as crianças não aprendem a ler na *maternelle*, elas definitivamente aprendem a falar. Na verdade, o maior objetivo da *maternelle* é que as crianças com todos os tipos de base aperfeiçoem o francês falado. Um livreto para os pais produzido pelo governo francês diz que a língua dominada pelas crianças deve ser "rica, organizada e compreensível" (ou seja, elas precisam falar bem melhor do que eu). Charlotte, a professora, me diz que os filhos de imigrantes tipicamente entram na *maternelle* em setembro falando um francês rudimentar ou nada de francês. Em março, costumam estar competentes na língua, se não fluentes.

A lógica francesa parece ser que, se as crianças conseguem falar claramente, também conseguem pensar claramente. Além de polir a gramática falada, o livreto do governo diz que a criança francesa aprende a "observar, fazer perguntas e tornar seus questionamentos cada vez mais racionais. Ela aprende a perceber um ponto de vista diferente do seu, e esse confronto com o pensamento lógico dá a ela um exemplo de argumentação. Ela se torna capaz de contar, classificar, ordenar e descrever...". Todos aqueles filósofos e intelectuais que vejo em programas noturnos de TV na França aparentemente começaram seu treinamento analítico na pré-escola.

Sou agradecida à *maternelle*. Não esqueci que meus amigos nos Estados Unidos (mesmo que não estejam comprando DVDs para ensinar os bebês a ler) estão lutando para colocar os filhos em pré-escolas particulares que podem custar 12 mil dólares por ano por aulas de meio período apenas. Conheço uma mãe de Nova Jersey que dirige cinquenta minutos para deixar as filhas gêmeas na pré-escola. Quando chega em casa, ela tem tempo suficiente para tomar um banho e colocar algumas roupas na máquina de lavar antes de sair para buscá-las. Não são apenas os mais abastados que ficam sobrecarregados com os gastos com os filhos. Em um estudo que mostra de quanto dinheiro um casal americano com dois filhos pequenos precisa para uma segurança econômica básica, a escola é o maior gasto.[1]

A *maternelle* francesa está longe de ser perfeita. Os professores realmente têm estabilidade, sejam eles bons ou ruins. Há problemas crônicos de financiamento e uma ocasional falta de vagas. A turma de Bean tem 25 crianças, o que parece muito, mas nem é o máximo. (Tem uma professora assistente que ajuda com materiais, idas ao banheiro e brigas em geral.)

No lado positivo, a única coisa pela qual pago regularmente é o almoço. (O custo fica em uma escala de 13 centavos a cinco euros por dia, baseado na renda dos pais.) A escola fica a uma caminhada de sete minutos da minha casa. E a *maternelle* permite com facilidade que as mães trabalhem. Ela funciona das 8h20 às 16h20, quatro dias por semana. Por outra pequena taxa há um "centro de lazer" no mesmo local, onde as crianças podem ficar até o começo da noite e o dia todo às quartas-feiras. O centro de lazer também fica aberto na maior parte das férias escolares e grande parte do verão, quando levam as crianças a parques e museus.

A *maternelle* é uma grande parte do que está transformando minha garotinha americana em uma pessoa francesa. Está até me tornando mais francesa. Ao contrário da creche, os outros pais imediatamente se interessam por Bean e, por associação, por mim. Eles agora parecem ver nossa família como parte do grupo com o qual vão percorrer toda a escola (em comparação à creche, depois da qual as crianças se espalham por diferentes escolas). Algumas outras mães da sala de Bean têm bebês pequenos e estão em licença-maternidade. Quando pego Bean na escola e a levo ao parque do outro lado da rua, eu me sento com algumas dessas mulheres enquanto nossos filhos brincam. Gradualmente, somos convidados para ir à casa deles em festas de aniversários, *goûters* da tarde e jantares.

Ao mesmo tempo que a *maternelle* nos leva mais para o estilo de vida francês, ela também nos faz perceber que as famílias francesas observam códigos sociais que nós não observamos. Depois de um jantar na casa da minha amiga Esther e do marido, que têm uma filha da idade de Bean, Esther fica agitada porque a garota não quer sair do quarto para se despedir de nós. A mulher acaba por entrar no quarto da menina e a arrastar para fora.

"*Au revoir*", diz a garota de 4 anos, docilmente. Esther parece tranquilizada.

Eu sempre fazia Bean dizer as palavras mágicas, "por favor" e "obrigada", é claro. Mas, no francês, há quatro palavras mágicas: *s'il vous plaît* (por favor), *merci* (obrigado), *bonjour* (oi) e *au revoir* (adeus). Por favor e obrigado são necessários, mas nem de perto suficientes. *Bonjour* e *au revoir*, principalmente *bonjour*, são cruciais. Eu não tinha me dado conta de que aprender a dizer *bonjour* é uma parte fundamental de ser francês.

"Minha obsessão é que meus filhos saibam dizer *merci*, *bonjour* e *bonjour, madame*", diz Audrey Goutard, uma jornalista francesa com três filhos. "Desde que eles fizeram 1 ano, você nem imagina, eu digo isso para eles 15 vezes por dia."

Para alguns pais franceses, um simples *bonjour* não é o bastante. "Eles precisam falar com segurança, é a primeira etapa de um relacionamento", diz outra mãe. Virginie, a mãe em tempo integral, exige que os filhos aumentem o grau de polidez dizendo *"bonjour, monsieur"* e *"bonjour, madame"*.

Minha amiga Esther insiste no *bonjour* sob ameaça de punição. "Se ela não diz *bonjour*, fica no quarto, não janta com os convidados", explica Esther. "Então, ela diz *bonjour*. Não é o *bonjour* mais sincero do mundo, mas é com a repetição que eu conto."

Benoît, professor e pai de dois filhos, me conta que houve uma crise familiar quando ele levou os filhos para ficarem com os avós. A filha de 3 anos acordava mal-humorada e não queria dizer *bonjour* para o avô antes de tomar café da manhã. Ela acabou concordando em dizer *pas bonjour, papi* (não é um bom dia, vovô) a caminho da mesa. "Ele ficou satisfeito com isso. De certo modo, ela estava prestando atenção nele", explica Benoît.

Os adultos também têm que dizer *bonjour* uns para os outros, é claro. Acho que os turistas costumam receber um tratamento ruim em cafés e lojas de Paris em parte porque não começam a interação com *bonjour*, mesmo que mudem para o inglês depois. É crucial dizer *bonjour* ao entrar em um táxi, quando uma garçonete se aproxima de sua mesa em um restaurante pela primeira vez e antes de perguntar para o vendedor se a loja tem seu tamanho de uma calça. Dizer *bonjour* é reconhecer a humanidade da outra pessoa. É sinalizar que você a vê como pessoa, não como alguém que tem que servir você. Fico impressionada com o quanto as pessoas parecem ficar relaxadas quando digo um bom e sólido *bonjour*. Isso sinaliza que, embora eu tenha um sotaque estranho, vamos ter uma interação civilizada.

Nos Estados Unidos, uma criança de 4 anos não é obrigada a me cumprimentar quando entra na minha casa. Ela pode se abrigar debaixo do cumprimento dos pais. E, em um contexto americano, eu não devo me incomodar com isso. Não preciso da atenção de uma criança porque não a conto como uma pessoa inteira; ela está em um reino separado das crianças. Posso ouvir sobre o quanto ela é inteligente, mas ela nunca dirige a palavra a mim.

Quando estou em um almoço de família nos Estados Unidos, fico impressionada porque os primos, cujas idades variam entre 5 e 14 anos, não dizem nada para mim a não ser que eu insista que falem. Alguns só conseguem emitir respostas de uma palavra quando faço perguntas. Mesmo os adolescentes não estão acostumados a se expressar com confiança para um adulto que não conheçam bem.

Parte do que a obsessão francesa com o *bonjour* revela é que, na França, as crianças não têm essa presença obscura. A criança cumprimenta, logo existe. Assim como qualquer adulto que entra na minha casa tem que me dar atenção, qualquer criança que entra também deve me dar atenção. "Cumprimentar é essencialmente reconhecer o outro como pessoa", diz Benoît, o professor. "As pessoas se sentem feridas se não são cumprimentadas pelas crianças assim."

Não são apenas convenções sociais; são um projeto nacional. Em uma reunião de pais na escola de Bean, a professora diz que um dos objetivos da escola é fazer com que os alunos se lembrem dos nomes dos adultos (Bean chama as professoras pelo primeiro nome) e treinar dizer *bonjour*, *au revoir* e *merci* para eles. O livreto do governo francês diz que, na *maternelle*, espera-se que as crianças mostrem seu entendimento de "civilidade e educação", incluindo "cumprimentar a professora no começo e no final do dia, responder a perguntas, agradecer a pessoa que a ajudar e não interromper alguém que está falando".

As crianças francesas nem sempre dizem *bonjour*. É comum haver um pequeno ritual no qual o pai ou a mãe força a criança a dizer ("Venha dizer *bonjour*!"). O adulto que está sendo cumprimentado espera um pouco e diz para o pai ou mãe, de uma maneira simpática, para que não se preocupe. Isso também parece satisfazer a obrigação.

Fazer as crianças dizerem *bonjour* não é uma coisa apenas em favor dos adultos. Também serve para ajudar as crianças a aprenderem que não são os únicos com sentimentos e necessidades.

"Evita o egoísmo", diz Esther, que arrastou a filha (uma adorável e amada filha única) para se despedir de mim. "As crianças que ignoram as pessoas e não dizem *bonjour* e nem *au revoir* ficam presas dentro de uma bolha. Como os pais já se dedicam a elas, quando elas vão perceber que estão ali para dar, e não só para receber?"

Dizer "por favor" e "obrigado" coloca a criança em um papel inferior, receptivo. Um adulto fez alguma coisa para ela ou a criança está pedindo a um adulto que faça. Mas *bonjour* e *au revoir* colocam a criança e o adulto em um pé de igualdade, pelo menos naquele momento. Solidifica a ideia de que as crianças são pessoas com seus próprios direitos.

Não consigo parar de pensar que deixar uma criança americana entrar pela porta sem me cumprimentar poderia causar uma reação em cadeia, na qual ela pula no meu sofá, se recusa a comer qualquer coisa além de macarrão puro e morde meu pé enquanto janto. Se ela está isenta daquela primeira regra de civilidade, ela (e todo mundo) vai supor mais rapidamente que está isenta de muitas outras regras também, ou que não é capaz de seguir essas regras. Dizer *bonjour* sinaliza para a criança e para todo mundo que ela é capaz de se comportar bem. Isso dá o tom para toda a interação entre os adultos e as crianças.

Os pais admitem que cumprimentar as pessoas é, de certa forma, um ato adulto. "Acho que não é fácil dizer oi", diz Denise, profissional de ética médica com duas filhas, de 7 e 9 anos. Mas Denise diz que ajuda para que as crianças saibam que o cumprimento delas importa para o adulto. Ela explica: "Acho que a criança que não diz *bonjour* não consegue se sentir realmente confiante."

Nem os pais da criança. Isso porque dizer *bonjour* também é um forte indicador da criação. Crianças que não dizem as palavras mágicas francesas correm o risco de receberem o rótulo ruim de *mal élevé*, malcriadas.

Denise diz que sua filha mais nova recebeu a visita de um amigo que gritava muito e chamava Denise de *chérie* (querida) com deboche. "Falei para meu marido que não vou convidá-lo mais", ela me conta. "Não quero que minha filha brinque com crianças com criação ruim."

Audrey Goutard, a jornalista, escreveu um livro chamado *Le Grand Livre de la Famille*, no qual tenta virar de cabeça para baixo algumas convenções francesas na educação de crianças. Mas nem Goutard ousa questionar a importância do *bonjour*. "Honestamente, na França, a criança que chega em algum lugar e não diz *bonjour, monsieur; bonjour, madame* é uma criança que acaba sendo rejeitada", diz ela. "Uma criança de 6 anos que não tira os olhos da televisão quando você entra na casa da sua amiga... Vou dizer que ela está sendo 'malcriada'. Não vou dizer que é normal."

"Somos uma sociedade com muitos códigos. E esse código, se você não segui-lo, o exclui da sociedade. É idiota assim. Então você dá [aos seus filhos] menos chance de se integrarem, de conhecerem pessoas. Digo em meu livro que é melhor seus filhos conhecerem esse código."

Nossa. Eu tinha reparado vagamente nas crianças francesas dizendo *bonjour*. Mas não tinha percebido o peso que isso tinha. É o mesmo tipo de indicador que crianças com bons dentes nos Estados Unidos. Quando você diz *bonjour*, isso mostra que alguém investiu na sua criação e que você vai seguir algumas regras sociais básicas. O grupo de amigos de 3 e 4 anos de Bean já teve vários anos de treinamento de *bonjour*. Bean não teve nada. Com apenas "por favor" e "obrigada" em seu arsenal, ela só tem 50%. Ela já pode ter recebido o temido rótulo de "malcriada".

Tento apelar para a pequena antropóloga dentro dela e explico que *bonjour* é um costume local que ela precisa respeitar.

"Moramos na França, e para os franceses é muito importante dizer *bonjour*. Então, temos que dizer também", eu falo. Vou treinando a caminho do elevador antes de chegarmos em festas de aniversário e quando visitamos a casa de algum amigo francês.

— O que você vai dizer quando a gente entrar? — eu pergunto com ansiedade.

— *Caca boudin* — diz ela.

Normalmente, quando entramos, ela não diz nada. Então procedo para o ritual de publicamente mandá-la dizer *bonjour*. Pelo menos estou reconhecendo a convenção. Talvez até esteja incutindo o hábito.

Um dia, quando eu e Bean estamos andando para a escola, ela espontaneamente se vira para mim e diz: "Mesmo se eu tiver vergonha, tenho que dizer *bonjour*." Talvez ela tenha aprendido na escola. Seja como for, é verdade. E é bom ela saber. Mas não consigo deixar de me preocupar de ela estar internalizando as regras demais. Uma coisa é brincar de ser francesa. Outra é realmente virar nativa.

Embora eu esteja me sentindo ambivalente quanto a Bean crescer francesa, estou feliz de ela estar crescendo bilíngue. Eu e Simon só falamos inglês com ela. E, na escola, ela fala só francês. Às vezes fico impressionada de ter dado à luz uma criança que consegue sem esforço pronunciar coisas como *carottes rapées* e *confiture sur le beurre*.

Eu achava que as crianças pequenas simplesmente "captavam" as línguas. Mas é mais um longo processo de tentativa e erro. Algumas pessoas me dizem que o francês de Bean ainda tem sotaque americano. E embora Bean nunca tenha morado fora da área de Paris, graças a nós ela evidentemente irradia alguma espécie de americanismo. Um dia, quando a levo para a aula de música das manhãs de quarta (quem normalmente leva é a babá), descubro que a professora fala com Bean em inglês misturado com chinês, apesar de falar em francês com todas as outras crianças. Mais tarde, uma professora de dança diz para a turma de garotinhas, em francês, para se deitarem no chão *"comme une crêpe"*, como um crepe. Em seguida, ela se vira para Bean e diz: *"comme un pancake* (panqueca)".

A princípio, até eu consigo perceber que Bean está cometendo muitos erros em francês e fazendo construções bizarras. Ela costuma dizer a preposição "para" em inglês, *for*, em vez do equivalente francês, *"pour"*. E só sabe o vocabulário que aprendeu na escola, que não a qualifica para falar de carros e nem do jantar. Um dia, ela me pergunta de repente: "*Avion* é o mesmo que avião?" Ela está descobrindo.

Não tenho certeza de quais erros vêm de ser bilíngue e quais vêm de ter 3 ou 4 anos. Um dia, no metrô, Bean se inclina na minha direção e diz: "Você está com cheiro de *vomela*." Descubro que essa palavra é uma combinação de "vômito" e "Pamela".

Um minuto depois, Bean se inclina em minha direção de novo.

— Estou com cheiro de que agora? — pergunto.

— De faculdade.

Em casa, algumas expressões francesas surgem das inglesas. Começamos a dizer *coucou* em vez de *pekaboo*, e *guili-guili* quando fazemos cócegas nela em vez de *coochi coochi coo*. Bean não brinca de esconde-esconde, ela brinca de *cache-cache*. Colocamos nosso lixo no *poubelle*; a chupeta dela é uma *tétine*. Ninguém em nossa casa solta pum, nós fazemos *prouts*.

Na primavera do primeiro ano de Bean na *maternelle*, meus amigos me dizem que o sotaque americano dela sumiu. Ela fala como uma *parisienne* genuína. Ela está tão segura em seu francês que a escuto fazendo piadas com amigos, em francês, com um exagerado sotaque americano (provavelmente o meu). Ela gosta de misturar os dois sotaques de propósito, e decide que a palavra francesa para "*sprinkles*" (confeitos) deve ser "*shpreenkels*".

Eu: Como se diz *d'accord* em inglês?

Bean: Você sabe! [com sotaque do Alabama] *Dah-kord*.

Meu pai acha a ideia de ter uma neta "francesa" um encanto. Ele pede a Bean para chamá-lo de *grand-père*. Bean nem pensa em fazer isso. Ela sabe que ele não é francês. E continua a chamá-lo de *grandpa*.

À noite, Bean e eu olhamos um livro de figuras. Ela está animada e aliviada de confirmar que, assim como "avião", certas palavras em francês e inglês se referem à mesma coisa. Quando lemos a famosa frase nos livros de Madeline, "Alguma coisa não está certa!", ela traduz para francês coloquial: *"Quelque chose ne va pas!"*

Apesar de Simon ter sotaque inglês, o inglês de Bean parece mais americano. Não tenho certeza se é por influência minha ou do boneco Elmo. As outras crianças de famílias americanas e britânicas que conhecemos em Paris todas têm sotaque. A amiga de Bean que tem pai neozelandês e mãe metade inglesa fala com sotaque britânico. Um garoto com mãe parisiense e pai californiano fala como um chef francês dos anos 1970 da televisão americana. O garotinho da esquina com pai que fala farsi e mãe australiana fala como um Muppet velho.

Em inglês, de vez em quando Bean erra na sílaba tônica das palavras (por exemplo, enfatizando a última sílaba de "salada"). E às vezes monta as frases em inglês na ordem do francês ("Eu, eu não vou tomar injeção, eu") ou faz tradução literal do francês para o inglês ("Porque é assim!") Ela costuma dizer "após" quando quer dizer "mais tarde". (Em francês, as duas são a mesma palavra, *après*.)

Às vezes, Bean simplesmente não sabe como nativos de língua inglesa falam. Usando uma apropriação estranha de todos os DVDs de princesas Disney que tem assistido, quando quer saber se alguma peça de roupa fica boa nela, ela simplesmente pergunta: "Sou a mais bonita?" São pequenas coisas. Não tem nada que um verão em um acampamento americano não conserte.

Outra palavra francesa que infiltra nosso vocabulário em inglês é *bêtise* (com o *ti* como sílaba tônica). Significa um pequeno ato de desobediência. Quando Bean fica de pé à mesa, pega um doce sem permissão ou joga uma ervilha no chão, dizemos que está "fazendo uma *bêtise*". *Bêtises* são aborrecimentos pequenos. É uma coisa ruim, mas não tão ruim. O acúmulo de muitas pode levar à punição. Mas uma *bêtise* sozinha, não.

Passamos a usar a palavra em francês porque não há uma boa tradução em inglês para *bêtise*. Em inglês, você não diria para uma criança que ela cometeu "um pequeno ato de desobediência". Costumamos rotular a criança em vez de o crime, dizendo que ela foi malvada, malcomportada ou simplesmente agiu mal.

Essas expressões não mostram a severidade do ato. É claro que, em inglês, eu sei a diferença entre bater na mesa e bater em uma pessoa. Mas poder rotular um delito como um comportamento ruim, uma mera *bêtise*, me ajuda, como mãe, a responder da maneira apropriada. Não preciso ter um surto cada vez que Bean faz alguma coisa errada ou desafia minha autoridade. Às vezes, é apenas uma *bêtise*. Ter essa palavra me acalma.

Adquiro boa parte do meu novo vocabulário em francês não só de Bean, mas dos muitos livros infantis franceses que acabamos tendo em casa, graças a festas de aniversário, compras de impulso e vendas de garagem de vizinhos. Tenho o cuidado de não ler para Bean em francês se houver um falante nativo por perto. Consigo ouvir meu sotaque americano e o modo como tropeço em alguma palavra mais estranha. Normalmente, me esforço tanto para não pronunciar nada muito mal que só pesco o enredo na terceira leitura.

Em pouco tempo, reparo que os livros e as músicas franceses e ingleses não estão apenas em línguas diferentes. Em geral, eles têm enredos e morais bem diferentes. Nos livros americanos, costuma haver um problema, uma luta para resolver o problema e uma solução alegre. A colher queria ser um garfo ou uma faca, mas acaba percebendo o quanto é ótimo ser colher. O garoto que não deixava as outras crianças brincarem em sua caixa de areia é excluído da caixa e percebe que todas as crianças deveriam brincar na caixa juntos. Lições são aprendidas e a vida fica melhor.

Não é só nos livros. Reparo no quanto pareço esperançosa, à beira do delírio, quando canto para Bean para bater palmas se estiver feliz e souber disso e, quando estamos assistindo um DVD do musical *Annie*, que o sol vai brilhar amanhã. No mundo de língua inglesa, cada problema parece ter uma solução, e a prosperidade está logo ali na esquina.

Os livros franceses que leio para Bean começam com uma estrutura similar. Há um problema, e os personagens lutam para superá-lo. Mas eles raramente conseguem por muito tempo. É comum que o livro termine com o protagonista tendo o mesmo problema de novo. Raramente há um momento de transformação pessoal, quando todo mundo aprende e cresce.

Um dos livros franceses favoritos de Bean é sobre duas menininhas bonitas que são primas e melhores amigas. Eliette (a ruiva) sempre manda em Alice (a morena). Um dia, Alice decide que não aguenta mais e para de brincar com Eliette. Há um afastamento longo e solitário. Por fim, Eliette vai até a casa de Alice implorando perdão e prometendo mudar. Alice aceita as desculpas. Uma página depois, as meninas estão brincando de médico e Eliette está tentando furar Alice com uma seringa. Nada mudou. Fim.

Nem todos os livros infantis franceses terminam assim, mas muitos sim. A mensagem é que os finais não precisam ser certinhos para serem felizes. É um clichê sobre os europeus, mas dá para perceber na moral das histórias francesas de Bean: a vida é ambígua e complicada. Não há pessoas boas e pessoas más. Cada um de nós tem um pouco de cada. Eliette é mandona, mas também é divertida. Alice é a vítima, mas também parece pedir isso e sempre volta em busca de mais.

Podemos presumir que Eliette e Alice mantêm o ciclo disfuncional delas porque, bem, a amizade entre duas meninas é assim. Eu queria ter sabido disso quando tinha 4 anos em vez de só descobrir depois dos 30. A escritora Debra Ollivier observa que as meninas americanas tiram as pétalas da margarida dizendo: "Ele me ama, ele não me ama." Já as francesas abrem espaço para variedades mais sutis de afeição, dizendo: "Ele me ama um pouco, muito, apaixonadamente, loucamente, não me ama."[2]

Os personagens nos livros franceses podem ter qualidades contraditórias. Em um dos livros de Bean da Princesa Perfeita, Zoé abre um presente e declara que não gostou. Mas, na página seguinte, Zoé é uma "princesa perfeita" que dá pulinhos e diz *merci* para quem deu o presente.

Se houvesse uma versão americana desse livro, Zoé provavelmente superaria os maus hábitos e se transformaria completamente na princesa perfeita. O livro francês se parece mais com a vida real: Zoé continua a lutar com os dois lados da personalidade dela. O livro tenta encorajar hábitos de princesa (tem um pequeno certificado no final por bom comportamento), mas considera que as crianças também têm impulsos inerentes de fazer *bêtises*.

Também há muita nudez e amor nos livros franceses para crianças de 4 anos. Bean tem um livro sobre um garoto que vai pelado para a escola sem querer. Tem outro sobre o romance entre o garoto que faz xixi na calça por acidente e a garotinha que empresta a calça para ele e transforma sua bandana em saia para si mesma. Esses livros, e os pais franceses que conheço, tratam paixões e romance entre crianças pequenas como algo genuíno.

Acabo conhecendo algumas pessoas que cresceram na França e têm pais americanos. Quando pergunto se elas se sentem francesas ou americanas, quase todas dizem que depende do contexto. Elas se sentem americanas quando estão na França, e francesas quando estão nos Estados Unidos.

Bean parece a caminho de algo assim. Consigo transmitir alguns traços americanos, como choramingos e dormir mal, sem dificuldade. Mas outros exigem muito trabalho. Começo escolhendo alguns feriados americanos, baseada principalmente na quantidade de comida a ser feita que cada um exige. O Halloween é dos melhores. O Dia de Ação de Graças está fora. O 4 de julho é bem perto do Dia da Bastilha (14 de julho), e tenho a sensação de que estamos comemorando os dois. Não sei bem o que é comida "americana" clássica, mas tenho uma determinação estranha de que Bean precisa gostar de sanduíche de atum.

Fazer Bean se sentir um pouco americana é bem difícil. Além disso, eu também gostaria que ela se sentisse judia. Apesar de tê-la colocado na lista das que não podem comer carne de porco na escola, isso aparentemente não é o bastante para cimentar a identidade religiosa dela. Ela fica tentando entender o que esse rótulo estranho anti Papai Noel significa e como pode conseguir se livrar dele.

"Não quero ser judia, quero ser britânica", anuncia ela no começo de dezembro.

Fico relutante em mencionar Deus. Tenho medo de que dizer a ela que existe um ser onipotente em todos os lugares (incluindo, presumivelmente, no quarto dela) vá deixá-la apavorada. (Ela já tem medo de bruxas e de lobos.) Então, na primavera, preparo um elegante jantar de Pessach. Na metade da primeira oração, Bean implora para sair da mesa. Simon fica sentado na extremidade da mesa com um olhar mal-humorado de "eu te disse". Tomamos nossa sopa de *kneidl* e ligamos a TV para ver futebol holandês.

O Chanuca é sucesso absoluto. O fato de Bean ser 6 meses mais velha provavelmente ajuda. As velas e os presentes também. O que realmente conquista Bean é que cantamos e dançamos a hora na sala de estar e caímos em um círculo tonto.

Mas, depois de oito noites assim e oito presentes escolhidos com cuidado, ela ainda está cética.

"O Chanuca acabou, não somos mais judeus", diz ela. Ela quer saber se o Papai Noel (o *"Père Noël"* sobre quem ela escuta falarem na escola) vai passar em nossa casa. Na véspera de Natal, Simon insiste em deixar sapatos com presentes em frente à lareira. Ele alega que está seguindo livremente a tradição cultural holandesa, não a religiosa (os holandeses colocam os sapatos na janela no dia 5 de dezembro). Bean fica extasiada quando acorda e vê os sapatos, embora as únicas coisas dentro deles sejam um ioiô barato e uma tesoura de plástico.

"O *Pére Noël* não costuma visitar as crianças judias, mas ele veio na nossa casa este ano!", diz ela. Depois disso, quando a busco na escola, nossas conversas costumam ser assim:

Eu: O que você fez na escola hoje?

Bean: Comi carne de porco.

Já que somos estrangeiros, não é ruim sermos falantes nativos de inglês. O inglês, obviamente, é a *language du jour* na França. A maior parte dos parisienses com menos de 40 anos sabe falar inglês ao menos razoavelmente. A professora de Bean pede que eu e um pai canadense entremos na escola para lermos alguns livros em inglês em voz alta para as crianças da sala de Bean. Vários dos amigos de Bean têm aula de inglês. Os pais deles vivem falando o quanto Bean tem sorte em ser bilíngue.

Mas existe um lado ruim de ter pais estrangeiros. Simon sempre lembra que, quando era criança na Holanda, ele se encolhia quando os pais falavam holandês em público. Sou lembrada disso quando, no concerto de final de ano na pré-escola de Bean, os pais são convidados a participar de algumas músicas. A maior parte dos outros pais conhece a letra. Eu murmuro algumas palavras, torcendo para que Bean não perceba.

Fica claro que vou ter que escolher entre a identidade americana que quero dar a Bean e a francesa que ela rapidamente absorve. Eu me acostumo ao fato de que ela chama a Cinderela de *Cendrillon* e a Branca de Neve de *Blanche-Neige*. Dou risada quando ela me conta que um garoto da sala dela gosta do *Speederman*, com som de "r" bem francês, em vez de Spiderman. Mas imponho um limite quando ela diz que os sete anões cantam "Hey ho" como na dublagem francesa. Algumas coisas são sagradas.

Por sorte, alguns pedaços da cultura americana e inglesa são irresistivelmente fáceis de lembrar.

Enquanto levo Bean para a escola uma certa manhã pelas gloriosas ruas medievais de nosso bairro, ela de repente começa a cantar "The sun'll come out, tomorrow" (O sol vai brilhar amanhã). Cantamos juntas o caminho todo, até a escola. Minha sonhada garotinha americana ainda existe dentro dela.

Acabo decidindo perguntar a alguns adultos franceses sobre essa misteriosa expressão, *caca boudin*. Eles acham engraçado eu estar levando *caca boudin* tão a sério. É um palavrão, mas só usado por crianças. Elas aprendem umas com as outras na época em que começam a usar o banheiro.

Dizer *caca boudin* é uma pequena *bêtise*. Mas os pais entendem que essa é a graça. É um jeito de as crianças desafiarem o mundo. Os adultos com quem falo reconhecem que, como as crianças têm tantas regras e tantos limites, precisam também de um pouco de liberdade. *Caca boudin* dá a elas poder e autonomia. A ex-professora de Bean, Anne-Marie, sorri com indulgência quando pergunto sobre *caca boudin*. "Faz parte do ambiente", explica ela. "Nós também dissemos quando éramos pequenos."

Isso não significa que a criança possa dizer *caca boudin* quando quiser. O guia *Votre Enfant* sugere que os pais digam às crianças que só podem dizer palavrões quando estiverem no banheiro. Alguns pais me dizem que proíbem palavras assim à mesa de jantar. Eles não proíbem as crianças de dizerem *caca boudin*; apenas as ensinam a usá-la apropriadamente.

Quando Bean e eu visitamos uma família francesa na Bretanha, ela e a filhinha da família, Leonie, mostram a língua para a avó da menina. A avó imediatamente as chama para uma conversa sobre quando é apropriado fazer coisas assim.

"Quando você está sozinha em seu quarto, você pode. Quando está sozinha no banheiro, pode... Pode ficar descalça, mostrar a língua, apontar para alguém, dizer *caca boudin*. Pode fazer tudo isso quando está sozinha. Mas, quando está na escola, *non*. Quando está à mesa, *non*. Quando está com mamãe e papai, *non*. Na rua, *non*. *C'est la vie*. Vocês precisam entender a diferença."

Quando Simon e eu aprendemos mais sobre *caca boudin*, decidimos cancelar a proibição de uso da expressão. Dizemos para Bean que ela pode dizer, mas não muito. Gostamos da filosofia por trás dela e até mesmo dizemos ocasionalmente. Um palavrão só para crianças. Que curioso! Que francês!

No final, acho que as complexidades sociais de *caca boudin* são sutis demais para dominarmos. Quando o pai de uma amiga da escola de Bean vai buscar a filha em nossa casa em um domingo depois de uma tarde de brincadeiras, ele ouve Bean gritando *caca boudin* enquanto corre pelo corredor. O pai, banqueiro, olha para mim com desconfiança. Tenho certeza de que ele menciona o incidente para a esposa. A filha dele não voltou à nossa casa desde então.

Capítulo 10

Double entendre

Terminei meu livro. E, por uns 15 gloriosos minutos antes do café em uma determinada manhã, estou a 100 gramas da minha meta de peso. Estou pronta para engravidar.

Mas não estou.

Todo mundo ao meu redor está. Parece haver um surto final de fertilidade entre minhas amigas que estão, como eu, chegando perto dos 40 anos. Engravidar de Bean foi meio como pedir uma pizza. Quer uma? Telefone e peça! Deu certo na primeira tentativa.

Mas, desta vez, não tem pizza. Os meses passam e sinto que a diferença de idade entre Bean e o hipotético irmão só aumenta. Sinto que não tenho muitos meses para desperdiçar. Se eu não tiver o segundo bebê logo, o terceiro vai se tornar fisicamente impossível.

Minha médica me diz que meu ciclo ficou longo demais. Que o óvulo não deveria ficar tanto tempo no ovário antes de se soltar em busca de um parceiro potencial. Ela prescreve Clomid, que vai me fazer liberar mais óvulos, aumentando as chances de que um permaneça saudável o bastante. Enquanto isso, mais amigas me ligam para contar a maravilhosa notícia: estão grávidas! Fico feliz por elas. De verdade.

Depois de cerca de 8 meses, consigo o nome de uma acupunturista especializada em fertilidade. Ela tem cabelo comprido e preto e atende em um bairro comercial modesto em Paris. (A maior parte das cidades tem um "Chinatown"; Paris tem cinco ou seis.) A acupunturista estuda minha língua, enfia algumas agulhas nos meus braços e pergunta a duração do meu ciclo.

"É longo demais", diz ela e explica que o óvulo está murchando no ovário. Ela me dá a receita de uma poção líquida com gosto de casca de árvore. Tomo obedientemente. Não engravido.

Simon diz que ficaria feliz com apenas uma filha. Por respeito a ele, considero essa possibilidade por cerca de quatro segundos. Um instinto animal me move. Não parece darwiniano. Parece um delírio de excesso de carboidrato. Quero mais pizza. Volto à minha médica e digo para ela que estou pronta para ir mais longe. O que mais ela tem?

Ela acha que não vamos precisar recorrer à fertilização in vitro. (O seguro nacional da França paga por seis doses de FIV para mulheres com menos de 43 anos.) O que ela faz é me ensinar a injetar em minha coxa uma droga que vai me forçar a ovular mais cedo no ciclo, para que o óvulo não tenha tempo de murchar. Para que isso funcione, preciso tomar a injeção no décimo quarto dia. E o toque primitivo é que preciso fazer sexo logo depois da injeção.

Acontece que no próximo décimo quarto dia do ciclo, Simon vai estar em Amsterdã a trabalho. Para mim, não há como esperar outro mês. Contrato uma babá para Bean e combino de me encontrar com Simon em Bruxelas, que fica a meio caminho entre Amsterdã e Paris. Planejamos um jantar agradável e ir para o quarto do hotel. No mínimo, vai ser um descanso gostoso. Ele vai voltar para Amsterdã na manhã seguinte.

No décimo quarto dia, há uma tempestade e um problema gigantesco no serviço de trens no oeste da Holanda. Assim que chego à estação de trem de Bruxelas, às 18h, Simon liga para dizer que seu trem foi desviado para Roterdã. Não está claro qual trem, ou se algum trem, vai partir de lá. Ele talvez não chegue em Bruxelas esta noite. Vai me ligar. E, como se planejado, começa a chover.

Eu levei a injeção em um cooler portátil com uma embalagem de gelo que só dura algumas horas. E se eu ficar presa em um trem quente? Corro para uma loja de conveniência da estação, compro um saco de ervilhas congeladas e enfio dentro do cooler.

Simon liga para dizer que tem um trem saindo de Roterdã para Antuérpia. Será que posso me encontrar com ele em Antuérpia? Na gigantesca tela acima, vejo que tem um trem saindo de Bruxelas para Antuérpia em alguns minutos. Em uma cena em que *A identidade Bourne* se mistura com *Sex and the City*, pego minha seringa embalada nas ervilhas e corro para a plataforma.

double entendre

Estou na chuva, prestes a subir no trem para Antuérpia, quando Simon liga de novo. "Não entre!", grita ele. Ele está em um trem a caminho de Bruxelas.

Pego um táxi para nosso hotel, que é aconchegante e quente e está decorado para o Natal com uma enorme árvore. Eu deveria estar grata simplesmente por estar lá, mas o primeiro quarto para onde o carregador de malas me leva não tem a energia que estou procurando. Ele me leva para outro quarto no último andar, com teto inclinado. Esse parece um bom lugar para procriar.

Enquanto espero que Simon chegue, tomo um banho de banheira, visto um roupão e calmamente me espeto com a seringa. Eu percebo que não seria uma drogada ruim. Mas espero que me torne uma mãe de dois filhos ainda melhor.

Algumas semanas depois, estou a trabalho em Londres. Compro um teste de gravidez na farmácia. Depois, compro um *bagel* em uma delicatéssen, com o único propósito de usar o banheiro sujo do porão para fazer o teste. (Tudo bem, eu como o *bagel*.) Para minha surpresa, o teste dá positivo. Ligo para Simon enquanto puxo minha mala a caminho de uma reunião. Ele imediatamente começa a escolher apelidos. Como o bebê foi concebido em Bruxelas, que tal o chamarmos de "Couve"?

Simon vai comigo para o ultrassom um mês depois. Eu me deito na maca e observo a tela. O bebê parece maravilhoso: com batimentos cardíacos, cabeça, pernas. Em seguida, reparo em um ponto escuro na lateral.

— O que é isso? — eu pergunto à médica. Ela mexe o transdutor um pouco. De repente, outro corpinho aparece na tela, com seus próprios batimentos, cabeça e pernas.

— Gêmeos — diz ela.

É um dos melhores momentos da minha vida. Sinto que ganhei um presente enorme: duas pizzas. Também parece um meio muito eficiente para uma mulher perto dos 40 anos procriar.

Quando me viro para olhar para Simon, me dou conta de que o melhor momento da minha vida pode ser o pior da vida dele. Ele parece estar em choque. Pela primeira vez, não quero saber o que ele está pensando. Estou embevecida com a ideia de gêmeos. Ele está atordoado com o tamanho da notícia.

— Nunca mais vou conseguir ir a um café — diz ele. Já está prevendo o fim do tempo livre.

— Você poderia comprar uma daquelas cafeteiras expresso — sugere a médica.

Meus amigos e vizinhos franceses me parabenizam pela notícia. Eles agem como se o motivo de eu ter gêmeos não fosse da conta deles. Os procedentes de países de língua inglesa que conheço costumam ser menos discretos.

"Você ficou surpresa?", pergunta uma mãe no meu grupo de brincadeiras quando anuncio a notícia. Quando respondo com um discreto sim, ela tenta de novo: "Bem, sua médica ficou surpresa?"

Estou ocupada demais para me incomodar. Simon e eu decidimos que precisamos realmente não de uma cafeteira, mas de um apartamento maior. (Nosso apartamento atual só tem dois quartos pequenos.) Isso parece ainda mais urgente quando descobrimos que os bebês são dois meninos.

Saio para ver várias dezenas de apartamentos, todos escuros demais ou caros demais ou com corredores enormes e apavorantes que levam a cozinhas microscópicas. (Aparentemente, no século XIX não era chique sentir o cheiro da comida enquanto os empregados a preparavam.) Os corretores sempre se gabam de que o apartamento que estou indo ver é "muito silencioso". Isso parece ser uma qualidade desejada tanto nos apartamentos franceses quanto nas crianças francesas.

Todo esse foco em imóveis me impede de me preocupar demais com a gravidez. Acho que também absorvi a ideia francesa de que não é preciso rastrear a formação de cada sobrancelha fetal. (Embora haja várias sobrancelhas com as quais me preocupar.) Eu me permito sim um pouco de angústia especificamente relacionada ao fato de serem gêmeos, como de os nossos bebês nascerem prematuros. Mas o sistema de saúde se ocupa da preocupação por mim. Por serem gêmeos, tenho consultas extras e ultrassons. A cada exame, o belo radiologista aponta para o "Bebê A" e o "Bebê B" na tela, depois faz a mesma piada ruim: "Você não é obrigada a colocar esses nomes." Dou meu melhor sorrisinho para ele.

Desta vez, é Simon quem está nervoso: com ele mesmo, não com os bebês. Ele trata cada prato de queijo como se fosse o último. Eu me deleito com toda a atenção que recebo. Apesar das FIVs gratuitas, gêmeos ainda são novidade em Paris. (Ouço falar que os médicos costumam implantar só um ou dois embriões.) Em poucas semanas, minha gravidez é visível. Aos seis meses de gestação, pareço prestes a dar à luz. Até mesmo algumas rou-

double entendre

pas para grávidas ficam apertadas demais. Em pouco tempo, fica claro até para crianças pequenas que tem mais de um bebê ali dentro.

Eu estudo a nomenclatura também. Em francês, gêmeos não são chamados de idênticos ou fraternos. São chamados de *vrais* ou *faux*, verdadeiros ou falsos. Eu me acostumo a dizer para as pessoas que estou esperando dois meninos falsos.

Eu não precisava me preocupar de meus meninos chegarem mais cedo. Aos nove meses de gravidez, tenho dois bebês inteiros dentro de mim, cada um com quase o mesmo peso que Bean teve. As pessoas apontam para mim de mesas de café. E não consigo mais subir escadas.

"Se você quer um apartamento, vá encontrar um", eu digo para Simon. Menos de uma semana depois, tendo visto apenas um apartamento, ele encontra. O apartamento é velho, até mesmo para Paris. Não tem corredores e tem uma calçada três vezes mais larga na frente. Precisa de muito trabalho. Mas compramos. No dia antes do meu parto, me encontro com um arquiteto para planejar as reformas.

O hospital particular onde tive Bean era pequeno e impecável, com um berçário funcionando 24 horas, toalhas limpas sem-fim e bife e foie gras no cardápio do serviço de quarto. Eu nem precisava trocar a fralda dela.

Fui avisada de que a maternidade pública onde estou planejando ter os gêmeos vai ser uma experiência menos refinada. A medicina é excelente nos hospitais públicos franceses, mas o serviço supostamente não tem luxos. Eles dão uma lista do que levar para o parto, que inclui fraldas. Não há plano de parto, nem banheira, nem "peridural com caminhada". Não dão um gorrinho chique para o bebê. As pessoas usam a expressão "esteira rolante" para descrever a experiência eficiente, mas impessoal.

Escolho o Hôpital Armand-Trousseau porque fica a dez minutos de táxi de nossa casa e está equipado para lidar com complicações com os gêmeos. (Depois descubro que é ligado ao hospital onde Françoise Dolto fazia suas visitas semanais.) Não quero mesmo dar à luz em uma banheira. E concluo que, quando chegar a hora, vou usar minha cara de pau americana para adaptar as coisas ao meu gosto. Comento com Simon que já estamos tendo uma economia enorme: vamos fazer o parto de dois bebês pelo preço de um.

Quando entro em trabalho de parto, a peridural não é opcional. O médico me coloca em uma sala de cirurgia para poder fazer uma cesárea imediatamente se necessário. Fico deitada de costas, com as pernas presas em um suporte retrô dos anos 1950, cercada de estranhos com toucas de banho e máscaras cirúrgicas. Peço várias vezes para alguém colocar travesseiros sob as minhas costas, para que eu possa ver o que está acontecendo. Ninguém nem responde. Uma pessoa acaba fazendo uma pequena concessão e enfia um lençol dobrado embaixo de mim, o que só me deixa mais desconfortável.

Assim que o parto ativo começa, meu francês evapora. Não consigo entender nada que o médico diz e só consigo falar inglês. Isso deve ter acontecido antes, porque uma parteira imediatamente começa a traduzir minha conversa com o médico. Talvez ela esteja resumindo, ou talvez o inglês dela não seja ótimo. Mas basicamente ela diz "empurre" e "não empurre".

Quando o primeiro bebê sai, a parteira o entrega a mim. Fico encantada. Aqui está o Bebê A, enfim! Estamos nos conhecendo quando a parteira me cutuca no ombro.

"Com licença, mas você precisa dar à luz o outro bebê", diz ela, levando o Bebê A para um lugar desconhecido. Naquele momento, percebo que ter gêmeos vai ser complicado.

Nove minutos depois, o Bebê B sai. Dou um rápido oi e o levam para longe também. Na verdade, em pouco tempo quase todo mundo vai embora: Simon, os bebês e a maior parte da enorme equipe médica. Ainda estou de costas, paralisada da cintura para baixo. Minhas pernas estão abertas e presas no suporte. Em uma mesa de aço inoxidável à minha frente estão duas placentas vermelhas, cada uma do tamanho de uma cabeça humana. Alguém decidiu abrir as cortinas que eram as paredes da minha sala, assim qualquer um que passa tem visão privilegiada da minha virilha de cinco minutos após o nascimento de gêmeos.

A única pessoa que ainda está comigo é a enfermeira anestesista, que também não gostou muito de ser deixada para trás. Ela decide mascarar a irritação com conversinha trivial: De onde sou? Gosto de Paris?

"Onde estão meus bebês? Quando posso vê-los?", eu pergunto. (Meu francês reapareceu.) Ela não sabe. E não tem permissão de sair para descobrir.

Vinte minutos se passam. Ninguém vem nos buscar. Talvez por causa dos hormônios, nada disso me incomoda. Mas fico grata quando a enfermeira usa esparadrapo cirúrgico para prender um pequeno pedaço de tecido entre minhas pernas. Depois disso, ela não quer mais conversar. "Odeio meu trabalho", diz ela.

double entendre

Alguém acaba empurrando a maca até a sala de recuperação, onde reencontro Simon e os bebês. Tiramos fotos, e pela primeira e única vez tento amamentar os dois meninos ao mesmo tempo.

Somos levados ao quarto onde os meninos e eu ficaremos pelos próximos dias. Não é como um hotel chique. Parece mais um hotel simples e barato. Há uma pequena equipe para nos ajudar, e um berçário que fica aberto de uma às quatro horas da madrugada. Como tenho uma filha mais velha e, portanto, tenho menos probabilidade de fazer uma besteira muito grande, a equipe me deixa praticamente sozinha. Nos horários das refeições, alguém traz bandejas de plástico com uma paródia de comida de hospital: batatas fritas murchas, nuggets de frango e leite com achocolatado. Demoro alguns dias para perceber que nenhuma das outras mães come isso: tem uma geladeira comunitária no final do corredor onde elas guardam comida.

Simon está em casa cuidando de Bean, então fico sozinha com os meninos a maior parte do tempo, que gritam durante horas seguidas. Costumo prender um entre as pernas em algo que se parece com um abraço enquanto tento amamentar o outro. Com a constante confusão de barulhos e partes do corpo, parece que tem mais de dois bebês. Quando consigo fazer os dois dormirem, depois de horas de choro e amamentação, Simon chega. "Está tão silencioso aqui", diz ele. Tento não pensar no fato de que minha barriga parece uma montanha enorme de gelatina cor da pele.

Em meio a tudo isso, temos que registrar os meninos (a cidade de Paris dá três dias para isso. No segundo dia, dois burocratas zangados entram no seu quarto de hospital com uma prancheta na mão). Simon só pede que haja o nome "Nelson" em algum ponto dos dois nomes, em homenagem a seu herói, Nelson Mandela. Ele está mais preocupado em escolher os apelidos perfeitos. Ele quer chamar um dos meninos de Gonzo e o outro de Chefe. Tenho uma queda por vogais contíguas e estou considerando chamar os dois de Raoul.

Decidimos por Joel (que só chamaremos de Joey) e Leo, nomes que desafiam qualquer tentativa de apelido. São os gêmeos mais diferentes que já vi. Joey parece comigo, só que com cabelo louro platinado. Leo é um homenzinho mediterrâneo moreno. Se não fossem exatamente do mesmo tamanho e não estivessem sempre juntos, não daria para adivinhar que têm parentesco. Mais tarde descubro que uma boa dica de que a pessoa não tem interesse nenhum em bebês é se ela pergunta se os meninos são idênticos.

* * *

Depois de quatro longos dias, temos permissão para ir embora do hospital. Estar em casa com os meninos é apenas levemente mais fácil. No final da tarde, eles gritam por horas. Os dois acordam a noite toda. Simon e eu pegamos um bebê cada antes de irmos dormir e somos responsáveis pelo que pegamos durante a noite toda. Cada um de nós tenta pegar o bebê "melhor", mas qual dos dois é melhor sempre alterna. De qualquer forma, não nos mudamos para o apartamento maior, então todos dormimos no mesmo quarto. Quando um bebê acorda, todos acordam junto.

Ainda parece que são mais do que dois. Nunca achei que vestiria gêmeos com roupas iguais, mas de repente fico tentada a fazer isso para criar um pouco de ordem, pelo menos visualmente, como obrigar crianças de uma escola rigorosa a usar uniformes.

Incrivelmente, ainda encontro tempo para ser neurótica. Fico obcecada com a ideia de que demos os nomes errados aos meninos e que devo ir à prefeitura trocá-los. Passo meus poucos minutos de lazer ruminando sobre isso.

Depois, tem a pequena questão das circuncisões. A maior parte dos bebês franceses não é circuncidada. Em geral, só judeus e muçulmanos fazem isso. Por ser agosto em Paris, até os *mohels*, que fazem circuncisões ritualísticas, estão de férias. Esperamos a volta de um que nos foi recomendado (um homem que é reconfortantemente *mohel* e pediatra).

Diferentemente do nascimento, as circuncisões não são duas pelo preço de uma. Não há sequer um pacote de desconto. Antes da pequena cerimônia, confesso para o *mohel* que tenho medo de ter dado o nome trocado aos meninos e que talvez precise trocá-los. Ele não me oferece nenhum conselho espiritual. Mas, por ser francês, me explica que a burocracia que eu teria que cumprir para fazer isso seria enlouquecedora e exaustiva. De alguma forma, essa informação, junto com a consagração e as circuncisões, apaga minha dúvida. Depois da cerimônia, nunca mais volto a me preocupar com os nomes.

Felizmente, minha mãe veio de Miami. Ela, Simon e eu passamos a maior parte do tempo na sala, com os meninos no colo. Um dia, uma mulher toca a campainha. Ela explica que é a psicóloga do PMI do nosso bairro. Diz que faz visitas domiciliares às mães de gêmeos, o que acho que é uma maneira delicada de dizer que quer ter certeza de que não estou em colapso nervoso. Alguns dias depois, uma parteira do mesmo PMI dá uma passada e me observa enquanto troco a fralda de Joey. O cocô dele, segundo ela, é "excelente". Tomo isso como a opinião oficial do governo francês.

double entendre

* * *

Conseguimos botar em uso um pouco do que aprendemos sobre a criação francesa com os meninos. Lentamente os guiamos para os horários nacionais de refeições, com quatro mamadas por dia. Desde alguns poucos meses, com exceção do *goûter*, eles nunca beliscam.

Infelizmente, não conseguimos experimentar A Pausa com eles. Ter gêmeos recém-nascidos que nem têm quarto próprio e uma criança mais velha a poucos metros torna difícil experimentar qualquer coisa.

Então, mais uma vez, sofremos. Depois de um mês sem dormir, mais ou menos, Simon e eu estamos como zumbis. Voltamos aos serviços da babá filipina com sua rede de primas e amigas. Acabamos tendo quatro mulheres diferentes para nos ajudar, em turnos que cobrem praticamente as 24 horas do dia. Estamos sangrando dinheiro, mas pelo menos dormimos um pouco. Começo a ver as mães de múltiplos como uma minoria perseguida, como os tibetanos.

Os dois meninos têm dificuldade na amamentação. Assim, passo muito tempo no meu quarto, tendo um relacionamento com a bomba elétrica de extração de leite. Bean acaba descobrindo que pode ter um tempo sozinha comigo se ficar junto enquanto uso a bomba. Ela aprende a arrumar as mamadeiras e os recipientes, como se estivesse montando um rifle. Faz uma ótima imitação do barulho *wapa wapa* que a bomba faz.

Durante a maior parte do tempo, pareço um animal perplexo. Desço a escada para entregar as mamadeiras com leite, ou mando que Bean entregue e volto a dormir. Há tantas babás em casa que me sinto mais uma atriz coadjuvante do que principal. Estou convencida de que os meninos não sabem que, dentre tantas mulheres, sou a mãe deles. Devo parecer distante, porque em um determinado momento uma amiga me segura pelo ombro, olha nos meus olhos e pergunta se estou bem. Isso não é fácil para ela; ela é bem mais baixa do que eu.

"Estou bem, mas estou ficando sem dinheiro", eu digo. Passo tanto tempo cantando *Noite feliz* para os meninos, mais como uma ordem do que como uma canção de ninar, que uma das babás me pergunta se virei católica.

Enquanto isso, nossa reforma está em andamento. Entre sessões de uso da bomba, corro para inspecionar o apartamento novo. Encontro o representante do condomínio, um economista na casa dos 60 anos, para discutir se podemos deixar o carrinho duplo no vestíbulo do térreo. Ele não aceita.

— Os donos anteriores eram excelentes vizinhos — diz ele.
— Excelentes como? — eu pergunto.
— Eram muito discretos — diz ele.

O apartamento em si é uma enorme confusão. Eu aprovei as plantas uma noite em que os meninos estavam tendo um ataque intenso de cólica. De repente, fica claro que eu não fazia ideia de como lê-las. Portas e paredes de duzentos anos, que eu tinha achado ótimas, foram jogadas fora. Foram substituídas por novas, bem mais frágeis. Só quando as reformas terminam e nos mudamos é que nos damos conta de que transformamos o apartamento parisiense do século XIX no que parece o apartamento de um arranha-céu de Miami, mas com ratos. Eu não entendia o quanto Paris é linda, com as portas pesadas e molduras intrincadas, até destruir uma pequena parte disso com um gasto enorme.

Agora, passo muito tempo ruminando sobre isso. "Sabe o que Edith Piaf disse, *'Je ne regrette rien?'*"(Não me arrependo de nada), eu pergunto a Simon. "Eu digo *'je regrette tout'*" (Me arrependo de tudo).

Depois de um tempo, nossa vida muda de cara e exaustiva para meramente surreal. Quando os meninos estão um pouco maiores, uma amiga solteira faz uma visita antes da hora de dormir uma certa noite. Ela observa os meninos, de pijamas com pezinho, silenciosamente se balançarem para cima e para baixo segurando na mobília, como em uma espécie de dança dadaísta. Algum tempo depois, eles andam pela sala em silêncio com as escovas de dente nas mãos, como talismãs. Simon os observa e finge narrar um documentário. "Para esses garotos, na cultura deles, escovas de dente são um curioso símbolo de status", diz ele.

Em geral, nossa nova vida é cheia de emoções extremas. Simon se arrasta, exausto e desesperado, fazendo comentários passivo-agressivos para me atacar. "Talvez em 18 anos eu consiga tomar um café", diz ele. Ele descreve o medo que sente quando chega perto de nossa casa e ouve o choro do lado de fora. Três crianças com menos de 3 anos é muito, mesmo em meio ao nosso grupo fértil de conhecidos.

Dentre todo o choro e reclamação, há momentos de esperança. Meu humor melhora completamente uma tarde quando Leo fica alegre e calmo por cinco minutos inteiros. Na primeira noite em que ele dorme sete horas seguidas, Simon pula pela casa cantando *Titties and Beer*, a música de Frank Zappa.

Mesmo assim, ainda me sinto muito como me senti no momento do nascimento dos meninos: minha atenção está irremediavelmente dividida.

double entendre

Pergunto à minha amiga Hélène, que também tem gêmeos e um outro filho, se ela pensa em ter mais. "Acho que não; estou no limite da minha capacidade", diz ela. Sei exatamente o que ela quer dizer. Só que tenho medo de ter ultrapassado minha capacidade. Até minha mãe, que passou anos implorando por netos, me diz para não ter mais filhos.

Como se para solidificar meu status, Bean volta da escola um dia e anuncia que sou uma *maman crotte de nez*. Imediatamente digito isso no Google Tradutor. Descubro que ela me chamou de "mamãe meleca". Considerando as circunstâncias, é uma ótima descrição.

Capítulo 11

Adoro essa baguete

Os amigos me dizem que entre pais de gêmeos existe um alto índice de divórcio. Não tenho certeza se isso está estatisticamente correto, mas entendo como o boato nasceu.

Nos meses depois do nascimento dos gêmeos, Simon e eu brigamos constantemente. Durante uma briga, ele me diz que sou *rebarbative*. Preciso pesquisar essa palavra também. O dicionário diz: "Sem atrativos e censurável." Ando até Simon.

— Sem atrativos? — eu pergunto. Mesmo em nosso estado atual, é um golpe baixo.

— Tudo bem, você é apenas censurável.

Para me lembrar de ser civilizada, penduro bilhetes pelo apartamento que me dizem para não ser agressiva com Simon. Tem um no espelho do banheiro, bem visível para as babás. Simon e eu estamos cansados demais para perceber que estamos brigando porque estamos cansados. Não ligo mais para saber sobre o que ele pensa, embora ainda deva ser sobre futebol holandês.

Durante os raros momentos de lazer, Simon gosta de se deitar na cama com uma revista. Se eu ouso interromper, ele diz: "Não há nada que você possa dizer que seja mais interessante do que este artigo que estou lendo na *The New Yorker*."

Um dia, tenho uma revelação. "Acho que somos bastante compatíveis", eu digo para ele. "Você é irritável e eu sou irritante."

Aparentemente, passamos uma energia assustadora. Um casal sem filhos de Chicago que conhecemos vem nos visitar e conclui, depois de quatro dias, que eles não querem filhos. No final de um fim de semana *en famille*, Bean decide que também não quer ter filhos. "As crianças são difíceis demais", diz ela.

Um ponto positivo para nosso relacionamento é que conseguimos vaga na creche para os dois meninos (até minha mãe fica aliviada ao ouvir isso). Gêmeos ainda são incomuns o bastante na França para que nossa candidatura ganhe status de prioridade. O comitê da creche ficou com tanta pena de nós que colocou os meninos em uma pequena creche a dois quarteirões de nossa nova casa, que eu tinha ouvido falar que não tinha vaga.

A creche oferece um pouco de esperança para o futuro. Mas ainda temos que sobreviver como família e, talvez de maneira mais intimidante, como casal até levarmos os meninos à creche dali a alguns meses. (Decidimos ficar com eles em casa até fazerem 1 ano.)

Nem sempre é óbvio que Simon e eu vamos conseguir ficar juntos tanto tempo. Não parece coincidência que, enquanto o "cultivo orquestrado" se tornou o verdadeiro estilo de educação de filhos para os americanos de classe média, as pesquisas mostram que a satisfação marital decaiu[1] e que as mães acham mais prazeroso fazer o trabalho doméstico do que cuidar dos filhos.[2] Cientistas sociais americanos agora presumem que os pais de hoje são menos felizes do que as pessoas que não têm filhos. Estudos mostram que pais têm índices maiores de depressão e que a infelicidade deles aumenta com cada filho adicional[3] (ou, no caso de Simon, com a mera visão dos filhos no ultrassom).

Talvez precisemos de uma noite só para nós. Desde que fui morar na França, noites a dois se tornaram a nova penicilina para os casais norte-americanos com filhos. Odeia seu cônjuge? Tenha uma noite de encontro a dois! Quer estrangular seus filhos? Saia para jantar! O casal Obama sai em encontros a dois. Até mesmo os cientistas sociais agora estão estudando isso. Um trabalho sobre canadenses de classe média[4] descobriu que quando o casal teve tempo de lazer a dois, isso "os ajudou tremendamente como casal, os rejuvenesceu como pessoas e reinspirou a filosofia de educação dos filhos". Mas os casais no estudo raramente tinham esse tempo. "Muitos [participantes] se sentiam pressionados pela cultura mais ampla de sempre colocar as necessidades dos filhos acima das necessidades do casal", concluem os autores. Um marido disse que, enquanto conversava com a esposa, "eles eram interrompidos de um em um minuto" pelos filhos.

Isso é outra consequência do "cultivo orquestrado", que consome tempo de lazer e torna o fomento do desenvolvimento da criança a prioridade maior da família. Vejo isso em todo lugar quando visito os Estados Unidos e o Reino Unido. Uma prima minha americana, que é enfermeira e tem quatro filhos, tem familiares por perto dispostos a cuidar das crianças. Mas depois de uma semana levando todo mundo para a escola, ginástica, atletismo e igreja, ela e o marido, que trabalha à noite como policial, nem consideram sair sozinhos. Estão cansados demais. Uma professora de Manchester, Inglaterra, me diz que vai levar o filho pequeno para a lua de mel, apesar de a mãe dela ter se oferecido para cuidar dele. "Eu me sentiria muito mal o deixando para trás", explica ela.

Toda mãe falante de língua inglesa com quem converso tem uma história sobre uma mãe de seu círculo social que se recusa a deixar o filho com qualquer pessoa. Essas mães não são lendas urbanas; encontro algumas assim com frequência. Em um casamento, me sento ao lado de uma mãe em tempo integral do Colorado que me explica que tem babá o dia inteiro, mas nunca deixa a babá sozinha com os três filhos. (O marido não foi ao casamento para cuidar deles.)

Uma artista de Michigan me conta que não conseguiu usar o serviço de babá para o filho durante o primeiro ano de vida dele todo. "Ele parecia tão pequeno e era meu primeiro filho. Sou muito neurótica. A ideia de deixá-lo com outra pessoa..."

Alguns pais americanos que conheço adotaram dietas e técnicas de disciplina tão específicas que é difícil outra pessoa, mesmo um avô ou avó, assumir a posição e seguir todas as regras. Um avô da Virginia diz que a filha ficou furiosa quando ele empurrou o carrinho do bebê dela do jeito "errado" por cima de uma irregularidade na calçada. A mãe do bebê tinha lido que havia uma pequena chance de dano cerebral se o bebê passasse por elevações no chão virado de costas.

Obviamente, Simon e eu não somos contra babás. Atualmente, empregamos metade das Filipinas. Mas, desde que os meninos nasceram, não passei mais do que poucas horas longe de casa. O que mais faço é o que aquela mãe do Colorado faz: uso a babá como uma espécie de assistente que muda fraldas e lava as roupas. Mas normalmente estou por perto.

Esse sistema tem a vantagem de acabar com nossas economias e destruir nosso relacionamento simultaneamente. Eu me sinto pouco atraente e censurável a maior parte do tempo. Percebo que estou perdendo um pouco a cabeça quando, cerca de 15 minutos antes do horário em que uma das nossas babás deveria chegar, meu telefone toca para avisar da chegada de uma mensagem de texto. Eu entro em pânico, com medo de que a babá esteja atrasada. Na verdade, é uma mensagem de um serviço de notícias que assino, para me informar que houve um terremoto terrível na América do Sul. Por um instante, fico aliviada.

É mais fácil ter um bom relacionamento com o cônjuge se seu bebê dorme a noite toda aos 3 meses de idade, seus filhos brincam sozinhos e você não fica constantemente levando-os de uma atividade para a seguinte. Também ajuda o fato de os casais na França não terem nenhum grande fator de estresse financeiro, como os altos custos de educação infantil, saúde e faculdade.

Mas, no curto prazo, o que parece realmente ajudar é que os casais franceses encaram o romance de maneira diferente, mesmo quando têm filhos pequenos. Tenho uma amostra disso quando minha ginecologista me passa uma receita para dez sessões de *rééducation périnéale* (reeducação do períneo). Ela me passou isso pela primeira vez depois que Bean nasceu e novamente depois do nascimento dos meninos.

Antes da minha primeira reeducação, eu só tinha uma vaga noção de que tinha um períneo e nem sabia direito o que era. Ele é a área do assoalho pélvico parecida com uma rede, que costuma ser estirado durante a gravidez e o nascimento. O estiramento afrouxa o canal vaginal e pode fazer com que as mães soltem um pouco de urina involuntariamente quando tossem ou espirram.

Nos Estados Unidos, os médicos às vezes sugerem que as mulheres tonifiquem o períneo com exercícios de Kegel. Mas, em geral, não sugerem nada. Ficar frouxa e vazar é uma parte raramente mencionada de ser mãe americana.

Na França, esses problemas são *pas acceptable*. Amigas me contam que as obstetras francesas avaliam se algumas sessões de reeducação perineal são necessárias com a pergunta: "O monsieur está feliz?"

Acho que meu monsieur ficaria feliz em ter qualquer acesso ao meu períneo. A região não ficou exatamente desocupada durante o ano seguinte ao nascimento dos meninos. Mas eu não diria que haja risco de uso em excesso. Por um tempo, assim que Simon chegava perto dos meus seios, era como um alarme de incêndio: eles começavam a vazar leite. De qualquer modo, dormir é nossa maior prioridade. Embora todas as três crianças tecnicamente já estejam "cumprindo a noite", eu nunca consigo dormir mais do que seis ou sete horas seguidas.

Fico curiosa o bastante com a reeducação perineal e resolvo experimentar. Minha primeira reeducadora é uma espanhola magra chamada Mónica, com consultório no bairro do Marais. Nossa primeira sessão começa com uma entrevista de 45 minutos, durante a qual ela me faz dezenas de perguntas sobre meus hábitos no banheiro e minha vida sexual.

Em seguida, me dispo da cintura para baixo e me deito em uma maca coberta de papel enrugado. Mónica coloca luvas cirúrgicas e me guia para o que posso melhor descrever como triturações assistidas para a virilha, em séries de quinze ("para cima e solte"). É um pouco como Pilates para a região abaixo da cintura.

Depois, Mónica me mostra um bastão fino e branco que vai introduzir na fase seguinte. Parece um acessório que poderia estar à venda em uma loja para adultos. O bastão vai acrescentar eletroestimulação às minhas miniabdominais. Na décima sessão, estaremos prontas para experimentar uma espécie de video game, no qual sensores em minha vagina vão medir se estou contraindo os músculos o bastante para permanecer acima de uma linha laranja na tela do computador.

A reeducação perineal é ao mesmo tempo extremamente íntima e estranhamente clínica. Ao longo dos exercícios, Mónica e eu falamos uma com a outra usando o pronome formal *vous*. Mas ela me pede para fechar os olhos, para eu conseguir isolar melhor os músculos onde a mão dela está.

Minha médica também me direciona para uma reeducação abdominal. Ela reparou que, mais de um ano depois do nascimento dos gêmeos, ainda tenho um volume ao redor da cintura que em parte é gordura, em parte estiramento, e em parte uma substância desconhecida. Francamente, não tenho certeza do que tem lá. Decido que é hora de agir quando estou de pé no metrô de Paris e uma velha decrépita me oferece o lugar. Ela acha que estou grávida.

Nem todas as francesas fazem reeducação depois do parto. Mas muitas fazem. Por que não? O seguro nacional francês cobre a maior parte do custo, inclusive o preço do bastão branco. O Estado até ajuda a pagar por algumas plásticas de barriga, normalmente quando a barriga da mãe fica pendurada abaixo do púbis ou quando inibe a vida sexual dela.

Toda essa reeducação só faz as mães darem o pontapé inicial. O que as francesas fazem quando a barriga e o assoalho pélvico estão em boa forma novamente?

Algumas se concentram apenas nos filhos. Mas, ao contrário dos Estados Unidos e da Grã-Bretanha, a cultura não encoraja e nem recompensa isso. Sacrificar sua vida sexual pelos filhos é considerado nada saudável e desequilibrado. Os franceses sabem que ter um bebê muda as coisas, principalmente no começo. Os casais costumam aceitar que há um período muito intenso depois do nascimento, quando todo o esforço é voltado para o bebê. Depois disso, gradualmente, a mãe e o pai precisam reencontrar seu equilíbrio como casal.

"Existe uma compreensão fundamental [na França] de que todo ser humano tem desejos. Eles nunca desaparecem por muito tempo. Se desaparecerem, significa que você está deprimido e precisa ser tratado", explica Marie-Anne Suizzo, a socióloga da Universidade do Texas que estudou as mães francesas e as americanas.

As mães francesas que conheço falam sobre *le couple* de um jeito completamente diferente dos pais americanos que conheço. "Para mim, o casal vem antes dos filhos", diz Virginie, a mãe em tempo integral que me ensinou a "prestar atenção" ao que como.

Virginie é íntegra, inteligente e uma mãe dedicada. É a única jovem parisiense que conheço que é católica praticante. Mas não tem intenção nenhuma de deixar a vida amorosa perder o vigor só porque tem três filhos.

"O casal é o mais importante. É a única coisa que você escolhe na vida. Seus filhos você não escolheu. Você escolheu seu marido. Então, você vai fazer sua vida com ele. Você tem interesse que ela vá bem. Principalmente quando as crianças crescerem, você vai querer se dar bem com ele. Para mim, é *prioritaire*."

Nem todos os pais franceses concordariam com o ranking de Virginie. Mas, em geral, a questão para os pais franceses não é se vão voltar a ter vidas amorosas completas de novo, mas quando. "Nenhuma ideologia pode ditar o momento em que os pais se sentem verdadeiramente prontos para descobrir um ao outro de novo", diz o psicossociólogo francês Joseph Epstein. "Quando as condições permitem e quando eles se sentem prontos, os pais colocam o bebê no lugar certo, fora do casal."

Os especialistas americanos às vezes mencionam que os pais deveriam tirar um tempo para si. No livro *Meu Filho, Meu Tesouro*, do dr. Spock (que minha amiga Dietlind me dá antes de ir embora de Paris), há uma seção de dois parágrafos chamada "Sacrifício Desnecessário e Preocupação Excessiva". Ela diz que os jovens pais de hoje tendem a "abrir mão de toda a sua liberdade e de seus prazeres anteriores, não como questão de praticidade, mas como questão de princípio". Mesmo quando esses pais ocasionalmente dão escapadas sozinhos, "eles se sentem culpados demais para apreciar completamente". O livro estimula os pais a terem tempo de qualidade juntos, mas só depois de fazerem "todos os sacrifícios necessários de tempo e esforço em prol dos filhos".

Os especialistas franceses não tratam a ideia de ter tempo de qualidade juntos como algo para depois; eles são inflexíveis e inequívocos. Talvez seja por eles serem muito confiantes e sinceros sobre a dificuldade que um bebê pode acrescentar a um casamento. "Não é por nada que um bom número de casais se separa nos primeiros anos ou mesmo nos primeiros meses após a chegada do bebê. Tudo muda", diz um artigo.

Nos livros sobre educação de filhos que eu leio, *le couple* é tratado como um tópico central e crucial. Alguns sites na internet sobre criação às vezes têm tantos artigos sobre o casal quanto sobre gravidez. "O filho não deve invadir o universo todo dos pais... para o equilíbrio familiar, os pais também precisam de espaço", escreve Hélène De Leersnyder, a pediatra. "A criança entende sem confronto e desde muito cedo que os pais precisam de tempo que não seja de trabalho, da casa, de compras e de filhos."

Quando os pais franceses emergem do período de recolhimento inicial, eles levam a questão do casal a sério. Existe um momento do dia na França conhecido como "hora dos adultos" ou "hora dos pais". É quando as crianças vão dormir. A expectativa da "hora dos adultos" ajuda a explicar por que, depois que os contos de fadas são lidos e as músicas são cantadas, os pais franceses são muito rigorosos quanto a criar a rotina do horário de dormir. Eles tratam a "hora dos adultos" não como um privilégio ocasional e obtido com dificuldade, mas como uma necessidade básica humana. Judith, uma historiadora da arte com três filhos pequenos, explica que todos os três vão para a cama às 20h ou 20h30 porque "preciso de um mundo só para mim".

Os pais franceses não acham que essas separações são boas só para os pais. Eles também acreditam genuinamente que são importantes para as crianças, que precisam entender que os pais têm seus prazeres. "Assim, a criança entende que não é o centro do mundo, e isso é essencial para o desenvolvimento", explica o guia *Votre Enfant*.

Os pais franceses não têm apenas as noites para si. Depois que Bean começa a frequentar a escola, somos confrontados com uma aparente série interminável de férias de duas semanas no meio do semestre. Durante essa época, não consigo marcar uma brincadeira com ninguém. A maior parte dos amigos de Bean foi enviada para a casa dos avós no interior ou no subúrbio. Os pais usam o tempo para trabalhar, viajar, fazer sexo e para ficarem sozinhos.

Virginie diz que tira férias de dez dias sozinha com o marido todos os anos. Não é negociável. Os filhos, entre 4 e 14 anos, ficam com os pais dela em uma cidade a cerca de duas horas de trem de Paris. Virginie diz que a culpa não entra nessa viagem de férias. "O que você constrói entre os dois quando viaja por dez dias tem que ser bom pras crianças também." Ela diz que os filhos também precisam de vez em quando de distância dos pais. Quando todos se reencontram depois da viagem, é muito bom.

Os pais franceses que conheço tiram proveito da hora dos adultos sempre que podem. Caroline, a fisioterapeuta, me diz sem vestígio nenhum de culpa que a mãe dela vai pegar o filho de 3 anos na *maternelle* na tarde de sexta-feira e vai cuidar dele até domingo. Ela diz que, no fim de semana de folga, ela e o marido planejam dormir até tarde e ir ao cinema.

Os pais franceses até têm momentos de adultos quando os filhos estão em casa. Florence, de 42 anos, com três filhos entre 3 e 6 anos, me diz que, nas manhãs de fim de semana, "as crianças não têm o direito de entrar em nosso quarto até abrirmos a porta". Até aquele momento, milagrosamente, eles aprenderam a brincar sozinhos. (Inspirados na história dela, eu e Simon tentamos isso. Para nossa surpresa, funciona de um modo geral. Mas temos que reensinar a ideia às crianças em intervalos de poucas semanas.)

Tenho dificuldade em explicar o conceito de noite do encontro a dois para meus colegas franceses. Para começar, não existem encontros na França. Aqui, quando você começa a sair com alguém, o relacionamento é automaticamente considerado exclusivo. Na França, um "encontro" parece hesitante demais e tem cara de entrevista de emprego demais para ser romântico. É o mesmo quando o casal passa a morar junto. Uma noite de encontro, com a implícita mudança repentina de calça de moletom para salto alto, parece artificial para meus amigos franceses. Elas não gostam da implicação de que a "vida real" não é sexy e é exaustiva e que deveriam programar o romance como se fosse uma ida ao dentista.

Quando o filme americano *Uma noite fora de série* chega à França, é intitulado *Noite louca*. O casal do filme em teoria é o casal típico americano de subúrbio com filhos. Um crítico do Associated Press descreve o par como "cansado, comum, mas relativamente feliz". Em uma cena da abertura, eles são despertados uma certa manhã quando um dos filhos pula na cama deles. Os críticos franceses ficam horrorizados com cenas assim. Um crítico do *Le Figaro* descreve as crianças do filme como "insuportáveis".

Apesar de ter filhos que não pulam em cima delas na cama, as mulheres francesas pareceriam ter mais a reclamar do que as americanas. Elas ficam atrás das americanas em medidas-chave para igualdade entre os sexos, tais como a porcentagem das mulheres no legislativo e liderando grandes empresas. E a distância entre quanto os homens e as mulheres ganham é maior do que a nossa.[5]

A desigualdade francesa fica especialmente evidente em casa. As mulheres francesas passam 89% mais tempo do que os homens fazendo trabalhos domésticos e cuidando dos filhos.[6] Nos Estados Unidos, as mulheres passam 31% mais de tempo do que os homens em atividades domésticas, e 25% mais nos cuidados com os filhos.[7]

Apesar disso tudo, minhas amigas americanas (e britânicas) com filhos parecem bem mais irritadas com os maridos e companheiros do que minhas amigas francesas.

"Fico furiosa de ele não se dar ao trabalho de ser competente com uma série de coisas que peço para ele fazer", minha amiga Anya escreve em um e-mail sobre o marido. "Ele me transformou em uma chata rabugenta, e quando me irrito é difícil me acalmar."[8]

Minhas amigas americanas, e mesmo as conhecidas, costumam me puxar de lado em festas para reclamar de alguma coisa que os maridos acabaram de fazer. Almoços inteiros são dedicados a essas reclamações. Ficam indignadas porque, sem elas, as casas não teriam toalhas limpas, plantas vivas e pares de meias completos.

Simon ganha muitos pontos pelo esforço. Ele leva Bean para o outro lado da cidade com entusiasmo em um determinado sábado para tirar fotos de passaporte no tamanho exigido pelos Estados Unidos. Mas como já era esperado, ele volta com fotos que fazem Bean parecer uma psicopata de 5 anos com o cabelo desgrenhado.

Desde que os meninos nasceram, a incompetência de Simon está menos encantadora. Não acho mais adoravelmente incompreensível quando ele quebra o ponteiro dos minutos de todos os relógios ou lê nossas revistas caras em inglês no chuveiro. Em algumas manhãs, nosso casamento inteiro parece depender do fato de que ele não sacode a caixa do suco de laranja antes de servir.

Por alguma razão, o motivo de mais brigarmos é comida. (Coloco um bilhete escrito Não ser agressiva com Simon na cozinha.) Ele deixa os amados queijos sem embrulhar na geladeira, onde rapidamente ressecam. Quando os meninos estão um pouco mais velhos, Simon recebe um telefonema quando está escovando os dentes deles. Eu assumo a tarefa e descubro que Leo ainda está com um damasco seco inteiro dentro da boca. Quando reclamo, Simon diz que se sente desautorizado por minhas "regras elaboradas".

Quando me reúno com minhas amigas falantes de língua inglesa, é apenas uma questão de tempo até que comecemos a reclamar de coisas assim. Em um jantar em Paris, três de seis mulheres na mesa descobrem, em um ecoar de "eu também", que os maridos se refugiam no banheiro por um longo tempo bem na hora de botar os filhos na cama. A reclamação delas é tão intensa que tenho que lembrar que essas mulheres estão em casamentos sólidos, e não à beira do divórcio.

Quando me reúno com francesas da mesma classe social, esse tipo de reclamação não acontece. Quando pergunto, as francesas reconhecem que às vezes precisam dar um empurrão para que os maridos façam mais coisas em casa. A maioria diz que teve momentos ruins, quando parecia que estavam carregando o lar nas costas enquanto os maridos estavam deitados no sofá.

Mas, de alguma forma, na França esse desequilíbrio não leva ao que uma autora da antologia americana campeã de vendas *Mulheres em fúria* chama de "o terrível e silencioso processo de totalizar e armazenar e registrar tudo em que ele ajudou e em que não ajudou". As mulheres francesas sem dúvida ficam cansadas de bancarem a mãe, esposa e trabalhadora simultaneamente. Mas elas não culpam os maridos automaticamente por isso, ou pelo menos não com o veneno com o qual as americanas costumam fazer.

Possivelmente, as mulheres francesas são mais reservadas. Mas mesmo as mães que passo a conhecer bem não parecem furiosas secretamente com a crença de que a vida que têm não é a que merecem. A infelicidade delas parece uma infelicidade bem normal. Não importa o quanto eu procure, nunca encontro raiva.

Em parte, é porque as francesas não esperam que os homens sejam iguais a elas. Elas veem os homens como uma espécie diferente, que por natureza não é boa em chamar babás, comprar toalhas de mesa e se lembrar de marcar consultas com o pediatra. "Acho que as mulheres francesas aceitam mais as diferenças entre os sexos", diz Debra Ollivier, autora do livro

O que as mulheres francesas sabem. "Acho que não esperam que os homens façam o mesmo que elas com o mesmo tipo de atenção meticulosa e noção de urgência."

Quando as francesas que conheço mencionam as imperfeições dos maridos, é para rir sobre o quanto adoravelmente incapazes os homens são. "Eles não são capazes; nós somos superiores!", brinca Virginie enquanto as amigas riem. Outra mãe cai na risada quando descreve como o marido seca o cabelo da filha com o secador sem pentear primeiro, e a garota vai para a escola com os cabelos desgrenhados.

Essa visão de mundo cria um ciclo virtuoso. As mulheres francesas não ficam repreendendo os homens por suas deficiências e seus erros. Assim, os homens não ficam desmoralizados. Eles se sentem mais generosos com as esposas, a quem elogiam por seus feitos em microgerenciamento e seu controle dos detalhes do lar. Esse elogio, em vez de a tensão e o ressentimento que crescem nos lares de falantes de língua inglesa, parece tornar a desigualdade mais fácil de suportar. "Meu marido diz: 'Não consigo fazer o que você faz'", Camille, outra mãe parisiense, conta com orgulho ao grupo. Nada disso segue o script feminista americano. Mas parece correr com bem mais tranquilidade.

A igualdade de meio a meio não é o padrão ouro para as mulheres parisienses que conheço. Talvez isso mude um dia. Mas, agora, as mães que conheço se preocupam mais em encontrar um equilíbrio que funcione. Laurence, uma assessora empresarial com três filhos, tem um marido que trabalha até tarde durante a semana. (Ela passou a trabalhar meio período.) O casal costumava brigar durante todo o fim de semana sobre quem ia fazer o quê. Mas ultimamente Laurence tem estimulado o marido a ir para a aula de aiquidô nas manhãs de sábado, pois ele fica mais relaxado depois. Ela prefere cuidar um pouco mais dos filhos em troca de um marido alegre e calmo.

As mães francesas também parecem melhores em abrir mão de parte do controle e baixar os padrões em troca de mais tempo livre e menos estresse. "Você precisa dizer: vou voltar pra casa e vai ter uma pilha de roupa de uma semana pra lavar", diz Virginie quando menciono que vou levar Bean para os Estados Unidos durante uma semana e vou deixar Simon em Paris com os meninos.[9]

Há motivos estruturais para as mulheres francesas parecerem mais calmas do que as americanas. Elas tiram 21 dias de férias a mais por ano.[10] A França tem menos retórica feminista, mas tem muito mais instituições que permitem que as mulheres trabalhem. Existe a licença-maternidade paga pelo governo (os Estados Unidos não têm), as babás subsidiadas e as creches, a pré-escola universal gratuita a partir dos 3 anos da criança e a miríade de créditos em impostos e pagamentos por se ter filhos. Tudo isso não garante que haja igualdade entre homens e mulheres. Mas garante que as mulheres francesas possam ter uma carreira e filhos.

Se você deixar de lado a esperança inalcançável da igualdade meio a meio, é mais fácil apreciar o fato de que alguns maridos franceses cuidam bastante dos filhos, cozinham e lavam a louça. Um estudo francês de 2006[11] descobriu que apenas 15% dos pais de crianças pequenas participavam igualmente do cuidado do bebê, e que só 11% assumiam a responsabilidade principal. Mas 44% tinham papéis de bastante apoio. Você vê esses pais, adoravelmente desarrumados, empurrando carrinhos no parque nas manhãs de sábado e levando sacolas de compras para casa depois.

Essa categoria de pais frequentemente se concentra nos trabalhos domésticos e, particularmente, em cozinhar. As mães francesas que conheço costumam dizer que os maridos lidam bem com áreas específicas, como dever de casa e a limpeza após o jantar. Talvez ter uma divisão clara de tarefas seja o segredo. Ou talvez os casais franceses sejam mais fatalistas no que diz respeito ao casamento.

"Uma das melhores sensações de um casal e do casamento é a gratidão pela pessoa não ter ido embora", diz Laurence Ferrari, a âncora do noticiário noturno mais importante da França. Ferrari, de 44 anos, é uma bela loura com 6 meses de gravidez do bebê do segundo marido. Ela está conversando com o ousado e provocador filósofo francês Pascal Bruckner. Os dois estão discutindo "Amor e casamento: uma boa combinação?" para uma revista francesa.

Ferrari e Bruckner fazem parte da elite francesa, um círculo escasso de jornalistas, políticos, acadêmicos e empresários que socializam e se casam entre si. As visões deles representam uma versão exagerada e talvez desejada de como o povo francês comum pensa.

"Atualmente, o casamento não tem mais uma conotação burguesa. Ao contrário; para mim, é um ato de coragem", diz Ferrari.

O casamento é uma "aventura revolucionária", responde Bruckner. "O amor é um sentimento indomável. A tragédia do amor é o fato de que ele muda, e não temos controle sobre essa mudança."

Ferrari concorda. "É por causa disso que insisto em dizer que o casamento por amor é um risco magnífico."

* * *

Como sinal do quanto evoluímos socialmente, Simon e eu somos convidados para passar um fim de semana fora, com as crianças, na casa de campo da minha amiga francesa Hélène e do marido, William. Eles também têm gêmeos e um outro filho. Hélène, que é alta e tem o rosto em formato de coração e olhos azuis etéreos, cresceu em Reims, a capital da região de Champagne. A casa de campo da família dela fica perto, em Ardennes, próxima à fronteira com a Bélgica.

Muitas das batalhas da Primeira Guerra Mundial aconteceram em Ardennes. Durante quatro anos, soldados franceses e alemães cavaram trincheiras em lados opostos de uma área estreita chamada de terra de ninguém e dispararam metralhadoras e outras armas uns contra os outros. Os dois lados viviam tão próximos que conheciam os turnos de trabalho e hábitos um do outro, como acontece com vizinhos. Às vezes eles erguiam cartazes manuscritos para o outro lado ler.

Na cidadezinha em que fica a casa da família de Hélène, parece que os tiroteios pararam pouco tempo antes. As pessoas lá não dizem "Primeira Guerra Mundial", dizem "de 14 a 18". Muitas das casas e dos prédios destruídos na guerra nunca foram reconstruídos, deixando muitas áreas descampadas.

Hélène e William são pais ultradedicados o dia todo. Mas reparo que, em cada noite que passamos lá, assim que as crianças vão dormir, eles pegam os cigarros e o vinho, aumentam o som e apreciam o que obviamente é a hora dos adultos. Eles querem *profiter*, aproveitar a companhia e a noite quente de verão. (Hélène é tão dedicada a *profiter* que um dia, quando saímos de carro com as crianças, ela para em um campo no final da tarde, tira um cobertor do porta-malas e pega um bolo para nosso *goûter*. O visual é tão perfeito que é um prazer quase maior do que consigo suportar.)

Nos fins de semana, William acorda cedo com os filhos. Em uma manhã, ele sai de casa (enquanto Simon toma conta das crianças todas) para buscar *pain au chocolat* e baguetes crocantes. Hélène acaba descendo a escada de pijama, com o cabelo adoravelmente desgrenhado, e se senta à mesa de café.

"J'adore cette baguette!" (Adoro essa baguete!), diz ela para William, assim que vê o pão que ele comprou.

É uma coisa muito simples, doce e honesta de se dizer. E não consigo me imaginar dizendo nada assim para Simon. Costumo dizer que ele comprou a baguete errada ou me preocupar de ele ter deixado tudo sujo e eu ter que limpar. Costumo não acordar me sentindo muito generosa com ele. Ele não me faz sorrir de deleite, pelo menos não de manhã cedo. Aquele puro prazer de garota (*j'adore cette baguette*) infelizmente não existe mais entre nós.

Conto a história da baguete para Simon quando estamos voltando de carro para casa, saindo de Ardennes e passando por campos de flores amarelas e pelo ocasional memorial de pedra em homenagem à guerra. "Precisamos demais desse *j'adore cette baguette*", diz ele. Ele está certo; precisamos mesmo.

Capítulo 12

Você só precisa experimentar

A pergunta principal que as pessoas fazem sobre gêmeos, além de como foram concebidos, é o quanto são diferentes um do outro. Algumas mães de gêmeos têm essa resposta na ponta da língua: "Uma é a que cede e a outra é a que pega", disse a mãe de duas meninas de 2 anos quando a conheci em um parque em Miami. "Elas se dão muito bem!"

Não é tão simples com Leo e Joey. Eles parecem um casal velho: inseparáveis, mas sempre se provocando. (Talvez tenham aprendido comigo e com Simon.) As diferenças entre eles ficam mais claras quando começam a falar. Leo, o moreno, não diz nada além de um substantivo ou outro durante vários meses. Mas então, de repente, durante o jantar uma certa noite, ele se vira para mim e diz, em uma espécie de voz de robô: "Estou comendo."

Não é acidente que Leo já domine o gerúndio. Ele vive no gerúndio. Está em constante e rápido movimento. Não anda para lugar nenhum; sempre corre. Consigo saber quem está chegando apenas pela velocidade dos passos.

A forma gramatical preferida de Joey é o possessivo: meu coelho, minha mamãe. Ele se move devagar, como um velho, porque tenta carregar seus objetos favoritos com ele o tempo todo. Seus itens preferidos variam, mas sempre são muitos (em determinado momento, ele dorme com um pequeno batedor de cozinha). Ele acaba colocando tudo dentro de duas malinhas, que arrasta de aposento a aposento. Leo gosta de pegar as malinhas e sair correndo. Se eu tivesse que resumir os meninos em uma frase, eu diria que um é quem pega e o outro é quem coleciona.

A forma gramatical preferida de Bean ainda é o imperativo. Não podemos mais culpar as professoras; está claro que ela é boa em dar ordens. Ela constantemente advoga em favor de uma causa, em geral a dela mesma. Simon se refere a ela como a "sindicalista", como por exemplo: "A sindicalista quer espaguete no jantar."

Foi bem difícil tentar incutir hábitos franceses em Bean quando ela era filha única. Agora que temos três crianças em casa, e somos só dois adultos, criar um *cadre* francês é bem mais difícil. Mas também é bem mais urgente. Se não controlarmos as crianças, elas vão nos controlar.

Uma área na qual estamos sendo bem-sucedidos é a comida. A alimentação é fonte de orgulho nacional na França, e é um assunto sobre o qual os franceses adoram falar. Meus colegas franceses do escritório onde alugo uma mesa passam a maior parte do almoço conversando sobre o que jantaram no dia anterior. Quando Simon sai para tomar cerveja depois do jogo com o time de futebol francês, ele diz que conversam sobre comida, não sobre garotas.

Fica claro o quanto os hábitos alimentares de nossos filhos se tornaram franceses quando visitamos os Estados Unidos. Minha mãe fica animada para apresentar Bean ao clássico americano macarrão com queijo de caixinha. Mas Bean não come mais do que poucas garfadas. "Isso não é queijo", diz ela. (Acho que detecto a primeira expressão de desdém dela.)

Estamos de férias quando viajamos para os Estados Unidos, então acabamos indo comer fora com frequência. Os restaurantes americanos são mais preparados para receber crianças do que os da França. Há conveniências inéditas como cadeirões, giz de cera e trocadores nos banheiros. (Ocasionalmente pode se achar uma dessas coisas em Paris, mas quase nunca os três no mesmo lugar.)

Mas começo a temer o popular cardápio infantil dos restaurantes americanos. Não importa qual seja o tipo de restaurante a que vamos: de frutos do mar, italiano, cubano. Os cardápios infantis têm pratos praticamente idênticos: hambúrguer, frango empanado, pizza e às vezes espaguete. Quase nunca há legumes e verduras, a não ser que você conte as batatas fritas. De vez em quando, tem fruta. Nem perguntam às crianças como preferem o hambúrguer. Talvez por motivos legais, a carne de todos os hambúrgueres vem em um deprimente tom de cinza.

Não é só nos restaurantes que tratam as crianças como se não tivessem desenvolvido completamente as papilas gustativas. Em uma das viagens aos Estados Unidos, matriculo Bean em um acampamento de tênis de alguns dias, que inclui almoço. O "almoço" para dez crianças é um saco de pão branco e dois pacotes de queijo americano. Até Bean, que comeria macarrão e hambúrguer em todas as refeições se eu deixasse, é pega de surpresa. "Amanhã tem pizza!", diz um dos treinadores.

A visão dominante nos Estados Unidos parece ser que as crianças têm paladares delicados e limitados, e que os adultos que se aventuram além do queijo quente fazem isso por sua própria conta e risco. Obviamente, essa visão é autorrealizável. As crianças americanas que conheço têm paladares delicados e limitados. Elas costumam passar alguns anos em uma espécie de dieta de um alimento só. Uma amiga de Atlanta tem um filho que só come alimentos brancos, como arroz e macarrão. O outro filho dela só come carne. O sobrinho bebê de outra amiga de Boston tinha que começar a comer alimentos sólidos por volta do Natal. Quando o menino se recusou a comer qualquer coisa além de papais-noéis de chocolate embrulhados em papel-alumínio, os pais compraram várias embalagens disso com medo de ficarem sem nenhum depois das festas.

Atender a necessidades seletivas dá muito trabalho. Uma mãe que conheço de Long Island faz um café da manhã diferente para cada um dos quatro filhos, e um quinto para o marido. Um pai americano que está visitando Paris com a família me informa em tons de reverência que o filho de 7 anos é muito seletivo quanto a texturas. Ele diz que o garoto gosta de queijo e *tortillas*, mas se recusa a comê-los quando estão juntos porque a *tortilla* fica (ele sussurra isso enquanto olha para o filho) "*crocante demais*".

Em vez de resistir a essa seletividade, a reação dos pais é se render a ela. *O que esperar dos primeiros anos* diz: "Deixar uma criança pequena passar meses se alimentando só de cereal, leite e macarrão, ou de pão com queijo (supondo que algumas frutas e/ou legumes são incluídos para balancear a alimentação) não é complacente e nem inaceitável, mas perfeitamente respeitável. Na verdade, existe uma coisa inerentemente injusta em insistir que a criança coma o que é colocado à frente dela quando os adultos têm uma grande liberdade de escolha à mesa."

Além disso, há os lanches. Quando estou com amigos e seus filhos nos Estados Unidos, saquinhos com pretzels e cereais parecem surgir o tempo todo entre as refeições. Dominique, uma mãe francesa que mora em Nova York, diz que no começo ficou chocada ao descobrir que a pré-escola da filha dá comida para as crianças de hora em hora o dia todo. Também ficou surpresa ao ver pais dando lanches para os filhos o dia inteiro no parquinho. "Se uma criança pequena começa a dar um ataque de birra, dão comida para acalmá-la. Usam comida para distrair a criança em qualquer crise", diz ela.

Esse cenário é diferente na França. Em Paris, costumo fazer compras no mercado local. Mas, assim como com toda a classe média, meus filhos nunca experimentaram xarope de milho com alta quantidade de frutose e nem pão industrializado. Em vez de comer Fruit Roll-Ups (uma espécie de jujuba à base de frutas), eles comem frutas. Estão tão acostumados com alimentos frescos que comida industrializada tem gosto estranho para eles.

Como mencionei, as crianças francesas costumam comer só nos horários das refeições e no *goûter* da tarde. Nunca vi uma criança francesa comendo pretzels (ou nenhuma outra coisa) no parque às dez horas da manhã. Alguns restaurantes franceses têm cardápio infantil, geralmente nos bistrôs de esquina ou nas pizzarias. Esses cardápios nem sempre têm itens de alta gastronomia. Costumam ter bife com *frites*, batatas fritas. ("Em casa, nunca comemos *frites*; meus filhos sabem que esse é o único jeito de comerem", diz minha amiga Christine.)

Mas, na maioria dos restaurantes, espera-se que as crianças escolham do cardápio comum. Quando peço espaguete com molho de tomate para Bean em um bom restaurante italiano, a garçonete francesa sugere com delicadeza que eu peça uma coisa mais aventureira, quem sabe o prato de massa com berinjela.

O McDonald's é um negócio próspero na França, e é possível encontrar comidas industrializadas se você quiser. Mas uma campanha do governo que lembra as pessoas de comerem pelo menos "cinco porções de frutas, verduras e legumes por dia" se tornou difundida em todo o país. (Um popular restaurante que serve almoço em Paris se chama *5 Fruits et Légumes Chaque Jour* [cinco frutas, legumes e verduras por dia].)

Apesar de as crianças francesas comerem hambúrguer e batata frita às vezes, nunca conheci uma que só comia um tipo de alimento e nem um pai que permitisse isso. Não é que as crianças francesas exijam mais legumes. E claro que gostam de algumas comidas mais do que de outras. E há muitas crianças francesas de 3 anos seletivas. Mas essas crianças não excluem categorias inteiras de texturas, cores e nutrientes só porque querem. A frescura extrema que se tornou normal nos Estados Unidos e na Inglaterra parece aos pais franceses um perigoso distúrbio alimentar, ou, no mínimo, um péssimo hábito.

As consequências dessas diferenças são importantes. Apenas 3,1% das crianças francesas entre 5 e 6 anos são obesas.[1] Nos Estados Unidos, 10,4% das crianças entre 2 e 5 anos são obesas.[2] Essa diferença é bem mais acentuada entre crianças americanas e francesas maiores. Mesmo em bairros americanos prósperos, vejo crianças gordas o tempo todo. Mas em cinco anos frequentando parquinhos franceses, vi apenas uma criança que poderia ser qualificada como obesa (e desconfio que era turista).

Com a comida em particular, não consigo evitar as mesmas perguntas que tenho feito sobre tantos outros aspectos da educação francesa: como os pais franceses conseguem? Como tornam seus filhos pequenos gourmets? E, no processo, por que as crianças francesas não ficam gordas? Vejo os resultados ao meu redor, mas como as crianças francesas conseguem ser assim?

Desconfio que começa com os bebês. Quando Bean tem cerca de 6 meses de idade e estou pronta para começar a dar comidas sólidas para ela, reparo que os supermercados franceses não vendem o arroz moído que minha mãe e todas as minhas amigas americanas e inglesas dizem que deveria ser a primeira comida do bebê. Tenho que andar até lojas de produtos naturais para comprar uma versão cara e orgânica importada da Alemanha, armazenada debaixo das fraldas recicláveis.

O que acontece é que os pais franceses não iniciam a alimentação do bebê com grãos sem gosto e sem cor. Desde a primeira mordida, eles servem legumes cheios de sabor para os bebês. As primeiras comidas que os bebês comem tipicamente são vagem, espinafre, cenoura, abobrinha descascada e as partes brancas do alho-poró, cozidas no vapor e em forma de purê.

Os bebês americanos também comem legumes e verduras, é claro, às vezes até desde o começo. Mas nós, falantes de língua inglesa, tendemos a vê-los como veículos obrigatórios de vitaminas e os agrupamos mentalmente em uma categoria sem graça chamada "legumes e verduras". Apesar de sermos desesperados para que nossos filhos comam essa categoria de alimento, nem sempre esperamos que façam isso. Livros de receitas campeões de vendas ensinam os pais a esconder legumes e verduras nas almôndegas, em peixe empanado e no macarrão com queijo sem as crianças repararem. Uma vez vi um casal de amigos dando com insistência colheradas de legumes cobertos de iogurte na boca dos filhos depois de uma refeição, enquanto as crianças assistiam à TV, sem parecer perceber o que comiam. "Quem sabe quanto tempo mais conseguiremos fazer isso", disse a mãe.

Os pais franceses tratam os *légumes* com um nível completamente diferente de intenção e comprometimento. Eles descrevem o gosto de cada legume e cada verdura e falam sobre o primeiro contato dos filhos com aipo ou alho-poró como o começo de um longo relacionamento. "Eu queria que ela conhecesse o gosto da cenoura. Depois, queria que ela conhecesse o gosto da abobrinha", diz Samia, a mãe que me mostrou a foto de topless. Como os outros pais franceses com quem converso, Samia vê os legumes e as verduras, e também as frutas, como os pilares de construção da *éducation* culinária da filha e como um modo de apresentá-la à intensidade dos sabores.

Meus livros americanos sobre bebês reconhecem que certos alimentos são gosto adquirido. Dizem que, se um bebê rejeita um alimento, os pais devem esperar alguns dias e oferecê-lo de novo. Meus amigos anglófonos e eu fazemos tudo isso. Mas concluímos que, se não funciona depois de algumas tentativas, nossos bebês simplesmente não gostam de abacate, de batata-doce ou de espinafre.

Na França, o mesmo conselho de continuar oferecendo os alimentos para bebês é elevado a uma missão. Os pais assumem que, apesar de as crianças terem preferência de certos sabores a outros, o sabor de cada legume e verdura é naturalmente intenso e interessante. Os pais veem como seu dever fazer com que a criança aprecie isso. Eles acreditam que, assim como precisam ensinar a criança a dormir, a esperar e a dizer *bonjour*, também precisam ensinar a comer.

Ninguém sugere que introduzir todos esses alimentos vai ser fácil. O guia gratuito do governo francês sobre alimentação de crianças diz que todos os bebês são diferentes. "Alguns gostam de descobrir novos alimentos. Outros não gostam tanto, e a diversificação demora mais." Mas o guia encoraja os pais a serem insistentes na introdução de alimentos novos às crianças e a não desistir mesmo depois de uma criança ter rejeitado um alimento três vezes ou mais.

Os pais franceses avançam lentamente. "Peça a seu filho para experimentar só um pedaço, depois siga para o próximo prato", sugere o guia. Os autores acrescentam que os pais nunca devem oferecer um alimento diferente para substituir o rejeitado. E devem reagir de forma neutra se a criança não quiser comer determinado alimento. "Se você não tiver uma reação muito intensa à recusa dele, seu filho vai acabar realmente abandonando esse comportamento", preveem os autores. "Não entre em pânico. Você pode continuar dando leite a ele para garantir que está se alimentando bem o bastante."

Essa visão de longo prazo de cultivar o paladar da criança é repetida no lendário livro sobre educação de filhos de Laurence Pernoud, *J'élève mon enfant*. A seção sobre dar alimentos sólidos ao bebê se chama Pouco a Pouco, a Criança Aprende a Comer de Tudo.

"Ele se recusa a comer alcachofra?", escreve Pernoud. "Mais uma vez, você tem que esperar. Quando, alguns dias depois, você tentar de novo, experimente colocar um pouco de alcachofra misturada em muito purê" de batatas, por exemplo.

O guia de alimentação do governo diz para os pais oferecerem os mesmos ingredientes preparados de muitas maneiras diferentes. "Experimente cozido no vapor, assado, assado no papel-manteiga, grelhado, puro, com molho ou temperado." Os autores do guia dizem: "Seu filho vai descobrir cores diferentes, texturas diferentes e aromas diferentes."

O guia também sugere uma cura falada, *à la* Dolto. "É importante deixá-lo seguro e conversar com ele sobre esses novos alimentos", diz o texto. A conversa sobre alimentos deve ir além de "gostei" e "não gostei". Eles sugerem mostrar um legume às crianças e perguntar: "Você acha que é crocante e que vai fazer barulho quando morder? Em que esse sabor faz você pensar? O que sente na sua boca?" Os autores sugerem jogos com os sabores, como oferecer diferentes tipos de maçãs e pedir para a criança decidir qual é a mais doce e qual é a mais ácida. Em outra brincadeira, os pais vendam o filho e fazem com que ele coma e identifique alimentos que já conhece.

Todos os livros franceses sobre bebês que leio encorajam os pais a manterem a calma e a alegria durante as refeições, e acima de tudo seguir em frente com a refeição, mesmo que a criança não coma nem uma colherada. "Não o force, mas não desista de oferecer a ela", explica o guia do governo. "Aos poucos, ela vai se familiarizar com o alimento, vai provar... e, sem dúvida, vai acabar gostando."

Para entender melhor por que as crianças francesas comem tão bem, vou até a reunião da Commission Menus em Paris. É lá que aqueles sofisticados cardápios exibidos na creche de Bean todos os dias são aprovados. A comissão decide o que as creches de Paris vão servir de almoço nos dois meses seguintes.

Eu provavelmente sou a primeira estrangeira a ir a essa reunião. Ela acontece em uma sala de conferências sem janelas dentro de um prédio do governo às margens do Sena. Sandra Merle lidera a reunião, a nutricionista-chefe das creches parisienses. Os funcionários de Merle também estão lá, junto a meia dúzia de chefs que trabalham em creches.

A comissão é um microcosmo das ideias francesas sobre as crianças e os alimentos. A lição número um é que não existe "comida de criança". Uma nutricionista lê o cardápio proposto, incluindo as quatro etapas de cada almoço, como se estivesse fazendo um registro oficial. Não há menção de batatas fritas, nuggets de frango, pizza e nem ketchup. O cardápio proposto para uma sexta-feira é salada de repolho roxo picado e *fromage blanc* (queijo branco). Em seguida, um peixe de carne branca chamado *colin* com molho de endro e acompanhamento de batatas orgânicas à *l'anglaise*. O queijo a ser servido é o *coulommiers* (um queijo macio parecido com o brie). A sobremesa é maçã orgânica assada. Cada prato é cortado ou preparado em forma de purê, de acordo com a idade das crianças.

A segunda lição da comissão é a importância da variedade. Os membros tiram uma sopa de alho-poró do cardápio quando alguém observa que as crianças terão comido alho-poró na semana anterior. Merle corta um prato de tomates que havia planejado para o final de dezembro, outra repetição, e o substitui por salada de beterraba cozida.

Merle também enfatiza a variedade visual e de texturas. Ela diz que, se os alimentos são todos da mesma cor em determinado dia, ela inevitavelmente recebe reclamações dos diretores das creches. Ela lembra aos chefs das creches que, se as crianças mais velhas (as de 2 e 3 anos) comem um legume em forma de purê como acompanhamento, precisam comer uma fruta inteira como sobremesa, pois podem achar dois alimentos em forma de purê coisa de bebê.

Alguns dos chefs se gabam de seus sucessos recentes. "Servi musse de sardinha misturada com um pouco de creme de leite fresco", diz um chef com cabelo preto encaracolado. "As crianças adoraram. Passaram no pão."

Há muitos elogios a sopas. "Elas adoram sopa; não importa quais são os grãos e quais são os legumes", diz outro chef. "A sopa com alho-poró e leite de coco é um sucesso", diz um terceiro chef.

Quando alguém menciona *fagots de haricots verts*, todo mundo ri. É um prato tradicional de Natal que todas as creches tiveram que servir no ano anterior. O preparo do prato passa pelo escaldar de ervilhas, sendo porções delas enroladas com fatias finas de carne de porco defumada, presas com um palito de dentes, para depois essas trouxinhas serem grelhadas. Aparentemente, isso foi muito até para os chefs das creches obcecados por estética (embora eles não se recusem a ter que cortar um kiwi no formato de uma flor).

Outro princípio importante da Commission Menus é que, se de primeira as crianças não gostam de alguma coisa, elas devem experimentar repetidamente. Merle lembra aos chefs de introduzirem novos alimentos gradualmente e de prepararem de formas diferentes. Ela sugere introduzir frutas vermelhas primeiro como purê, pois as crianças já estarão familiarizadas com essa textura. Depois, os chefs podem servir as frutas vermelhas cortadas em pedaços.

Um chef pergunta o que fazer com toronja. Merle sugere servir uma fatia fina polvilhada de açúcar, para gradualmente passar a servir pura. O mesmo vale para o espinafre. "Nossas crianças não comem espinafre. Vai tudo pro lixo", resmunga uma chef. Merle diz para ela misturar o espinafre com arroz para deixar mais apetitoso. Ela diz que vai mandar um "aviso técnico" para lembrar a todos como fazer isso. "Você reapresenta o espinafre de maneiras diferentes ao longo do ano; em algum momento, elas vão gostar", promete ela. Merle diz que, depois que uma criança começa a comer espinafre, as outras imitam. "É o princípio da educação nutricional", diz ela.

Os legumes e as verduras são uma grande preocupação do grupo. Uma cozinheira diz que as crianças da creche dela não comem ervilhas se não estiverem cobertas de creme de leite fresco ou de molho bechamel. "Você precisa atingir um equilíbrio; às vezes com molho, às vezes sem", sugere Merle. Em seguida, há uma longa discussão sobre ruibarbo.

Depois de cerca de duas horas debaixo de luzes fluorescentes, estou um pouco desanimada. Eu gostaria de ir para casa jantar. Mas a comissão nem chegou ao cardápio da refeição de Natal que se aproxima.

"O foie gras, não?", sugere um chef como entrada. Outro propõe musse de pato. A princípio, suponho que os dois estão brincando, mas ninguém ri. O grupo então debate se devem servir salmão ou atum como prato principal (a primeira escolha deles é tamboril, mas Merle diz que é caro demais).

E o prato de queijo? Merle veta queijo de cabra com ervas, porque as crianças comeram queijo de cabra no piquenique de primavera. O grupo acaba concordando em um cardápio que inclui peixe, musse de brócolis e dois tipos de queijo de leite de vaca. A sobremesa é um bolo de maçã com canela, um bolo de iogurte com cenoura e uma tradicional torta de Natal com pera e chocolate. ("Não podemos nos afastar muito da tradição. Os pais vão querer que tenha torta", diz alguém.) Para o *goûter* da tarde do mesmo dia, Merle acha que uma musse feita de "chocolate industrial" não vai ser festiva o suficiente. Acabam decidindo servir um elaborado *chocolat liégeois*, um sundae de musse de chocolate servido em um copo, com chantili em cima.

Nem uma vez alguém diz que um sabor pode ser intenso demais ou complicado demais para o paladar de uma criança. Nenhum dos pratos é absurdamente forte. Há muitas ervas, mas nada de mostarda, nem picles, nem azeitonas. Mas há cogumelos, aipo e todos os outros tipos de legumes em abundância. A questão não é que todas as crianças gostem de tudo. É que deem uma chance aos alimentos.

Pouco tempo depois da minha ida à Commission Menus, uma amiga me empresta um livro chamado *O homem que comeu de tudo*, do escritor americano Jeffrey Steingarten.

Steingarten escreve que, quando foi escolhido crítico de gastronomia para a revista *Vogue*, decidiu que suas preferências alimentares pessoais o tornavam injustamente tendencioso. "Eu tinha medo de não conseguir ser objetivo, como um crítico de arte que detesta a cor amarela", escreve. Ele embarca em um projeto para ver se consegue gostar das comidas que detesta.

Os alimentos detestados por Steingarten incluem *kimchi* (o repolho fermentado que é o prato nacional da Coreia), peixe-espada, anchovas, endro, mariscos, banha de porco e sobremesas em restaurantes indianos, que ele diz terem "o sabor e a textura de cremes para o rosto". Ele lê sobre a ciência dos sabores e conclui que o problema principal com alimentos novos é simplesmente o fato de serem novos. Portanto, tê-los por perto deveria ser o suficiente para enfraquecer a resistência natural da pessoa.

Steingarten corajosamente decide comer um dos alimentos odiados por dia. Ele tenta comer versões muito boas de cada alimento: anchovas picadas com molho de alho no norte da Itália; um *capellini* perfeitamente preparado com molho de mariscos brancos em um restaurante em Long Island. Passa uma tarde inteira preparando banha de porco e come *kimchi* dez vezes, em dez restaurantes coreanos diferentes.

Depois de seis meses, Steingarten ainda odeia sobremesas indianas. ("Nem toda sobremesa indiana tem a textura e o gosto de creme para o rosto. Longe disso. Algumas têm a textura e o sabor de bolas de tênis.") Mas ele passa a gostar e até a querer quase todos os outros alimentos antes detestados. Na décima porção de *kimchi*, ele "se tornou minha conserva favorita", escreve ele. Conclui que "nenhum cheiro ou sabor é naturalmente repulsivo, e o que é aprendido pode ser esquecido".

O experimento de Steingarten resume a abordagem francesa à alimentação das crianças: se você fica experimentando as coisas, acaba passando a gostar de quase todas. Steingarten descobriu isso lendo sobre a ciência dos sabores. Mas os pais franceses de classe média parecem saber disso por intuição e fazer automaticamente. Na França, a ideia de reintroduzir uma gama ampla de legumes, verduras e outros alimentos não é apenas uma ideia dentre várias. É o princípio culinário principal para as crianças. Os pais comuns de classe média que conheço são devotados à ideia de que existe um rico mundo de sabores que seus filhos precisam aprender a apreciar.

Esse não é apenas um ideal teórico que só pode acontecer no ambiente controlado da creche. Também acontece nas cozinhas e salas de jantar das famílias francesas comuns. Vejo em primeira mão quando visito a casa de Fanny, a publicitária que mora em um apartamento de pé-direito alto no lado leste de Paris com o marido, Vincent, com Lucie, de 4 anos, e com Antoine, de 3 meses.

Fanny tem feições bonitas e arredondadas e um olhar reflexivo. Costuma chegar do trabalho às 18h e serve o jantar de Lucie às 18h30, enquanto Antoine fica sentado em uma cadeirinha tomando mamadeira. Nas noites de fim de semana, Fanny e Vincent comem juntos quando as crianças dormem.

Fanny diz que raramente faz coisas complexas como as endívias cozidas em fogo baixo com folhas de beterraba que Lucie costumava comer na creche. Mesmo assim, vê o jantar de cada noite como parte da educação culinária da filha. Ela não se preocupa muito com o quanto Lucie come. Mas insiste que a menina prove ao menos um pedaço de cada alimento em seu prato.

"Ela precisa provar de tudo", diz Fanny, ecoando uma regra ouvida de quase todas as mães com quem converso sobre comida.

Uma extensão do princípio de experimentar tudo é que, na França, todo mundo come o mesmo jantar. Não há escolhas e nem substituições. "Nunca pergunto 'o que você quer?' Sempre digo 'vamos comer isto'", me diz Fanny. "Se ela não termina um prato, não tem problema. Mas todos comemos a mesma coisa."

Os pais americanos podem ver isso como um ato ditatorial sobre os filhos indefesos. Fanny acha que dá poder a Lucie. "Ela se sente maior quando todos comemos, não as mesmas porções, mas as mesmas coisas." Fanny diz que os americanos que a visitam ficam impressionados quando veem a menina durante uma refeição. "Eles dizem: 'Como sua filha já sabe a diferença entre camembert, gruyère e queijo de cabra?'"

Fanny também tenta tornar a refeição divertida. Lucie já sabe fazer bolos, pois ela e a mãe fazem bolos juntas em quase todos os fins de semana. Fanny também envolve Lucie no jantar, seja no preparo de um alimento, seja arrumando a mesa. "Nós a ajudamos, mas tornamos uma brincadeira. E é assim todos os dias", diz ela.

Quando é hora de comer, Fanny não balança o dedo com austeridade para Lucie e manda que ela experimente as coisas. Elas conversam sobre os alimentos. Costumam discutir o sabor de cada queijo. E, por ter participado do preparo de cada refeição, Lucie fica interessada no resultado. Há cumplicidade. Se um certo prato dá errado, "todos nós rimos disso", diz Fanny.

Refeições breves contribuem para o humor de todos permanecer bom. Fanny diz que depois de Lucie ter provado de tudo, pode sair da mesa. O livro *Votre Enfant* diz que uma refeição com crianças pequenas não deve durar mais do que trinta minutos. As crianças francesas aprendem a participar de refeições mais longas conforme ficam mais velhas. E, quando começam a ir dormir mais tarde, fazem mais refeições noturnas na companhia dos pais em dias de semana.

Planejar o cardápio do jantar é uma aula de balanceamento. Fico impressionada com a forma como as mães francesas como Fanny parecem ter o ritmo culinário do dia mapeado em suas cabeças. Elas supõem que os filhos terão feito uma refeição carregada de proteína no almoço. No jantar, servem basicamente carboidratos, como massas, acompanhados de legumes e verduras.

Fanny pode ter acabado de chegar correndo do trabalho, mas, como na creche, ela serve o jantar calmamente em etapas. Ela dá a Lucie uma entrada fria de legumes, como cenouras raladas com molho vinagrete. Em seguida, vem o prato principal, que costuma ser massa ou arroz com legumes e verduras. Ocasionalmente, ela faz um pouco de peixe ou carne, mas espera que Lucie tenha consumido a maior parte do aporte de proteínas no almoço. "Tento evitar proteínas [à noite] porque acho que fui educada assim. Dizem que uma por dia é o suficiente. Tento me concentrar nos legumes e nas verduras."

Alguns pais me dizem que, no inverno, costumam servir sopa no jantar junto com um páo ou talvez um pouco de macarrão. É uma refeição satisfatória que se baseia em grãos, legumes e verduras. Muitos pais fazem sopas cremosas. E esse é o jantar. As crianças podem tomar suco no café da manhã e no *goûter* da tarde. Mas, no almoço e no jantar, bebem água, normalmente em temperatura ambiente ou um pouco gelada.

Os fins de semana são das refeições em família. Quase todas as famílias francesas que conheço fazem grandes almoços *en famille* tanto no sábado quanto no domingo. As crianças costumam ser envolvidas no preparo e na arrumação dessas refeições. Nos fins de semana, "assamos bolos e cozinhamos. Tenho livros de culinária para crianças; elas têm suas próprias receitas", diz Denise, a profissional de ética médica que é mãe de duas meninas.

Depois de todos os preparativos, todos se sentam para comer. Os sociólogos franceses Claude Fischler e Estelle Masson, autores do livro *Comer: a alimentação de franceses, outros europeus e americanos*, dizem que um francês que come um sanduíche correndo no almoço nem conta isso como "ter se alimentado". Para o francês, "comer significa se sentar à mesa com outras pessoas, sem pressa e sem fazer outras coisas ao mesmo tempo". Para os americanos, "a saúde é vista como a razão principal para comer".[3]

Na festa de aniversário de 5 anos de Bean, anuncio que é hora do bolo. De repente, as crianças, que estavam brincando de forma barulhenta, fazem fila em direção à nossa sala de jantar e se sentam calmamente à mesa. Todas são *sage* imediatamente. Bean se senta à cabeceira da mesa e entrega pratos, colheres e guardanapos. Exceto por acender as velas e carregar o bolo, não faço muita coisa. Aos 5 anos, se sentar calmamente à mesa para qualquer tipo de alimentação já é um reflexo automático para as crianças francesas. Não há possibilidade de comer no sofá, na frente da televisão e nem enquanto usa o computador.

Obviamente, um dos benefícios de ter *cadre* em casa é que você pode sair do *cadre* sem ter medo de ele desmoronar. Denise me conta que uma vez por semana deixa as duas filhas, que têm 7 e 9 anos, jantarem na frente da televisão.

Nos fins de semana e durante as várias férias escolares, os pais franceses ficam mais relaxados com o horário de as crianças comerem e irem para a cama. Eles sabem que o *cadre* estará lá quando precisarem. As revistas apresentam artigos sobre readaptar os filhos à rotina anterior depois do fim das férias. Quando viajamos com Hélène e William, sinto um pouco de pânico quando são 13h30 e William ainda não chegou em casa com alguns ingredientes do almoço.

Mas Hélène acha que as crianças conseguem se adaptar. Afinal, são pessoas como nós, capazes de lidar com um pouco de frustração. Ela abre um saco de batatas fritas, e as seis crianças se reúnem à mesa da cozinha para comer. Depois, vão para o quintal brincar mais até o almoço estar pronto. "Não é nada de mais. Todos nos adaptamos. Um tempo depois, todos fazemos uma longa e adorável refeição à mesa que arrumamos debaixo de uma árvore."

Se superproteção dos filhos fosse uma linha aérea, Park Slope, no Brooklyn, seria seu aeroporto principal. Cada linha de educação de filhos e cada novo produto parece se originar ou se abastecer lá. Park Slope é o lar da "primeira butique de Nova York de roupas de bebê e amamentação" e da pré-escola de 15 mil dólares por ano onde as professoras "ativamente desencorajam e impedem brincadeiras de super-heróis". Se você mora em Park Slope, a Baby Bodyguards pode tornar seu apartamento dúplex completamente seguro para crianças por seiscentos dólares. (A fundadora da empresa explica que "quando dei à luz e meu filho se tornou parte do mundo externo, meu medo e minha ansiedade tomaram conta de mim".)

Apesar da reputação de Park Slope quanto ao excesso de zelo na criação de filhos, não estou preparada para o que testemunho em um parquinho de lá em uma manhã ensolarada de domingo. A princípio, o pai e o filho que vejo só parecem estar fazendo uma versão particularmente energética da brincadeira narrada. O garoto parece ter 6 anos. O pai, usando uma calça jeans cara e com a barba modernamente por fazer, o seguiu para cima do trepa-trepa. A grande virada bilíngue é que ele está fazendo o comentário da brincadeira do garoto tanto em inglês quanto no que parece um alemão com sotaque americano.

O filho parece acostumado ao pai descendo no escorrega atrás dele. Quando vão para o balanço, o pai continua o solilóquio bilíngue enquanto empurra. Tudo isso ainda está dentro dos limites do que já vi em outros lugares. Mas, em seguida, a mãe chega. É uma morena magérrima também usando uma calça jeans cara e com uma bolsa de alimentos frescos comprados no mercado ali perto.

"Aqui está sua salsa de lanche! Quer comer sua salsa?", diz ela para o garoto, entregando um raminho verde.

Salsa? De lanche? Acho que entendo a intenção: esses pais não querem que o filho seja gordo. Querem que tenha paladar variado. Eles se veem como pessoas com ideias originais que podem dar a ele experiências incomuns, sendo o alemão e a salsa apenas um pequeno exemplo. E, em favor deles, a salsa não tem risco de estragar o apetite do filho, e nem de ninguém.

Mas há um motivo para a salsa nunca ter se tornado um lanche popular. Ela não tem sabor bom sozinha. Tenho a sensação de que esses pais estão tentando afastar o filho do conhecimento coletivo da nossa espécie e da química básica dos alimentos que têm sabor bom. Só consigo imaginar o esforço que isso exige. O que vai acontecer quando ele descobrir os biscoitos?

Quando menciono o incidente do "lanche de salsa" para pais americanos, eles não ficam surpresos. Concordam que salsa não é lanche. Mas admiram o esforço. Naquela idade impressionável, por que não tentar? No ambiente de estufa de Park Slope, alguns pais foram além da Pergunta Americana: Como podemos acelerar os estágios do desenvolvimento? Agora, estão perguntando como podem anular experiências sensoriais básicas.

Percebo que também sou culpada disso quando levo Bean para a primeira festa de Halloween, quando ela tem 2 anos. Os franceses não comemoram essa festa. (Vou para uma festa adulta de Halloween em que todas as mulheres estão vestidas de bruxas sexy e a maior parte dos homens está de Drácula.) Assim, a cada ano um grupo de mães americanas e inglesas em Paris aluga o andar de cima de um Starbucks perto da Bastilha e monta pequenas estações de "doces ou travessuras" por todo o aposento.

Assim que Bean entende o conceito (todas aquelas pessoas estão *dando doces para ela*), começa a comer. Ela não apenas come alguns; tenta comer todos os doces na sacola. Ela se senta em um canto do salão e enfia maçarocas amarelas, verdes e rosa na boca. Tenho que intervir para que vá mais devagar.

Acabo percebendo que escolhi a abordagem errada quanto a doces. Antes daquele Halloween, Bean quase nunca tinha comido açúcar refinado. Até onde sei, nunca tinha comido uma jujuba. Como os pais da salsa, eu tentei fingir que essas coisas não existiam.

Vi outros pais anglófonos sofrerem para não dar doces aos filhos. Uma tarde, uma mãe britânica que conheço me diz que a filhinha dela não pode comer um biscoito, apesar de todas as outras crianças estarem comendo, e explica: "Ela não precisa conhecer isso." Outra mãe, psicóloga, parece sofrer para decidir se deixa o filho de 1 ano e meio tomar um picolé, apesar de ser o final de um dia quente de verão e todos os nossos filhos estarem brincando ao ar livre. (Ela acaba concordando.) Vejo um casal que fez três faculdades ter uma conversa nervosa para decidir se o filho de 4 anos pode chupar um pirulito.

Mas o açúcar existe. E os pais franceses sabem. Eles não tentam eliminar todos os doces da alimentação dos filhos. Preferem encaixar os doces dentro do *cadre*. Para uma criança francesa, o doce tem seu lugar. É uma parte regular das vidas delas, e elas não comem desesperadamente como prisioneiras libertadas no momento em que botam as mãos neles. Em geral, as crianças comem nas festas de aniversário, nos eventos escolares e como um momento especial ocasional. Nessas ocasiões, costumam ter a liberdade de comer o quanto quiserem. Quando tento limitar a ingestão dos meninos de doces e bolo de chocolate na festa de Natal da creche, uma das cuidadoras intervém. Ela me diz que eu deveria deixá-los apreciar a festa e serem livres. Penso na minha amiga magra Virginie, que presta muita atenção ao que come nos dias de semana, mas come o que quer nos fins de semana. As crianças também precisam de momentos em que as regras habituais não se apliquem.

Mas os pais decidem que momentos são esses. Quando deixo Bean na festa de aniversário de Abigail, uma garotinha de nosso prédio, ela é a primeira convidada a chegar. (Ainda não tínhamos descoberto que não se deve ser pontual em festas de aniversário de crianças.) A mãe de Abigail acabou de colocar pratos de biscoitos e doces na mesa. A menina pergunta à mãe se pode comer um pouco dos doces. A mãe diz *"non"* e explica que ainda não está na hora de comer. No que parece ser um pequeno milagre, Abigail olha com desejo para os doces e sai correndo com Bean para brincar em outro aposento.

O chocolate tem lugar mais regular nas vidas das crianças francesas. Os pais franceses de classe média falam sobre chocolate como se fosse um outro grupo alimentar, mas para ser comido com moderação. Quando Fanny descreve o que Lucie come em um dia típico, o cardápio inclui um pouco de biscoitos ou de bolo. "E é claro que ela vai querer chocolate em algum momento", diz Fanny.

Hélène dá chocolate quente para os filhos quando está frio. Ela serve no café da manhã, junto com um pedaço de baguete, ou no *goûter*, junto com biscoitos. Meus filhos adoram ler sobre T'choupi, um personagem de livro infantil francês que é um pinguim. Quando está doente, a mãe o deixa ficar em casa e beber chocolate quente. Levo meus filhos para ver a peça *Cachinhos de Ouro* em um teatro perto de casa. Os ursos não comem mingau de aveia; eles comem *bouillie au chocolat* (chocolate quente engrossado com farinha).

"É uma compensação por ir à escola, e acho que dá energia a eles", explica Denise, a profissional de ética médica. Ela evita o McDonald's e prepara o jantar das filhas todas as noites. Mas dá a cada uma delas uma barra de chocolate no café da manhã, junto com pão e um pouco de fruta.

As crianças francesas não ingerem uma quantidade enorme de chocolate; é uma barra pequena, ou uma xícara, ou um pedaço em um *pain au chocolat*. Elas comem com alegria e não esperam receber uma segunda porção. Mas o chocolate é um elemento nutricional para eles, e não um prazer proibido. Bean uma vez chega em casa depois do acampamento de verão da escola com um sanduíche de chocolate: uma baguete com uma barra de chocolate dentro. Fico tão surpresa que tiro uma foto do sanduíche. (Mais tarde, descubro que o sanduíche de chocolate, normalmente feito com chocolate meio amargo, é um *goûter* clássico francês.)

Com os doces, o *cadre* também é a chave. Os pais franceses não têm medo de alimentos doces. Em geral, servem bolo ou biscoitos no almoço ou no *goûter*. Mas não dão chocolate e nem sobremesas gordurosas para as crianças no jantar. "O que você come de noite fica em você durante anos", explica Fanny.

Depois do jantar, ela costuma servir frutas frescas ou uma compota de frutas, os onipresentes potes de purê de maçã com outras frutas misturadas. (Eles vêm com ou sem açúcar.) Há uma seção de compotas nos supermercados franceses. Fanny diz que também compra todos os tipos de iogurte natural e geleias para Lucie misturar neles.

Como na maioria das áreas, os pais franceses querem durante as refeições dar às crianças limites firmes e liberdade dentro desses limites. "São coisas como sentar à mesa e provar de tudo", explica Fanny. "Não a forço a terminar, só a experimentar de tudo e ficar sentada conosco."

Não sei exatamente quando comecei a servir refeições em etapas de diferentes pratos para os meus filhos. Mas, agora, faço em todas as refeições. É um toque francês de genialidade. Começa no café da manhã. Quando as crianças se sentam, coloco pratos de frutas cortadas na mesa. Elas mordiscam as frutas enquanto apronto as torradas ou o cereal. Podem tomar suco no café da manhã, mas sabem que, no almoço e no jantar, bebemos água. Nem a sindicalista reclama disso. Conversamos sobre o quanto a água nos faz sentir limpos.

No almoço e no jantar, sirvo os legumes e as verduras primeiro, quando as crianças estão com mais fome. Não seguimos para o prato principal enquanto não tiverem comido um pouco da entrada. Normalmente, comem tudo. Exceto quando apresento um prato completamente novo, raramente preciso recorrer à regra de ao menos experimentar. Se Leo não quer comer um alimento na primeira vez em que o sirvo, costuma concordar em pelo menos cheirar, e dá uma mordida pouco tempo depois.

Bean às vezes explora a regra ao pé da letra e come só um pedaço de abobrinha e depois insiste que cumpriu a obrigação. Ela recentemente declarou que prova tudo, "menos salada", que é como ela se refere a folhas verdes de alface. Mas, na maior parte, gosta das entradas que servimos. Isso inclui abacate fatiado, tomate com molho vinagrete ou brócolis cozido no vapor com um pouco de molho de soja. Todos rimos quando sirvo *carottes rapées* (cenoura ralada com molho vinagrete) e eu tento pronunciar.

Meus filhos vão para a mesa com fome porque, exceto pelo *goûter*, eles não beliscam. O fato de as outras crianças ao redor deles não beliscarem ajuda. Mas, mesmo assim, chegar a esse ponto exigiu vontade inflexível. Eu simplesmente não cedo a pedidos de um pedacinho de pão ou de uma banana entre as refeições. E, conforme as crianças foram ficando mais velhas, elas pararam de pedir. Se pedem, eu digo "não, você vai jantar em meia hora". A não ser que estejam muito cansadas, costumam aceitar isso. Tenho uma sensação de vitória quando estou no supermercado com Leo, ele aponta para uma caixa de biscoitos e diz: *"Goûter."*

Tento não ser fanática quanto a isso (ou, como Simon descreve, "mais francesa do que os franceses"). Quando estou cozinhando, ocasionalmente dou provas para as crianças: um pedaço de tomate ou alguns grãos de bico. Quando vou apresentar um ingrediente novo, como pinhão, ofereço alguns pedaços a eles enquanto cozinho, para que se acostumem. Posso até dar a eles um ramo de salsa (mas não chamo de lanche). Obviamente, eles bebem água sempre que querem.

Às vezes, manter meus filhos no *cadre* alimentar parece muito trabalhoso. Principalmente quando Simon viaja, fico tentada a pular a entrada, colocar uma tigela de macarrão na frente deles e chamar de jantar. Quando ocasionalmente faço isso, eles ficam felizes com a oportunidade. Ninguém clama por salada e legumes.

Mas as crianças não têm escolha. Como uma mãe francesa, aceitei que é meu dever ensiná-los a gostar de uma variedade de sabores e a fazerem refeições que são *équilibrées*. Também como uma mãe francesa, tento manter o cardápio do dia balanceado na minha cabeça. Costumamos seguir a fórmula francesa de fazer almoços maiores com bastante proteína e jantares mais leves priorizando os carboidratos com legumes e verduras. As crianças comem muita massa, mas eu tento variar o formato e o molho. Sempre que tenho tempo, faço uma grande panela de sopa para o jantar (mas não consigo bater tudo em forma de creme) e sirvo com arroz ou pão.

Não é surpreendente que as crianças achem a comida mais apetitosa quando é feita com ingredientes frescos e tem boa aparência. Considero o equilíbrio de cores nos pratos e ocasionalmente coloco algumas fatias de tomate ou abacate se o jantar parecer monótono. Temos uma coleção de pratos coloridos de melamina. Mas, no jantar, uso os brancos, o que faz com que as cores da comida se destaquem, além de mostrar para as crianças que estamos fazendo uma refeição adulta.

Tento deixar que se sirvam o máximo possível. Quando os meninos eram bem pequenos, eu passava um pote de queijo parmesão ralado nas noites em que comíamos massa e deixava que eles se servissem. Eles podem colocar uma colher de açúcar no chocolate quente e ocasionalmente no iogurte. Bean costuma pedir uma fatia de camembert ou de algum outro queijo que tenhamos em casa no final da refeição. Exceto por ocasiões especiais, não comemos bolo e nem sorvete à noite. E não sirvo sanduíches de chocolate.

Demorou um tempo para tornar isso tudo natural. O fato de os meninos em particular gostarem de comer ajuda bastante. Uma das professoras deles na creche os chama de gourmands, que é uma forma educada de dizer que comem muito. Ela diz que a palavra favorita deles é *encore* (mais). Eles desenvolveram o hábito irritante, possivelmente aprendido na creche, de levantar o prato no final da refeição para mostrar que terminaram. Qualquer molho ou líquido que tenha sobrado derrama em cima da mesa. (Acho que na creche eles limpam o molho com pedaços de baguete.)

Os doces não são mais proibidos em nossa casa. Agora que oferecemos com moderação, Bean não trata cada bala como se fosse a última. Quando está muito frio, faço chocolate quente para as crianças de manhã. Sirvo com baguete do dia anterior, amaciada levemente no micro-ondas, e fatias de maçã, que elas mergulham na bebida. Parece um café da manhã bem francês.

A receita de Hélène de *chocolat chaud*

(serve cerca de 6 xícaras)

1-2 colheres de chá de cacau em pó

1 litro de leite desnatado

Açúcar a gosto

Em uma panela, misture de uma a duas colheres de chá de cacau em pó (sem açúcar) com uma pequena quantidade de leite frio ou à temperatura ambiente. Misture bem para formar uma pasta grossa. Acrescente o resto do leite e mexa (o chocolate deve se espalhar homogeneamente pelo leite). Aqueça em fogo médio até a mistura ferver. Deixe que o chocolate quente esfrie, tire qualquer pele que tenha se formado na superfície e sirva em canecas com colheres. Deixe que as crianças acrescentem o açúcar à mesa.

Versão rápida de café da manhã

Em uma caneca grande, misture uma colher de chá de cacau em pó e uma pequena quantidade de leite; mexa até formar uma pasta. Encha o resto da caneca com leite e misture. Aqueça a caneca no micro-ondas por 2 minutos ou até ficar bem quente. Misture uma colher de chá de açúcar. Sirva partes desse chocolate quente concentrado em várias canecas. Acrescente leite frio ou à temperatura ambiente em cada caneca. Sirva com uma baguete crocante ou com pão torrado.

Capítulo 13

Sou eu quem decide

Leo, o gêmeo moreno, faz tudo rapidamente. Não quero dizer que é superdotado. Quero dizer que ele se move no dobro da velocidade dos humanos normais. Aos 2 anos, desenvolveu um físico de corredor de tanto correr de aposento a aposento. Ele até fala rápido. Conforme o aniversário de Bean se aproxima, ele começa a cantar "Parabénspravocê" em um grito agudo. A música toda acaba em poucos segundos.

É muito difícil controlar esse pequeno furacão. Ele já consegue praticamente ser mais rápido do que eu. Quando vou ao parque com ele, fico em constante movimento também. Ele parece ver os portões ao redor do parquinho como um convite para sair.

Uma das partes mais impressionantes da educação francesa, e talvez a mais difícil de dominar, é a autoridade. Muitos pais franceses que conheço têm uma autoridade calma e tranquila com os filhos que só consigo invejar. Os filhos realmente os ouvem. As crianças francesas não saem correndo constantemente, não respondem e nem se empenham em negociações prolongadas. Mas como exatamente os pais franceses conseguem isso? E como posso adquirir essa autoridade mágica?

Em uma manhã de domingo, minha vizinha Frederique me testemunha tentando lidar com Leo quando levamos nossos filhos ao parque. Frederique é uma agente de viagens da Borgonha. Está com 40 e poucos anos, tem voz rouca e jeito prático. Depois de anos de burocracia, ela adotou Tina, uma bela ruiva de 3 anos, em um orfanato russo. Na época desse evento no parque, ela é mãe há três meses.

Mas Frederique já está me ensinando sobre *éducation*. Só pelo fato de ser francesa, ela tem uma visão completamente diferente do que é *possible* e do que é *pas possible*. Isso fica claro na caixa de areia. Frederique e eu estamos sentadas em uma beirada da caixa, tentando conversar. Mas Leo fica correndo para fora do portão que cerca a caixa de areia. Cada vez que ele faz isso, eu me levanto para ir atrás dele, dou uma bronca e o arrasto de volta enquanto ele grita. É irritante e exaustivo.

A princípio, Frederique assiste a esse pequeno ritual em silêncio. Depois, sem qualquer condescendência, diz que, se eu correr atrás de Leo todas as vezes, não vamos conseguir nos permitir o pequeno prazer de nos sentar e conversar por alguns minutos.

"É verdade", eu digo. "Mas o que posso fazer?"

Frederique diz que devo ser mais dura com Leo, para que ele saiba que não é certo sair da caixa de areia. "Senão você vai correr atrás dele o tempo todo, não vai dar certo", diz ela. Na minha mente, passar a tarde correndo atrás de Leo é inevitável. Na mente dela, é *pas possible*.

A estratégia de Frederique não parece ser muito promissora para mim. Eu observo que chamo a atenção de Leo há vinte minutos. Frederique sorri. Ela diz que preciso tornar meu "não" mais forte e realmente acreditar nele.

Na próxima vez em que Leo tenta correr para fora do portão, eu digo "não" com mais rigidez do que o habitual. Ele vai mesmo assim. Eu vou atrás e o arrasto de volta.

"Está vendo?", eu digo para Frederique. "Não é possível."

Frederique sorri de novo e diz que preciso tornar meu "não" mais convincente. O que me falta, diz ela, é acreditar que ele vai mesmo ouvir. Ela me diz para não gritar, mas sim falar com mais convicção.

Tenho medo de apavorá-lo.

"Não se preocupe", diz Frederique, me estimulando.

Leo não escuta na vez seguinte também. Mas eu gradualmente sinto meus "nãos" vindo de um lugar mais convincente. Não são mais altos, mas sim mais seguros. Sinto como se estivesse personificando uma espécie diferente de mãe.

Na quarta tentativa, quando estou finalmente esbanjando convicção, Leo chega perto do portão, mas, milagrosamente, não o abre. Ele olha para trás e me observa com cautela. Arregalo os olhos e tento fazer expressão de reprovação.

Depois de uns dez minutos, Leo para de tentar sair. Ele parece esquecer o portão e fica brincando na caixa de areia com Tina, Joey e Bean. Em pouco tempo, Frederique e eu estamos conversando com as pernas esticadas à nossa frente.

Fico chocada de Leo de repente me ver como figura de autoridade. "Está vendo?", diz Frederique, sem se gabar. "Foi seu tom de voz."

Ela comenta que Leo não parece traumatizado. Naquele momento, e provavelmente pela primeira vez na vida, ele parece uma criança francesa de verdade. Com meus três filhos repentinamente *sage* ao mesmo tempo, consigo sentir meus ombros relaxando um pouco. É uma experiência que nunca tive no parquinho antes. Será que é assim ser uma mãe francesa?

Eu me sinto relaxada, mas também me sinto tola. Se é tão fácil, por que não faço isso há anos? Dizer "não" não é exatamente uma técnica nova de educação. O que é novo é o ensinamento de Frederique de como deixar a ambivalência de lado e ser mais assertiva quanto à minha autoridade. O que ela me diz deriva da própria criação dela e de suas crenças mais profundas. Parece bom-senso.

Frederique tem a mesma certeza de que o que é mais agradável para nós, pais (poder ter uma conversa relaxante no parque enquanto as crianças brincam), também é melhor para as crianças. Isso parece ser verdade. Leo fica bem menos estressado do que meia hora antes. Em vez de um ciclo constante de escapada e reaprisionamento, ele está brincando alegremente com as outras crianças.

Estou pronta para engarrafar minha nova técnica, o "não" do fundo do peito, e vender em uma carrocinha. Mas Frederique me avisa que não existe elixir mágico para fazer as crianças respeitarem sua autoridade. É sempre um trabalho em desenvolvimento. "Não há regras fixas", diz ela. "Você precisa sempre mudar o que faz."

Isso é uma pena. Então o que mais explica por que os pais franceses como Frederique têm tanta autoridade com os filhos? Como exatamente os pais franceses incorporam a autoridade, dia após dia, jantar após jantar? E como posso conseguir mais disso?

Uma amiga minha diz que, se estou interessada em autoridade, preciso conversar com a prima dela, Dominique. Ela diz que Dominique, uma cantora francesa que cria três filhos em Nova York, é uma especialista não oficial nas diferenças entre pais franceses e americanos.

Dominique, de 43 anos, parece uma heroína de filme da *nouvelle vague*. Tem cabelos pretos, feições delicadas e um olhar intenso de gazela. Se eu fosse mais magra, mais bonita e soubesse cantar, eu diria que ela e eu estamos vivendo vidas espelhadas: ela é uma parisiense que cria os filhos em Nova York. Eu sou uma ex-nova-iorquina que cria os filhos em Paris. Morar na França me deixou mais calma e menos neurótica. Mas, apesar da boa e sensual aparência de Dominique, ela adotou a energética autoanálise que deriva da vida em Manhattan. Ela fala inglês entusiasmado com sotaque francês, pontuado de *"like"* e *"oh my God"*.

Dominique chegou a Nova York com 22 anos, quando era estudante. Ela planejava estudar inglês durante seis meses e voltar para casa. Mas Nova York rapidamente virou a casa dela. "Eu me sentia muito bem e estimulada, e tinha ótima energia, coisa que eu não sentia em Paris havia muito tempo", diz ela. Ela se casou com um músico americano.

Desde que engravidou pela primeira vez, Dominique se encantou com o jeito americano de criar filhos. "Há um grande senso de comunidade que, de certa forma, não existe tanto na França... Se você gosta de ioga e está grávida, bum! Você entra no grupo de grávidas que fazem ioga."

Ela também começou a reparar no modo como as crianças são tratadas nos Estados Unidos. Em um grande jantar de Ação de Graças com a família do marido, ela ficou impressionada de ver que, quando uma garota de 3 anos chegou, todos os vinte adultos à mesa pararam de conversar para se focar na criança.

"Eu pensei, ah, isso é incrível, essa cultura. É como se a criança fosse um deus, é mesmo incrível. Eu pensei, não é de surpreender que os americanos sejam tão confiantes e felizes, e os franceses sejam tão deprimidos. Aqui estamos nós, veja a atenção."

Mas, com o tempo, Dominique começou a ver esse tipo de atenção de uma maneira diferente. Ela reparou que a mesma menina de 3 anos que tinha feito a conversa do Dia de Ação de Graças parar estava desenvolvendo um senso de poder exagerado.

"Eu pensei: 'Já chega, essa criança realmente me irrita.' Ela vem e pensa que, porque está aqui, todo mundo tem que parar suas vidas e prestar atenção."

Dominique, cujos filhos têm 11, 8 e 2 anos, diz que suas dúvidas aumentaram quando ela ouviu alunos da pré-escola dos filhos respondendo às instruções da professora com "você não manda em mim". ("Você jamais veria isso na França, jamais", diz ela.) Quando ela e o marido eram convidados para jantar na casa de amigos americanos com filhos pequenos, ela acabava cozinhando quase tudo, porque os anfitriões ficavam ocupados tentando fazer os filhos ficarem na cama.

"Em vez de serem firmes e dizer 'chega disso, não vou mais dar atenção a você, está na hora de dormir e é a hora dos pais, agora é minha vez como adulto de estar com meus amigos, você já teve sua hora, e essa é nossa. E vá para a cama e pronto'. Bem, eles não fazem isso. Não sei por que não fazem, mas não fazem. Não conseguem. Continuam a servir os filhos. E vejo isso e fico impressionada."

Dominique ainda ama Nova York e prefere as escolas americanas às francesas. Mas, em questão de criação de filhos, ela cada vez mais recorreu aos hábitos franceses, com regras e limites claros.

"O jeito francês às vezes é rigoroso demais. Eles podiam ser um pouco mais gentis e simpáticos com os filhos, na minha opinião", diz ela. "Mas acho que o jeito americano é extremo demais e cria os filhos como se eles fossem os donos do mundo."

Acho difícil discutir com minha suposta cópia espelhada. Consigo visualizar os jantares que ela descreve. Os pais americanos, inclusive eu, costumam ser muito ambivalentes quanto a estarmos no comando. Em teoria, acreditamos que crianças precisam de limites. É uma obviedade do jeito americano de criar filhos. No entanto, na prática, costumamos não ter certeza de até onde esses limites devem ir ou ficamos pouco à vontade supervisionando-os.

"Eu sinto mais culpa por ficar zangado do que fico zangado", é como um colega de faculdade de Simon justifica o mau comportamento da filha de 3 anos. Uma amiga minha diz que o filho de 3 anos a mordeu. Mas ela "se sentiu mal" por gritar com ele porque sabia que o faria chorar. Então, deixou passar.

Os pais anglófonos têm medo de que ser rigoroso demais destrua a alma criativa do filho. Uma mãe americana de passagem por Paris ficou chocada quando viu um cercadinho em nosso apartamento. Aparentemente, nos Estados Unidos, até cercadinhos são vistos como aprisionadores. (Nós não sabíamos. Em Paris, são comuns.)

Uma mãe de Long Island me conta sobre o sobrinho com mau comportamento, cujos pais eram, aos olhos dela, alarmantemente permissivos. Mas ela diz que o sobrinho cresceu e se tornou chefe de oncologia em um grande centro médico americano, o que compensou o fato de ele ter sido uma criança insuportável. "Acho que as crianças que são muito inteligentes e não muito disciplinadas são intoleráveis quando pequenas. Mas acho que são menos limitadas criativamente quando ficam mais velhas", diz ela.

É muito difícil saber onde ficam os limites certos. Ao forçar Leo a ficar no cercadinho ou na caixa de areia, estou impedindo-o de um dia curar o câncer? Onde termina a liberdade de expressão dele e começa o mau comportamento desnecessário? Quando deixo meus filhos pararem e observarem cada tampa de bueiro na calçada, eles estão seguindo seus instintos de alegria ou estão virando pestinhas?

Muitos pais de língua inglesa que conheço se veem nessa estranha zona intermediária, em que estão tentando ser tanto o ditador quanto a musa para os filhos. O resultado é que acabam negociando constantemente. Tenho minha primeira experiência com isso quando Bean tem uns 3 anos. Nossa nova regra de casa é que ela pode ver 45 minutos de televisão por dia. Um dia, ela me pede para ver um pouco mais.

— Não. Você já teve seu tempo de televisão hoje — eu digo.

— Mas, quando eu era bebê, eu não assistia a televisão — diz ela.

Como nós, a maioria dos pais anglófonos que conheço tem pelo menos alguns limites. Mas com tantas filosofias de criação de filhos diferentes em jogo, há outros pais que se opõem completamente à autoridade. Conheço um deles em uma visita aos Estados Unidos.

Liz é designer gráfica na casa dos 30 anos, com uma filha de 5 anos chamada Ruby. Ela aponta facilmente suas principais influências na criação da filha: o pediatra William Sears, o autor Alfie Kohn e o behaviorista B. F. Skinner.

Quando Ruby se porta mal, Liz e o marido tentam convencer a filha de que o comportamento dela é moralmente errado. "Queremos acabar com comportamentos inaceitáveis sem recorrer ao poder", diz Liz. "Tento não explorar o fato de que sou maior e mais forte do que ela ao limitá-la fisicamente. De modo similar, tento não recorrer ao fato de que tenho todo o dinheiro dizendo 'você pode ter isso ou não'."

Fico tocada pelo esforço árduo de Liz para construir sua abordagem quanto à criação da filha. Ela não simplesmente adotou as regras de outra pessoa; ela cuidadosamente digeriu o trabalho de vários pensadores e desenvolveu um híbrido cuidadoso. O novo jeito de criar a filha que ela estabeleceu, diz, é um rompimento total com o modo como ela foi criada.

Mas há custos. Liz diz que seu estilo eclético e o desejo de não ser julgada por ele a isolaram de muitos dos vizinhos e conhecidos, e mesmo dos próprios pais. Liz conta que os pais ficam perplexos e desaprovam abertamente a maneira como ela cria Ruby, e que não pode mais conversar sobre isso com eles. As visitas são tensas, principalmente quando Ruby se comporta mal.

Apesar disso, Liz e o marido estão determinados a não ostentar autoridade. Ultimamente, Ruby vem batendo nos dois. Cada vez que ela faz isso, eles se sentam com ela e conversam sobre por que bater é errado. A conversa bem-intencionada não está ajudando. "Ela ainda bate em nós", diz Liz.

A França parece um planeta diferente. Mesmo os pais mais boêmios se gabam do quanto são rigorosos e parecem seguros de estarem no topo da hierarquia familiar. Em um país que reverencia revoluções e a superação de obstáculos, parece não haver anarquistas às mesas de jantar familiares.

"É paradoxal", admite Judith, natural da Bretanha, historiadora da arte e mãe de três filhos. Judith diz que é "antiautoridade" em suas visões políticas, mas que, quando se trata de criar os filhos, ela é a chefe e pronto. "Os pais estão acima das crianças", diz ela sobre a ordem familiar. Na França, ela explica, "dividir o poder com uma criança não existe".

Na mídia francesa e entre as gerações mais velhas, fala-se da síndrome sem limites do "filho rei". Mas, quando converso com pais em Paris, o que ouço o tempo todo é *"C'est moi qui décide"*, sou eu quem decide. Há outra variação um tanto mais militante, *"C'est moi qui comande"*, sou eu quem manda. Os pais dizem essas frases para lembrar tanto aos filhos quanto a si mesmos quem está no comando.

Para os americanos, essa hierarquia pode parecer tirania. Robynne é uma americana que mora nos arredores de Paris com o marido francês e os dois filhos, Adrien e Lea. Em um jantar de família no apartamento dela uma certa noite, ela me conta sobre levar Adrien ao pediatra quando ele era pequeno. Adrien chorou e se recusou a subir na balança, então Robynne se ajoelhou para persuadi-lo.

O médico a interrompeu. Ele disse: "Não explique para ele o motivo. Apenas diga: 'Porque sim. Você vai fazer isso, vai subir na balança e pronto, não tem discussão.'" Robynne ficou chocada. Ela diz que acabou mudando de pediatra porque achou esse severo demais.

O marido de Robynne, Marc, ouviu a história. "Não, não, não foi isso que ele falou!", diz Marc. Marc é jogador de golfe profissional e cresceu em Paris. É um daqueles pais franceses que parece emanar autoridade sem esforço algum. Reparo no modo como os filhos o escutam com atenção quando ele fala com eles e respondem imediatamente.

Marc diz que o médico não foi autoritário de uma forma abusada. Ao contrário, estava ajudando na *éducation* de Adrien. Marc se lembra do incidente de uma forma bem diferente.

"Ele disse que você precisa ser segura de si, que tem que pegar a criança e colocar na balança... Se você dá escolhas demais, ela não se sente segura... Você precisa mostrar para a criança que as coisas são assim e que não é um jeito bom ou ruim, apenas é assim.

"É um gesto simples, mas é o princípio de tudo", acrescenta Marc. "Tem certas coisas que você não precisa explicar. Você precisa pesar a criança, então você pega a criança e coloca na balança. Ponto. Ponto!"

Ele diz que o fato de Adrien achar a experiência desagradável foi parte da lição. "Às vezes, tem coisas na vida de que você não gosta realmente, mas tem que fazer", diz ele. "Você nem sempre faz o que ama ou o que quer."

Quando pergunto a Marc como conseguiu ter autoridade, fica claro que não é tão sem esforço quanto parece. Ele se dedicou bastante para estabelecer essa dinâmica com os filhos. Ter autoridade é uma coisa sobre a qual ele pensa muito e considera prioridade. Todo seu esforço deriva da crença de que ter um pai confiante deixa as crianças seguras.

— Para mim, é melhor ter um líder, alguém que me mostra o caminho — diz ele. — Uma criança precisa sentir que a mãe ou o pai estão no controle.

— Como quando você anda a cavalo — diz Adrien, agora com 9 anos.

— Boa comparação! — diz Robynne.

Marc acrescenta:

— Temos um dito em francês: é mais fácil soltar do que apertar o parafuso, o que significa que você precisa ser muito rigoroso. Se você for rigoroso demais, pode afrouxar. Mas se for permissivo demais... para apertar depois, é melhor esquecer.

Marc está descrevendo o *cadre* que os pais franceses passam os primeiros anos da vida da criança construindo. Eles o constroem em parte estabelecendo seu próprio direito de às vezes dizer "suba na balança".

Os pais americanos como eu apenas supõem que vão ter que correr atrás dos filhos no parque a tarde toda ou passar metade do jantar colocando-os na cama. É irritante, mas passou a parecer normal.

Para os pais franceses, morar com um filho rei parece um desequilíbrio violento e é ruim para toda a família. Eles acham que tiraria boa parte do prazer do dia a dia, tanto para os pais quanto para as crianças. Eles sabem que construir esse *cadre* requer enorme esforço, mas acreditam que a alternativa é inaceitável. É óbvio para os pais franceses que o *cadre* é a única coisa entre eles e um "boa-noite" de duas horas.

"Nos Estados Unidos, todos aceitam que, quando têm filhos, seu tempo não é mais seu", diz Marc. No ponto de vista dele, "os filhos precisam entender que não são o centro das atenções. Precisam entender que o mundo não gira ao redor deles."

Então, como os pais constroem esse *cadre*? O processo de construção ocasionalmente parece implacável. Mas não se trata apenas de dizer não e estabelecer que "sou eu quem decide". Outra forma de os pais e educadores franceses construírem o *cadre* é simplesmente falando muito sobre ele. Ou seja, eles passam muito tempo dizendo para os filhos o que pode e o que não pode. Toda essa conversa parece fazer o *cadre* começar a existir. Ele começa a assumir uma presença quase física, assim como um bom mímico pode convencer você de que o muro invisível está lá.

Essa conversa contínua sobre o *cadre* costuma ser educada. Os pais dizem muito por favor, mesmo para os bebês. (Eles também precisam ser tratados com educação, é claro, pois entendem tudo o que é dito.) Ao definir limites para as crianças, os pais franceses costumam usar a linguagem dos direitos. Em vez de dizer "não bata em Jules", eles costumam dizer "você não tem o direito de bater em Jules". É mais do que uma diferença semântica. A sensação é diferente ao se dizer assim. A formulação francesa sugere que há um sistema fixo e coerente de direitos, ao qual tanto as crianças quanto os adultos podem se referir. Também deixa claro que a criança *tem* o direito de fazer outras coisas.

As crianças incorporam essas palavras e passam a policiar umas às outras. Uma cantiga escolar de crianças pequenas diz: *"Oh lala, on a pas le droit de faire ça!"* (Oh lá lá, não temos o direito de fazer isso!)

Outra expressão que os adultos usam muito com as crianças é "eu não concordo", como em "não concordo com você jogar ervilhas no chão". Os pais dizem isso em um tom sério e olhando diretamente para a criança. "Não concordo" também é mais do que apenas um "não". Estabelece o adulto como outra mente, que a criança precisa considerar. E dá à criança o crédito de ter seu próprio ponto de vista sobre as ervilhas, mesmo se essa visão for rejeitada. Jogar ervilhas é visto como uma coisa que a criança decidiu racionalmente fazer, então ela pode também decidir fazer o contrário.

Isso pode ajudar a explicar por que o horário das refeições na França é tão calmo. Em vez de esperar uma grande crise e recorrer a punições dramáticas, os pais e cuidadores se concentram em fazer vários ajustes pequenos, educados e preventivos, baseados em regras bem-estabelecidas.

Vejo isso na creche, quando me sento com as crianças de 1 ano e meio para outro fabuloso almoço de quatro pratos. Seis criancinhas usando babadores atoalhados cor-de-rosa iguais estão sentadas ao redor de uma mesa retangular enquanto Anne-Marie inspeciona a refeição. A atmosfera é extremamente calma. Anne-Marie descreve os alimentos em cada prato e diz para as crianças o que vem a seguir. Reparo que ela observa com atenção tudo o que as crianças fazem e, sem erguer a voz, comenta sobre pequenas infrações.

"*Doucement*, com delicadeza. Não fazemos isso com a colher", diz ela para um menino que começou a bater com a colher na mesa. "Não, não, não, não tocamos no queijo, é pra depois", diz ela para outro. Quando ela fala com uma criança, sempre olha nos olhos dela.

Os pais e cuidadores franceses nem sempre recorrem a esse nível de microgerenciamento. Já reparei que eles tendem a fazer mais isso nos horários das refeições, quando há mais pequenos gestos e regras, e mais risco de caos se as coisas dão errado. Anne-Marie faz essa combinação de conversa e correções durante a refeição de trinta minutos. No final, os rostos das crianças estão sujos de comida. Mas só tem uma migalha ou duas no chão.

Como Marc e Anne-Marie, os pais e cuidadores franceses que conheço têm autoridade sem parecerem ditadores. Eles não aspiram criar robôs obedientes. Ao contrário, escutam e conversam com as crianças o tempo todo. Na verdade, os adultos que conheço que têm mais autoridade conversam com crianças não como donos da verdade, mas como iguais. "Você sempre deve explicar a razão" de uma coisa proibida, me diz Anne-Marie.

Quando pergunto a pais franceses o que mais querem para os filhos, eles dizem coisas como "se sentirem à vontade com quem são" e "encontrar seu caminho no mundo". Eles querem que os filhos desenvolvam seus próprios gostos e opiniões. Na verdade, os pais franceses têm medo de os filhos serem dóceis demais. Eles querem que os filhos tenham personalidade.

Mas eles acreditam que as crianças conseguem alcançar esses objetivos só se respeitarem os limites e tiverem autocontrole. Assim, junto com a personalidade, tem que haver o *cadre*.

* * *

É difícil ficar perto de tantas crianças bem-comportadas e perto de pais com tantas expectativas altas. Dia após dia, fico constrangida quando os meninos começam a gritar alto ou choramingar, praticamente todas as vezes em que passamos pelo pátio entre nosso elevador e a entrada principal do prédio. É como um anúncio para as dezenas de pessoas cujos apartamentos dão para o pátio: os americanos chegaram!

Bean e eu somos convidadas para ir à casa de uma colega da escola dela para o *goûter* em uma tarde durante o recesso de Natal. O lanche das crianças é chocolate quente e biscoitos (para mim, chá). Quando estamos todas sentadas ao redor da mesa, Bean decide que é um bom momento para fazer algumas *bêtises*. Ela toma um grande gole de chocolate quente e cospe de volta na caneca.

Morro de vergonha. Eu chutaria Bean por debaixo da mesa se pudesse ter certeza de qual par de pernas era dela. Sussurro para que ela pare, mas não quero estragar o momento fazendo uma confusão muito grande. Enquanto isso, as três filhas da nossa anfitriã estão sentadas com uma atitude muito *sage* ao redor da mesa, mordiscando os biscoitos.

Eu vejo como os pais franceses constroem *cadres*. O que não entendo é como calmamente mantêm as crianças dentro do *cadre*. Não consigo deixar de pensar no adágio: se você quer manter um homem em uma vala, precisa entrar na vala com ele. É um pouco assim na nossa casa. Se eu mando Bean para o quarto dela, tenho que ficar lá com ela, senão ela sai de novo.

Com o poder que sinto depois do episódio no parque com Leo, estou tentando ser rigorosa o tempo todo. Mas nem sempre funciona. Não tenho certeza de quando devo apertar o parafuso e quando devo afrouxar.

Em busca de orientação, marco um almoço com Madeleine, uma babá francesa que trabalhou para Robynne e Marc. Ela mora em uma pequena cidade na Bretanha, no oeste da França, mas trabalha atualmente no turno da noite com um bebê recém-nascido em Paris. (A criança está "procurando suas noites", diz Madeleine.)

Madeleine, de 63 anos, é mãe de três meninos. Tem cabelo curto castanho ficando grisalho e sorriso caloroso. Ela irradia aquela certeza total que vejo em Frederique e outros pais e mães franceses que conheço. Como eles, ela tem uma convicção calma quanto a seus métodos.

"Quanto mais mimada uma criança é, mais infeliz ela é", diz ela quase assim que nos sentamos.

Então, como ela mantém as crianças de quem cuida na linha?

"Les gros yeux", diz ela. Isso significa "os grandes olhos". Madeleine os demonstra para mim à mesa. Quando faz isso, ela de repente se transforma de uma senhora com jeito de avó com suéter e cachecol cor-de-rosa combinando em coruja de aspecto assustador. Mesmo só em demonstração, ela tem muita convicção.

Quero aprender a fazer "os grandes olhos" também. Quando nossas saladas chegam, nós praticamos. A princípio, tenho dificuldade em fazer a coruja sem cair na risada. Mas, assim como com Frederique no parque, quando finalmente chego ao ponto da real convicção, sinto a diferença. Nesse momento, não sinto vontade de rir.

Madeleine diz que não está apenas tentando assustar as crianças para que sejam submissas. Ela diz que "os grandes olhos" funcionam melhor quando ela tem uma ligação forte com a criança e quando há respeito mútuo. Madeleine diz que a parte mais satisfatória do trabalho dela é desenvolver "cumplicidade" com uma criança, como se elas vissem o mundo do mesmo jeito, e quando ela quase sabe o que a criança está prestes a fazer antes que ela faça. Chegar a esse ponto exige observá-la com atenção, conversar com ela e confiar nela com certas liberdades.

Para construir um relacionamento com uma criança no qual os grandes olhos funcionem, ela diz que a rigidez precisa vir com flexibilidade, incluindo dar às crianças autonomia e escolhas. "Acho que você precisa deixar [para as crianças] um pouco de liberdade, deixar que as personalidades apareçam", diz ela.

Madeleine não vê contradição entre ter essa forte relação recíproca e ser bastante firme. A autoridade dela parece vir de dentro do relacionamento com as crianças, e não de cima. Ela consegue equilibrar cumplicidade e autoridade. "Você precisa ouvir a criança, mas fixar os limites depende de você", diz ela.

Os grandes olhos são famosos na França. Bean tinha medo deles na creche. Muitos adultos franceses ainda se lembram de receber esse olhar e outras expressões similares.

"Ela tinha um jeito de olhar", diz Clotilde Dusoulier, a escritora gastronômica francesa, sobre a mãe. Com o pai e a mãe, "havia um tom de voz que eles usavam quando de repente sentiam que você tinha passado de um limite. Eles tinham uma expressão facial que era dura e irritada e nada feliz. Eles diziam: 'Não, não se diz isso.' Você se sentia punido e um pouco humilhado. Mas passava."

O que é interessante para mim é que Clotilde se lembra de *les gros yeux*, e do *cadre* que o olhar reforçava, com muito carinho. "Ela sempre foi muito clara quanto ao que podia e o que não podia", diz ela sobre a mãe. "Ela conseguia ao mesmo tempo ser carinhosa e ter autoridade sem elevar a voz."

Falando em elevar a voz, eu pareço fazer isso bastante. Gritar parece funcionar às vezes para fazer com que as crianças escovem os dentes ou lavem as mãos antes do jantar. Mas exige muito de mim e cria um ambiente terrível. Quanto mais alto eu grito, pior me sinto depois, e mais cansada fico.

Os pais franceses falam com severidade com os filhos. Mas eles preferem escolher momentos estratégicos a um bombardeio constante. Gritar é reservado para momentos importantes, quando eles querem deixar alguma coisa bem clara. Quando grito com meus filhos no parque ou em casa quando estamos recebendo amigos franceses, os pais parecem alarmados, como se achassem que aconteceu uma ofensa grave.

Os pais americanos como eu costumam ver a imposição de autoridade em termos de disciplina e punição. Os pais franceses não falam muito sobre essas coisas. Em vez disso, eles falam sobre *éducation* dos filhos. Como a palavra sugere, trata-se de gradualmente ensinar à criança o que é aceitável e o que não é.

A ideia de que você está ensinando, e não vigiando, deixa o tom bem mais leve na França. Quando Leo se recusa a usar os talheres no jantar, tento imaginar que o estou ensinando a usar um garfo, assim como eu gostaria de ensinar a ele as letras do alfabeto. Isso torna mais fácil para mim ficar paciente e calma. Não me sinto mais desrespeitada e zangada quando ele não obedece imediatamente. E, retirando parte do estresse da situação, ele fica mais disposto a tentar. Eu não grito, e o jantar é mais agradável para todo mundo.

Eu demoro um tempo para perceber que os pais franceses e americanos usam a palavra "severo" diferentemente. Quando os americanos descrevem alguém como severo, costumam querer dizer que a pessoa tem uma autoridade abrangente. A imagem de um professor carrancudo e sem alegria vem à mente. Não conheço muitos pais americanos que usam essa palavra para descrever a si mesmos. Mas quase todos os pais franceses que conheço, sim.

Mas os pais franceses querem dizer uma coisa diferente dos americanos quando chamam a si mesmos de "severos". Eles querem dizer que são severos com certas coisas e relaxados com todas as outras. É o modelo do *cadre*: uma moldura firme cercando muita liberdade.

"Devemos deixar a criança o mais livre possível, sem impor regras inúteis", diz Françoise Dolto em *As etapas decisivas da infância*. "Devemos dar a ela apenas o *cadre* de regras que são essenciais para a segurança dela. E ela vai entender com a experiência, quando tentar transgredir, que elas são essenciais e que não fazemos as coisas apenas para incomodá-la." Em outras palavras, ser severo com algumas coisas essenciais faz os pais parecerem mais razoáveis e torna mais provável que as crianças obedeçam.

Fiéis ao espírito de Dolto, os pais parisienses de classe média me dizem que não costumam ficar nervosos com *bêtises* menores, aqueles pequenos atos de desobediência. Eles acham que é apenas parte de ser criança. "Acho que, se todo mau comportamento é tratado no mesmo nível, como eles vão saber o que é importante?", me diz minha amiga Esther.

Mas esses mesmos pais dizem que imediatamente reagem a certos tipos de infração. As áreas de tolerância zero variam. Mas quase todos os pais que conheço dizem que a área principal onde não há negociação é o respeito aos outros. Estão se referindo a todos aqueles *bonjours*, *au revoirs* e *mercis*, e também a falar com respeito com os pais e outros adultos.

Agressão física é outra área comum interditada. As crianças americanas costumam se safar ao bater nos pais, embora saibam que não devem. Os adultos franceses que conheço não toleram isso em absoluto. Bean me bate uma vez na frente de nosso vizinho Pascal, um solteirão boêmio na casa dos 50 anos. Pascal costuma ser um homem tranquilo, mas ele imediatamente inicia um sermão severo sobre "não se faz isso". Fico impressionada com a convicção repentina dele. Consigo ver que Bean também fica impressionada.

Na hora de dormir, dá para ver o equilíbrio francês entre ser severo com algumas coisas e tranquilo com quase todo o resto. Alguns pais franceses me dizem que na hora de dormir os filhos têm que ficar no quarto. Mas, dentro do quarto, podem fazer o que quiserem.

Introduzo esse conceito para Bean e ela gosta muito. Ela não se concentra no fato de que está confinada no quarto. Em vez disso, fica dizendo com orgulho: "Posso fazer o que eu quiser." Ela costuma brincar ou ler por um tempo, depois vai para a cama sozinha.

Quando os meninos têm cerca de 2 anos e estão dormindo em camas e não mais berços, introduzo o mesmo princípio. Como eles dividem o quarto, as coisas tendem a ser mais turbulentas. Ouço muitos Legos caindo. Mas, a não ser que pareça perigoso, evito voltar depois que dei boa-noite.

Às vezes, se está ficando tarde e eles ainda estão acordados, eu entro e digo que é hora de dormir e que vou apagar a luz. Eles não parecem ver isso como uma violação do princípio de fazer o que eles quiserem. A essa altura, costumam estar exaustos e sobem na cama.

Para me distanciar ainda mais do meu jeito preto e branco de ver a autoridade, visito Daniel Marcelli, que é chefe de psiquiatria infantil em um grande hospital de Poitiers e autor de mais de 12 livros, incluindo um recente chamado *Il est permis d'obéir* (É permitido obedecer). O livro é para pais, mas, tipicamente, também é uma reflexão sobre a natureza da autoridade. Marcelli desenvolve seus argumentos em longas exposições, citando Hannah Arendt e se deleitando em paradoxos.

O paradoxo favorito dele é que, para os pais poderem ter autoridade, eles devem dizer sim quase o tempo todo. "Se você sempre proíbe, você é autoritário", me diz Marcelli sobre uma xícara de café e chocolates. Ele diz que o ponto principal da autoridade parental é autorizar as crianças a fazerem as coisas, não impedi-las.

Marcelli dá o exemplo de uma criança que quer uma laranja ou um copo de água ou tocar em um computador. Ele diz que a atual "educação liberal" francesa dita que a criança deve pedir antes de tocar ou pegar essas coisas. Marcelli aprova a ideia de pedir, mas diz que a resposta dos pais deve quase sempre ser sim.

Os pais "devem apenas proibir de vez em quando... porque é frágil ou perigoso. Mas, fundamentalmente, [o trabalho do pai ou da mãe] é ensinar a criança a pedir antes de pegar".

Marcelli diz que, embutido nessa dinâmica, está um objetivo a longo termo, com seu próprio paradoxo: se tudo é feito certo, a criança vai acabar chegando a um ponto em que também pode escolher desobedecer.

"O sinal de uma educação bem-sucedida é ensinar a criança a obedecer até poder autorizar a si mesma livremente a desobedecer de tempos em tempos. Afinal, pode-se aprender a desobedecer certas ordens se não se aprendeu a obedecer?"

"A submissão deprecia", explica Marcelli. "Já a obediência permite que uma criança cresça." (Ele também diz que as crianças devem ver um pouco de televisão, para que tenham cultura compartilhada com outras crianças.)

Para seguir o argumento todo de Marcelli sobre autoridade, ajudaria ter sido criada na França, onde há aula de filosofia no ensino médio. O que entendo é que parte do sentido de construir um *cadre* tão firme para as crianças é que elas possam às vezes sair do *cadre*, e ele ainda estará lá quando elas voltarem.

Marcelli está repetindo outro ponto que ouvi bastante na França: sem limites, a criança vai ser consumida por seus próprios desejos. ("Por natureza, o ser humano não conhece limites", diz Marcelli.) Os pais franceses enfatizam o *cadre* porque sabem que, sem limites, as crianças vão ser dominadas por seus próprios desejos. O *cadre* ajuda a conter todo esse tormento interior e o acalmar.

Isso poderia explicar por que meus filhos são praticamente os únicos a ter crises de birra no parque em Paris. Um ataque de birra acontece quando uma criança é dominada por seus próprios desejos e não consegue se fazer parar. As outras crianças estão acostumadas a ouvir *non* e a ter que aceitar. As minhas não estão. Meu "não" é casual e fraco para eles. Não detém a cadeia de desejos.

Marcelli diz que as crianças com *cadre* podem ser criativas e "despertas", um estado que os pais franceses também descrevem como "desabrochar". O ideal francês é promover o desabrochar da criança dentro do *cadre*. Ele diz que uma pequena minoria de pais franceses acha que desabrochar é a única coisa importante e não constroem um *cadre* para os filhos. Fica bem claro o que Marcelli pensa desse grupo. Os filhos dessas pessoas, diz ele, "não se saem bem e sentem desespero em todos os sentidos".

Fico muito impressionada com esse novo ponto de vista. De agora em diante, estou determinada a ter autoridade sem ser autoritária. Quando estou colocando Bean na cama uma certa noite, digo para ela que sei que ela precisa fazer *bêtises* às vezes. Ela parece aliviada. É um momento de cumplicidade.

"Você pode dizer isso pro papai?", pergunta ela.

Bean, que afinal passa os dias em uma escola francesa, tem uma noção melhor de disciplina do que eu. Uma certa manhã, estou no saguão do nosso prédio. Simon está viajando, estou sozinha com as crianças e estamos atrasados. Preciso que os meninos sentem no carrinho para poder levar Bean correndo para a escola e depois levá-los para a creche. Mas os meninos se recusam a se sentar no carrinho duplo. Eles querem andar, o que vai demorar ainda mais. Além disso, estamos no pátio do prédio, então os vizinhos podem ouvir e até assistir a toda a conversa. Eu evoco a autoridade pré-café que consigo e insisto que eles devem se sentar. Não faz efeito nenhum.

Bean também está me observando. Ela claramente acredita que eu deveria conseguir convencer dois menininhos.

"Apenas diga 'um, dois, três'", diz ela, com irritação considerável. Aparentemente, é isso que as professoras dizem quando querem que uma criança coopere.

Dizer um, dois, três não é ciência exata. Alguns pais americanos também dizem. Mas a lógica por trás disso é muito francesa. "Dá um tempo à criança e é respeitoso com ela", diz Daniel Marcelli.[1] A criança deveria poder ter um papel ativo em obedecer, o que requer dar a ela tempo de responder.

Em *Il est permis d'obéir*, Marcelli dá o exemplo de uma criança que pega uma faca afiada. "A mãe olha para ela e diz, com o rosto 'frio', o tom firme e neutro e as sobrancelhas ligeiramente franzidas: 'Largue isso!'" Nesse exemplo, a criança olha para a mãe, mas não se move. Quinze segundos depois, a mãe acrescenta, em um tom firme: "Largue isso imediatamente" e, dez segundos depois, "Entendeu?".

Na história de Marcelli, o garotinho coloca a faca sobre a mesa. "O rosto da mãe relaxa, a voz dela fica mais doce e ela diz para ele: 'Muito bem.' Em seguida, ela explica para ele que é perigoso e que ele podia ter se cortado com a faca."

Marcelli observa que, embora a criança tenha sido obediente no final, ela também foi uma participante ativa. Houve respeito recíproco. "A criança obedeceu, a mãe agradece, mas não excessivamente, a criança reconhece a autoridade... Para que isso aconteça, deve haver palavras, tempo, paciência e reconhecimento recíproco. Se a mãe tivesse corrido até ela e arrancado a faca das mãos dela, ela não teria entendido quase nada."

É difícil atingir um equilíbrio entre ser o chefe, mas também ouvir uma criança e respeitá-la. Uma certa tarde, quando estou vestindo Joey para ir embora da creche, ele de repente cai no choro. Estou animada com meu novo modo de "sou eu quem decide". Tenho o fervor de uma convertida. Decido que é como o incidente de Adrien na balança do médico: vou forçá-lo a se vestir.

Mas Fatima, a cuidadora favorita dele, ouve a confusão e entra no vestiário. Ela usa uma abordagem oposta à minha. Joey pode ter ataques o tempo todo em casa, mas na creche é bem incomum. Fatima se inclina na direção de Joey e começa a acariciar a testa dele.

"O que foi?", ela fica perguntando com delicadeza. Ela vê a birra não como uma expressão abstrata e inevitável típica dos 2 anos de idade, mas como uma forma de comunicação de um ser humano pequeno, louro e racional.

Depois de um minuto ou dois, Joey se acalma o bastante para explicar, por palavras e gestos, que quer o chapéu que está no armário. Era disso que se tratava a cena toda. (Acho que ele tentou pegar o chapéu antes.) Fatima tira Joey do trocador e observa enquanto ele vai até o armário, abre e pega o chapéu. Depois disso, ele fica *sage* e pronto para ir.

Fatima não é ingênua. Ela tem muita autoridade com as crianças. Não achou que só por ter pacientemente escutado Joey estava cedendo a ele. Ela apenas o acalmou e deu a ele a chance de expressar o que queria.

Infelizmente, há infinitos cenários e não existe regra única sobre o que fazer em cada caso. Os franceses têm uma série de princípios contraditórios e algumas regras imutáveis. Às vezes, você escuta seu filho com atenção. E, às vezes, você o coloca na balança. A questão é impor limites, mas também é observar seu filho, construir a cumplicidade e se adaptar ao que a situação exigir.

Para alguns pais, isso provavelmente se torna automático. Mas, por enquanto, eu me pergunto se esse equilíbrio algum dia virá naturalmente para mim. Parece a diferença entre aprender a dançar salsa aos 30 anos e crescer dançando salsa com o pai, desde a infância. Ainda estou contando os passos e pisando nos pés dos outros.

Em alguns lares americanos que visitei, não é incomum uma criança ser mandada para o quarto durante praticamente todas as refeições. Na França, há vários pequenos lembretes de como se comportar, mas ser *puni* (punido) é um grande evento.

É comum que os pais mandem a criança punida para o quarto ou para um canto. Às vezes, dão palmadas nela. Já vi crianças francesas recebendo palmadas em público, mas poucas vezes, embora amigos meus de Paris me digam que veem com frequência. Na encenação de *Cachinhos de Ouro*, a atriz que interpreta a mamãe urso pergunta à plateia o que deveria acontecer com o bebê urso, que estava se comportando mal.

"*La fessée!*" (palmadas), grita a plateia de criancinhas em uníssono. Em uma pesquisa nacional,[2] 19% dos pais franceses disseram que batem nos filhos "de vez em quando"; 46% disseram que batem "raramente"; e 2%

disseram que batem "com frequência". Outros 33% disseram que nunca batem nos filhos.[3]

No passado, *la fessée* devia ter um papel importante na educação da criança francesa e no reforço da autoridade dos adultos. Mas a maré está mudando. Todos os especialistas em educação de filhos que leio são contra.[4] Em vez de bater, eles recomendam que os pais se tornem adeptos de dizer não. Como Marcelli, eles dizem que o "não" deve ser usado com parcimônia. Mas, depois de dito, deve ser definitivo.

Essa ideia não é nova. Na verdade, ela vem de Rousseau. "Dê de bom grado, recuse com relutância", escreve ele em *Emílio*. "Mas faça com que sua recusa seja irrevogável. Não deixe que nenhuma súplica amoleça seu coração; que o seu 'não', depois de dito, seja uma parede de metal contra a qual a criança pode gastar toda a sua força cinco ou seis vezes, mas no final pare de tentar superá-la. Assim, você vai torná-la paciente, tranquila, calma e resignada, mesmo quando não tem tudo o que quer."

Além de ter nascido com o gene do movimento rápido, Leo também nasceu com o gene subversivo.

— Quero água — anuncia ele uma noite durante o jantar.

— Qual é a palavrinha mágica? — eu pergunto docemente.

— Água! — diz ele, com um sorrisinho debochado. (Estranhamente, Leo, que parece mais com Simon, fala com sotaque britânico leve. Joey e Bean falam como americanos.)

Criar um *cadre* para seus filhos dá muito trabalho. Nos primeiros anos, requer muita repetição e atenção. Mas, quando está estabelecido, torna a vida muito mais fácil e calma (ou é o que parece). Em momentos de desespero, começo a dizer para meus filhos, em francês: *"C'est moi qui decide"* (Sou eu quem decide). Apenas o fato de dizer essa frase já é estranhamente fortalecedor. Minhas costas se enrijecem um pouco quando a enuncio.

O jeito francês também requer uma mudança de paradigma. Estou muito acostumada a acreditar que tudo gira ao redor das crianças. Ser mais "francesa" significa afastar o centro de gravidade deles e deixar que minhas próprias necessidades se manifestem um pouco também.

Sentir que tenho um pouco de controle também torna o fato de ter três filhos bem mais fácil de gerenciar. Quando Simon está viajando durante um fim de semana de primavera, deixo que as crianças arrastem tapetes e cobertores para a varanda para criarem uma espécie de cabana marroquina. Eu lhes levo chocolate quente e eles ficam sentados lá bebendo.

Quando conto sobre isso para Simon depois, ele imediatamente pergunta: "Não foi estressante?" Provavelmente teria sido, se fosse algumas semanas antes. Eu teria me sentido dominada por eles ou preocupada demais para aproveitar. Teria havido gritos, que, como nossa varanda dá para o pátio, os vizinhos teriam ouvido.

Mas agora que sou eu quem decide, pelo menos um pouco, ter três crianças na varanda com chocolate quente realmente parece controlável. Eu até me sento e tomo uma xícara de café com eles.

Uma certa manhã, estou levando Leo para a creche sozinha. (Simon e eu dividimos os deveres matinais.) Enquanto desço pelo elevador com Leo, tenho uma sensação de medo. Decido dizer para ele com firmeza que não quero gritos no pátio. Apresento essa nova regra como se ela sempre tivesse existido. Explico com firmeza, olhando nos olhos de Leo. Pergunto se ele entendeu e faço uma pausa para dar a ele a chance de responder. Depois de um momento pensando, ele diz que sim.

Quando abrimos a porta de vidro e saímos no pátio, tudo está em silêncio. Não há gritos nem choramingos. Só há um garotinho ligeiro me puxando atrás de si.

Capítulo 14

Deixe que ela viva a vida dela

Um dia, um aviso é colocado na escola de Bean. Ele diz que os pais dos alunos de 4 a 11 anos podem matriculá-los em uma viagem de verão para o Hautes-Vosges, uma região rural a cerca de cinco horas de carro de Paris. A viagem, sem pais, vai durar oito dias.

Não consigo imaginar mandar Bean, que está com 5 anos, para uma viagem de oito dias da escola. Ela nunca passou mais de uma noite sozinha na casa da minha mãe. Minha primeira viagem com a escola, para o Sea World, foi quando eu tinha uns 11 anos.

Essa viagem é outro lembrete de que, apesar de eu agora saber usar o subjuntivo em francês e até conseguir fazer meus filhos me ouvirem, eu nunca serei realmente francesa. Ser francês significa olhar para um aviso assim e dizer, como a mãe de outra criança de 5 anos ao meu lado diz: "Que pena. Já temos planos para essa data." Nenhum dos pais franceses acha alarmante a ideia de mandar crianças de 4 e 5 anos para uma viagem com banhos em grupo e vida em alojamento.

Logo descubro que essa viagem escolar é apenas o começo. Eu só fui para acampamentos de verão com 10 ou 11 anos. Mas, na França, há centenas de diferentes *colonies de vacances* (colônias de férias) para crianças desde os 4 anos. As crianças menores costumam passar sete ou oito dias no campo, onde andam de pônei, alimentam cabras, aprendem músicas e "descobrem a natureza". Para as crianças mais velhas, há colônias especializadas em coisas como teatro, caiaque e astronomia.

Está claro que dar às crianças um grau de independência e estimular uma espécie de flexibilidade interna e autoconfiança é parte importante da educação de filhos na França. Os franceses chamam isso de *autonomie* (autonomia). Eles costumam querer dar à criança o máximo de autonomia que ela consegue ter. Isso inclui autonomia física, como as viagens escolares. Também inclui a separação emocional, como deixar que eles construam sua própria autoestima, que não dependam do elogio dos pais e de outros adultos.

Admiro muitas coisas no modo francês de criar os filhos. Tentei absorver o jeito francês de comer, de demonstrar autoridade e de ensinar meus filhos a brincarem sozinhos. Comecei a conversar com bebês e a deixar meus filhos "descobrirem" as coisas sozinhos, em vez de forçá-los a adquirir habilidades. Em momentos de crise e confusão, costumo me perguntar: O que uma mãe francesa faria?

Mas tenho mais dificuldade em aceitar certas partes da ênfase francesa na autonomia, como as viagens escolares. É claro que não quero que meus filhos sejam dependentes demais de mim. Mas para que a pressa? Precisamos forçar que a autonomia comece tão cedo? E os franceses não estão exagerando um pouco? Em alguns casos, o caminho para tornar as crianças autossuficientes parece se chocar com meus instintos mais básicos de proteger meus filhos e fazer com que se sintam bem.

Os pais americanos tendem a administrar a independência de maneira diferente. Só depois de me casar com Simon, que é europeu, percebo que passei muito tempo da minha infância adquirindo habilidades de sobrevivência. Não daria para perceber só de olhar para mim, mas sei atirar com arco e flecha, sei desvirar uma canoa virada, sei fazer uma fogueira segura na barriga de uma pessoa e transformar uma calça jeans em um colete salva-vidas inflado, já estando dentro da água.

Por ser europeu, Simon não teve essa infância voltada para a sobrevivência. Ele nunca aprendeu a montar uma barraca e nem a remar em um caiaque. Teria dificuldade em saber em que lado de um saco de dormir deveria entrar. Na natureza, ele sobreviveria uns 15 minutos, e só se tivesse um livro.

A ironia é que, mesmo eu tendo todas essas falsas habilidades desbravadoras, eu as aprendi em programações apertadas em acampamentos de verão depois que meus pais assinaram contratos feitos por advogados para o caso de eu me afogar. E isso foi antes de salas de aula com webcams e bolos de aniversário *vegan* e sem frutas secas.

Apesar dos distintivos de escoteiro e das jogadas perfeitas de tênis, as crianças americanas de classe média são notoriamente bastante protegidas. "A moda atual na criação de filhos é proteger as crianças de desconforto emocional e físico", escreve a psicóloga americana Wendy Mogel em *The blessing of a skinned knee* (A benção de um joelho ralado). Em vez de dar liberdade aos filhos, os pais prósperos que Mogel atende "tentam armar [os filhos] com uma camada grossa de habilidades ao dar a eles muitas aulas e pressioná-los para competir e se sobressair".

Não é simplesmente uma questão de os americanos não enfatizarem a autonomia. É que não temos certeza se é uma coisa boa. Costumamos supor que os pais deveriam estar fisicamente presentes o máximo possível, para proteger as crianças do mal e para resolver as turbulências emocionais por eles. Simon e eu brincamos, desde que Bean nasceu, que vamos nos mudar com ela para a cidade onde ela for fazer faculdade. Depois, leio um artigo dizendo que algumas faculdades americanas agora fazem "cerimônias de despedida" para os pais de calouros, para sinalizar que precisam ir embora.

Os pais franceses parecem não ter essa fantasia de controle. Eles querem proteger os filhos, mas não são obcecados com possibilidades remotas. Quando estão viajando, não mandam e-mails para o marido uma vez por dia, como eu faço, para lembrá-los de trancar a porta de casa e se certificar de que os tampos das privadas estão fechados (para que uma criança não caia dentro).

Na França, a pressão social vai na direção oposta. Se um pai ou uma mãe fica muito tempo por perto ou parece ficar gerenciando as experiências do filho, alguém é capaz de alertá-lo para se afastar. Minha amiga Sharon, a agente literária com dois filhos, explica: "Aqui, há um argumento sobre forçar a criança ao extremo. Todo mundo diz: 'Você tem que deixar as crianças viverem a vida delas.'"

A ênfase francesa em autonomia vem de Françoise Dolto. "A coisa mais importante é que uma criança seja, dentro de total segurança, autônoma o mais cedo possível", diz Dolto em *As etapas decisivas da infância*. "A armadilha do relacionamento entre pais e filhos não é reconhecer as verdadeiras necessidades de uma criança, dentre as quais a liberdade é uma delas... A criança precisa se sentir 'amada por aquilo que está se tornando', segura de si em um espaço, dia após dia deixada mais livre para fazer suas próprias explorações, para ter suas próprias experiências, e em seus relacionamentos com as crianças de sua própria idade."

Dolto está falando, em parte, sobre deixar a criança sozinha, em segurança, para descobrir as coisas por si só. Ela também está falando de respeitá-la como um indivíduo que consegue lidar com seus desafios. Na visão de Dolto, quando uma criança tem 6 anos, ela deve conseguir fazer tudo na casa (e na sociedade) que diz respeito a ela.[1]

O jeito francês pode ser difícil para até o mais integrado americano aceitar. Minha amiga Andi, uma artista que mora na França há mais de vinte anos, diz que quando o filho mais velho tinha 6 anos, ela descobriu que ele teria uma viagem com a escola.

"Todo mundo diz para você como é ótimo, porque em abril haverá uma *classe verte* (literalmente, uma aula verde). E você diz para si mesma: 'Humm, o que é isso? Ah, uma viagem da escola. E é de uma semana? Dura uma semana?'" Na escola do filho, as viagens são opcionais até o 1º ano. Depois disso, a turma toda de 25 alunos precisa ir em uma viagem de uma semana com a professora a cada primavera.

Andi diz que, pelos padrões americanos, ela não é uma mãe particularmente grudada no filho. No entanto, não conseguiu se sentir bem com a ideia da "aula verde", que ia acontecer em um pântano de água salgada na costa oeste da França. O filho dela nunca tinha ido dormir fora de casa. Andi ainda o levava para o chuveiro todas as noites. Ela não conseguia imaginá-lo indo dormir sem ela para botá-lo na cama. Ela gostava da professora, mas não conhecia os outros adultos que estariam supervisionando a viagem. Um era sobrinho da professora. Outro era um supervisor do parquinho. O terceiro, Andi lembra, era apenas "uma pessoa que [a professora] conhece".

Quando Andi contou para as três irmãs nos Estados Unidos sobre a viagem, "elas simplesmente surtaram. Elas disseram: 'Você não precisa fazer isso!' Uma é advogada, e ela disse: 'Você assinou alguma coisa?'" Andi diz que estavam preocupadas principalmente com pedófilos.

Em uma reunião informal sobre a viagem, outra mãe americana da turma perguntou à professora como ela lidaria com um cenário no qual um fio elétrico caísse acidentalmente na água e uma criança entrasse na água. Andi diz que os pais franceses riram. Ela ficou aliviada de não ter feito a pergunta, mas admite que refletiu suas próprias "neuroses escondidas".

A preocupação principal de Andi, que ela não ousou mencionar na reunião, era o que aconteceria se o filho ficasse triste ou chateado durante a viagem. Quando isso acontece em casa, "eu tento ajudá-lo a identificar as emoções. Se ele começasse a chorar sem saber por que, eu diria: 'Você está com medo, frustrado, está com raiva?' Era o que eu faria. Eu diria: 'Muito bem, vamos passar por isso juntos.'".

A ênfase francesa em autonomia vai além de viagens escolares. Meu coração salta regularmente quando estou andando pelo meu bairro, porque os pais franceses costumam deixar crianças pequenas correrem à frente deles nas calçadas. Confiam que os filhos vão parar na esquina e esperar por eles. Observar isso é particularmente apavorante quando as crianças estão de patinete.

Vivo em um mundo de piores cenários. Quando encontro minha amiga Hélène na rua e paramos para conversar, ela deixa as três meninas dela andarem um pouco para mais longe, em direção à beirada da calçada. Ela confia que não vão correr de repente para a rua. Bean provavelmente também não correria. Mas, só por garantia, faço com que fique de pé ao meu lado e segure minha mão. Simon lembra que eu não deixava Bean se sentar na arquibancada para vê-lo jogar futebol para ela não ser atingida por uma bola.

Há muitos pequenos momentos na França em que eu esperaria ajudar meus filhos, mas eles precisam seguir sozinhos. Sem querer, costumo encontrar com cuidadoras da creche dos meninos guiando um grupo de criancinhas pela rua para comprar as baguetes do dia. Não é uma saída oficial; é apenas levar as crianças para dar uma volta. Bean já participou de passeios da escola para o zoológico e para um parque grande nos arredores de Paris, e só fico sabendo sem querer semanas depois (quando a levo por acaso ao mesmo zoológico). Raramente preciso assinar folhetos de permissão. Os pais franceses não parecem ter medo de que alguma coisa ruim vá acontecer nesses passeios.

Quando Bean tem recital da aula de dança, nem tenho permissão de ir aos bastidores. Eu me certifico de ela estar usando uma meia-calça branca, que é a única instrução enviada para os pais. Nunca falo com a professora. A relação dela é com Bean, não comigo. Quando chegamos ao teatro, entrego Bean para uma assistente, que a leva para os bastidores.

Durante semanas, Bean vem me dizendo: "Não quero ser uma marionete." Não sei bem o que ela quer dizer, mas fica claro assim que as cortinas se abrem. Bean entra no palco com figurino completo e maquiagem, com 12 garotinhas, balançando os braços e as pernas ao som de uma música chamada *Marionetta*. Não é deliberado, mas as meninas estão completamente fora de sincronia umas com as outras. Elas parecem marionetes fujonas que tomaram conhaque demais.

Mas está claro que Bean, sem eu saber, decorou uma coreografia inteira de dez minutos. Quando sai dos bastidores depois do show, eu me derreto falando do quanto ela se saiu bem. Mas ela parece desapontada.

"Me esqueci de não ser uma marionete", diz ela.

As crianças francesas não são apenas mais independentes em suas atividades extracurriculares. Elas também têm mais autonomia no jeito de lidar umas com as outras. Os pais franceses parecem demorar mais para intervir em brigas no parquinho ou para mediar discussões entre irmãos. Eles esperam que as crianças resolvam essas situações sozinhas. Os pátios de escola franceses são famosos locais de cada um por si, com as professoras observando de longe.

Quando pego Bean na pré-escola uma certa tarde, ela acabou de vir do pátio e está com um corte vermelho na bochecha. Não é profundo, mas está sangrando. Ela não quer me contar o que aconteceu (apesar de não parecer preocupada e não estar sentindo dor). A professora alega não saber o que foi. Estou praticamente em prantos quando pergunto à diretora da escola, mas ela também não sabe nada. Todas parecem surpresas de eu estar fazendo um drama tão grande.

Por acaso, minha mãe está nos visitando, e ela não consegue acreditar em tamanho descaso. Ela diz que um ferimento similar nos Estados Unidos desencadearia uma investigação oficial, ligações para casa e longas explicações.

Para os pais franceses, eventos assim são perturbadores, mas não são tragédias shakespearianas. "Na França, gostamos quando as crianças brigam um pouco", diz a jornalista e escritora Audrey Goutard. "É a parte de nós que é um pouco francesa e um pouco mediterrânea. Gostamos que nossas crianças saibam defender seu território e briguem um pouco com as outras crianças... Não nos incomodamos com uma certa violência entre crianças."

A relutância de Bean em dizer como se machucou provavelmente reflete outro aspecto do *ethos* da autonomia. "Delatar" outra criança, o que é conhecido em francês como *rapporter contre*, é muito malvisto. As pessoas teorizam que isso acontece por causa de todas as delações letais de vizinhos que aconteceram durante a Segunda Guerra Mundial. No encontro anual da associação do meu prédio, da qual muitos membros já eram nascidos na época da guerra, eu pergunto se alguém sabe quem anda virando nosso carrinho no saguão.

"Nós não delatamos", diz uma mulher idosa. Todos riem.

Os americanos também não gostam de delatores. No entanto, na França, mesmo entre crianças, ter a determinação de sofrer alguns arranhões e manter a boca fechada é considerado uma habilidade essencial. Mesmo dentro das famílias, as pessoas podem ter seus segredos.

"Posso ter segredos com meu filho que ele não pode contar à mãe", diz Marc, o golfista francês. Vejo um filme francês em que um famoso economista pega a filha adolescente em uma delegacia parisiense depois de ela ser presa por furto em uma loja e posse de maconha. No caminho de casa, ela se defende dizendo que pelo menos não delatou a amiga que estava com ela.

Essa cultura de não delação cria solidariedade entre crianças. Elas aprendem a depender umas das outras e de si mesmas, em vez de correr para os pais ou autoridades da escola em busca de ajuda. Sem dúvida, não se reverencia a ideia da verdade a qualquer custo. Marc e a esposa americana, Robynne, me contam sobre um caso recente no qual o filho, Adrien, que agora tem 10 anos, viu outro aluno soltando bombinhas na escola. Houve uma grande investigação. Robynne estimulou Adrien a contar para as autoridades da escola o que viu. Marc o aconselhou a considerar a popularidade do outro garoto e se ele podia dar uma surra em Adrien.

"Você precisa calcular os riscos", diz Marc. "Se o vantajoso for não fazer nada, ele não deve fazer nada. Quero que meu filho analise as situações."

Vejo essa ênfase em fazer as crianças aprenderem suas próprias lições quando estou reformando o apartamento. Como todos os pais americanos que conheço, estou ansiosa para que tudo seja rigorosamente seguro para as crianças. Escolho piso de borracha para o banheiro das crianças, para que não escorreguem em azulejo molhado. Também insisto que todos os eletrodomésticos tenham uma tranca e que a porta do forno seja do tipo que não fica quente.

Meu empreiteiro, Régis, um sujeito simples da Borgonha, acha que sou louca. Ele diz que o jeito de deixar um forno "seguro para crianças" é deixar que a criança toque nele uma vez e perceba que é quente. Régis se recusa a instalar piso de borracha no banheiro, dizendo que ficaria horrível. Eu concordo, mas só quando ele comenta sobre o valor de revenda do apartamento. Não cedo quanto ao forno.

No dia em que leio uma história em inglês para a turma de Bean na *maternelle*, a professora dá uma rápida aula de inglês antes. Ela aponta para uma caneta e pede para as crianças dizerem a cor da caneta em inglês. Em resposta, um garoto de 4 anos diz alguma coisa sobre os sapatos dele.

"Isso não tem nada a ver com a pergunta", diz a professora.

Fico perplexa com essa resposta. Eu teria esperado que a professora encontrasse alguma coisa positiva a dizer, independentemente do quanto a resposta fosse imprópria. Venho da tradição americana de, como descreve a socióloga Annette Lareau, "tratar cada pensamento da criança como uma contribuição especial".[2] Ao creditar as crianças por até o comentário mais irrelevante, tentamos dar confiança a elas e fazer com que se sintam bem consigo mesmas.

Na França, esse jeito de educar é considerado muito extravagante. Vejo isso quando levo as crianças para brincarem nas camas elásticas na área coberta do Jardim de Tuileries, ao lado do Louvre. Cada criança pula em uma cama elástica dentro de uma área fechada enquanto os pais observam de bancos ao redor. Mas uma mãe levou uma cadeira para dentro do portão e a colocou diretamente na frente da cama elástica do filho. Ela grita "opa!" cada vez que ele pula. Eu sei, antes mesmo de me aproximar para escutá-la falando, que deve ser falante de inglês, como eu.

Sei disso porque, embora eu consiga me controlar nas camas elásticas, sinto vontade de gritar "eeee!" cada vez que um dos meus filhos desce no escorrega. É uma maneira curta de dizer "estou vendo você fazer isso! Eu aprovo! Você é maravilhoso!" Da mesma forma, elogio até os piores desenhos e trabalhos artísticos. Sinto que preciso fazer isso, para elevar a autoestima deles.

Os pais franceses também querem que os filhos se sintam bem com eles mesmos e *"bien dans leur peau"* (satisfeitos com quem são). Mas têm uma estratégia diferente para fazer isso. De certa forma, é o oposto da estratégia americana. Eles não acreditam que o elogio é sempre bom.

Os franceses acreditam que as crianças se sentem confiantes quando conseguem fazer as coisas sozinhas, e realizam essas coisas bem. Depois que as crianças aprendem a falar, os adultos não as elogiam por dizer qualquer coisa. Eles as elogiam por dizer coisas interessantes e por falar bem. A socióloga Raymonde Carroll diz que os pais franceses querem ensinar os filhos a verbalmente "se defenderem bem". Ela cita uma pessoa que diz: "Na França, se a criança tem alguma coisa a dizer, os outros escutam. Mas a criança não pode tomar tempo demais prendendo a plateia; se ela demora, a família termina as frases por ela. Isso a leva ao hábito de formular as ideias melhor antes de falar. As crianças aprendem a falar rapidamente e a serem interessantes."

Mesmo quando as crianças francesas dizem coisas interessantes, ou simplesmente dão a resposta certa, os adultos franceses são sutis ao responder. Eles não agem como se tudo o que a criança faz bem fosse uma ocasião para um elogio. Quando levo Bean para uma consulta de rotina na clínica, a pediatra pede que ela monte um quebra-cabeça de madeira. Ela monta. A médica olha para o quebra-cabeça concluído e faz uma coisa que não sou constitucionalmente capaz de fazer: praticamente nada. Ela murmura um leve *"bom"*, que significa mais um "vamos em frente" do que um elogio, e segue com a consulta.

Os professores e figuras de autoridade franceses não apenas não elogiam rotineiramente as crianças na frente delas, mas, para minha grande decepção, eles também não elogiam as crianças para os pais. Eu tinha tido esperança de isso ter sido resultado do jeito carrancudo da primeira professora de Bean. No ano seguinte, ela tem duas professoras que se alternam. Uma delas é uma jovem dinâmica e extremamente calorosa chamada Marina, com quem Bean tem uma excelente relação. Mas, quando pergunto a Marina como as coisas estão, ela diz que Bean é *"très compétente"*. (Digito isso no tradutor do Google, para ter certeza de não ter perdido nenhuma nuance da palavra *compétente* que pode sugerir excelência. Mas ela significa apenas "competente".)

O fato de minhas expectativas estarem baixas é uma coisa boa quando Simon e eu temos uma reunião de meio de semestre com Agnès, a outra professora de Bean. Ela também é adorável e atenciosa. Mas também parece relutante em rotular Bean ou fazer alguma declaração geral sobre minha filha. Ela apenas diz: "Tudo está bem." Em seguida, me mostra uma das folhinhas de atividades, dentre dezenas, que Bean teve dificuldade para terminar. Saio da reunião sem ter ideia de como Bean se sai em comparação com os coleguinhas.

Depois da reunião, fico chateada por Agnès não ter mencionado nada que Bean fez bem. Simon observa que na França essa não é a tarefa de uma professora. Na verdade, o papel de Agnès é descobrir problemas. Se a criança está tendo dificuldades, os pais precisam saber. Se a criança está conseguindo fazer o que precisa, não há nada a ser dito.

Esse foco no negativo, em vez de tentar elevar o moral das crianças e dos pais com reforço positivo, é um aspecto conhecido (e frequentemente criticado) das escolas francesas. É quase impossível conseguir uma pontuação perfeita no *baccalauréat* francês, os exames no final do ensino médio. Uma pontuação de 14:20 (14 pontos em um total de 20) é considerada excelente, e 16:20 é quase como gabaritar.[3]

Conheço Benoît por amigos em comum. Ele é pai de duas crianças e professor em uma das universidades de elite da França. Benoît diz que o filho que está no ensino médio é ótimo aluno. No entanto, o comentário mais positivo que um professor já escreveu nos trabalhos dele foi *des qualités* (tem algumas boas qualidades). Benoît diz que os professores franceses não avaliam os alunos em uma curva, mas sim em comparação a um ideal, que praticamente ninguém alcança.[4] Mesmo em um trabalho excelente, "o jeito francês seria dizer 'correto, não está ruim, mas isso e isso e isso e isso estão errados'".

Quando chega o ensino médio, Benoît diz que se dá pouco valor para deixar os alunos expressarem os sentimentos e as opiniões. "Se você diz 'adoro esse poema porque me faz pensar em certas experiências que tive', você está completamente errado... O que ensinam no ensino médio é a aprender a argumentar. Você não deve ser criativo. Deve ser articulado."

Quando Benoît assumiu uma posição temporária em Princeton, ficou surpreso quando os alunos o acusaram de ser rigoroso na hora de dar notas. "Aprendi que você tem que dizer alguma coisa positiva até sobre os piores trabalhos", ele lembra. Em outro incidente, ele teve que justificar o fato de ter dado D a um aluno. Por outro lado, ouvi falar de uma americana que dava aulas no ensino médio francês e recebeu reclamações de pais quando deu notas de 18:20 e 20:20. Os pais concluíram que a aula era fácil demais e que as notas eram "falsas".

Toda essa crítica pode intimidar as crianças. Uma amiga minha que estudou em escolas francesas até se mudar para Chicago no ensino médio se lembra de ficar chocada com o jeito como os alunos americanos falavam com confiança na aula. Ela diz que, ao contrário das escolas francesas que frequentou, os alunos não eram criticados imediatamente por estarem errados ou por fazerem perguntas idiotas. Outra amiga, uma médica francesa que mora em Paris, me conta com animação sobre uma nova aula de ioga que está fazendo, com uma professora americana. "Ela fica me dizendo como estou indo bem e o quanto sou linda!", diz ela sobre a professora. Em seus muitos anos em escolas francesas, minha amiga provavelmente nunca tinha sido tão elogiada.

Em geral, os pais franceses que conheço dão bem mais apoio do que os professores franceses. Eles elogiam os filhos e dão reforço positivo. Mesmo assim, não exageram nos elogios, como os americanos fazem.

Estou começando a desconfiar que os pais franceses podem estar certos ao elogiar menos. Talvez percebam que aquelas pequenas ondas de prazer que as crianças sentem cada vez que os adultos dizem "muito bem" poderiam, se forem muito frequentes, deixar as crianças viciadas em feedback positivo. Depois de um tempo, elas vão precisar da aprovação de alguma outra pessoa para se sentirem bem consigo mesmas. E, se as crianças têm certeza de que serão elogiadas independentemente do que fizerem, não vão precisar se esforçar muito. Serão elogiadas de qualquer modo.

Como sou americana, o que realmente me convence é uma pesquisa. O elogio parece ser outra área na qual os pais franceses estão fazendo, pela tradição e intuição, o que os estudos científicos mais recentes sugerem.

No livro de 2009 chamado *Filhos – Novas ideias sobre educação*, Po Bronson e Ashley Merryman escrevem que a velha sabedoria convencional de que "o elogio, a autoestima e o desempenho se elevam e despencam juntos" foi superada por uma nova pesquisa que mostra que "o elogio excessivo... distorce a motivação das crianças: elas começam a fazer as coisas apenas para ouvir o elogio e perdem de vista a apreciação intrínseca".

Bronson e Merryman mostram uma pesquisa que revela que, quando alunos muito elogiados chegam à faculdade, eles "se tornam aversos a riscos e não têm autonomia evidente". Esses alunos "costumam largar matérias em vez de encarar com sofrimento uma nota medíocre, e têm dificuldade em escolher a área de especialização. Eles têm medo de se comprometer com uma coisa porque têm medo de não serem bem-sucedidos".[5]

Essa pesquisa também refuta a sabedoria convencional americana de que, quando as crianças se saem mal em alguma coisa, os pais devem amortecer o choque com feedback positivo. Uma abordagem melhor é gentilmente falar sobre o que deu errado, dando às crianças a confiança e as ferramentas para melhorarem. As escolas francesas podem ser rigorosas, principalmente nos últimos anos. Mas isso é exatamente o que as professoras francesas de Bean vêm fazendo, e certamente reflete aquilo em que os pais franceses acreditam.

Os franceses parecem assumir a posição de pais usando uma espécie de método científico para testar o que funciona e o que não funciona. Em geral, ficam impassíveis frente a ideias sobre o que *deve* funcionar nos filhos deles, e veem com clareza o que realmente funciona. O que eles concluem é que um pouco de elogio é bom para a criança, mas, se você a elogia demais, não está deixando que ela viva a vida dela.

Nas férias de inverno, levo Bean para os Estados Unidos. Em uma reunião de família, ela começa a montar um show, que envolve agir como a professora e dar ordens aos adultos. É fofo, mas, francamente, não é ótimo. Mas, gradualmente, cada adulto no aposento para e observa, e comenta o quanto ela é adorável. (Ela sabiamente inclui algumas expressões e músicas em francês, por saber que isso sempre impressiona.)

Quando o show termina, Bean está radiante enquanto absorve todos os elogios. Acho que é o ponto alto da visita dela. Eu também estou radiante. Interpreto os elogios a ela como elogios a mim, pelos quais ando faminta na França. Durante todo o jantar depois, todo mundo fala, perto de nós duas, sobre como o show dela foi maravilhoso.

Isso é ótimo durante as férias. Mas não tenho certeza se eu iria querer que Bean tivesse esse tipo de elogio incondicional o tempo todo. É gostoso, mas parece vir em um pacote junto com outras coisas, entre as quais deixar a criança interromper constantemente porque ela se acha muito importante. Também pode afetar a calibração interna de Bean quanto ao que é realmente divertido e o que não é.

Já aceitei que, se ficarmos na França, meus filhos provavelmente não vão aprender a atirar com um arco e flecha. (Que Deus permita que não sejam atacados por índios americanos do século XVIII.) Até diminuí meus elogios um pouco. Mas ajustar para a exagerada visão francesa sobre autonomia é bem mais difícil. É claro que sei que meus filhos têm uma vida emocional dissociada da minha, e que não posso constantemente protegê-los da rejeição e da decepção. Ainda assim, a ideia de que eles têm vidas próprias e eu tenho a minha não reflete meu mapa emocional. Ou talvez não se encaixe nas minhas necessidades emocionais.

Mas tenho que admitir que meus filhos parecem mais felizes quando confio que conseguirão fazer as coisas sozinhos. Não dou facas a eles e mando cortarem uma melancia. Eles costumam saber quando as coisas estão além das habilidades deles. Mas eu os deixo ir um pouco mais longe, mesmo que seja apenas ao levar um prato quebrável até a mesa de jantar. Depois dessas pequenas conquistas, eles ficam mais calmos e mais felizes. Dolto está certíssima ao dizer que a autonomia é uma das necessidades mais básicas da criança.

Ela também pode estar certa quanto à idade de 6 anos ser o limiar. Uma noite, estou gripada e não deixo Simon dormir com minha tosse. Vou para o sofá no meio da noite. Quando as crianças chegam na sala às 7h30, mal consigo me mexer. Não inicio minha rotina habitual de preparar o café da manhã.

Mas Bean faz isso. Fico deitada no sofá, ainda com a máscara de dormir sobre os olhos. Ao fundo, eu a escuto abrindo gavetas, arrumando a mesa e pegando leite e cereal. Ela tem 5 anos e meio. E assumiu meu trabalho. Ela até delegou parte a Joey, que está organizando os talheres.

Depois de alguns minutos, Bean vem até mim no sofá. "O café da manhã está pronto, mas você precisa fazer o café", diz ela. Minha filha está calma e muito satisfeita. Fico impressionada com o quão feliz (ou, mais especificamente, com o quão *sage*) o fato de ser autônoma a deixa. Eu não a elogiei nem encorajei. Ela apenas fez uma coisa nova sozinha, comigo como testemunha, e está se sentindo muito bem por isso.

A ideia de Dolto de que devo confiar nos meus filhos, e de que o fato de confiar neles e respeitá-los vai fazer com que confiem em mim e me respeitem, é muito atraente. Na verdade, é um alívio. A combinação de dependência e preocupação mútua que costuma prender os pais americanos aos filhos parece inevitável às vezes, mas nunca parece boa. Não parece a base para a melhor forma de criar os filhos.

Deixar as crianças "viverem as vidas delas" não significa soltá-las no mundo nem abandoná-las (embora as viagens escolares francesas me pareçam um pouco isso). Significa reconhecer que as crianças não são depósitos das ambições dos pais e nem projetos para os pais aperfeiçoarem. São seres individuais e capazes, com seus próprios gostos, prazeres e experiências do mundo. Elas até têm seus próprios segredos.

Minha amiga Andi acabou deixando o filho mais velho participar da viagem aos pântanos de água salgada. Ela diz que ele adorou. No fim das contas, ele nem precisava ser colocado na cama todas as noites; era Andi quem precisava colocá-lo na cama. Quando chegou a hora do filho mais novo de Andi começar a fazer as mesmas viagens escolares, ela simplesmente o deixou ir.

Talvez eu me acostume com essas viagens, apesar de não ter inscrito Bean em nenhuma ainda. Minha amiga Esther propõe que enviemos nossas filhas juntas para uma *colonie de vacances* no próximo verão, quando terão 6 anos. Acho difícil de imaginar. Quero que meus filhos sejam autossuficientes, flexíveis e felizes. Só não quero soltar as mãos deles.

O futuro em francês

Minha mãe finalmente aceitou que moramos do outro lado do oceano. Até está estudando francês, embora não esteja indo tão bem quanto gostaria. Uma amiga dela americana, que morou no Panamá mas falava pouco espanhol, sugere uma técnica: dizer uma frase em espanhol no presente, depois gritar o nome do tempo verbal pretendido. "Eu fui até a loja... *passado*!" significa que ela foi até a loja. "Eu vou até a loja... *futuro*!" significa que ela vai mais tarde.

Proibi minha mãe de fazer isso quando vier me visitar. Para minha perplexidade, agora tenho uma reputação a proteger. Tenho três filhos na escola local e relacionamentos corteses com peixeiros, alfaiates e donos de café da vizinhança. Paris finalmente se importa de eu estar aqui.

Ainda não me apaixonei pela cidade. Fico cansada das elaboradas trocas de *bonjour* e de usar o distante *vous* com todo mundo, exceto colegas e pessoas íntimas. Morar na França parece um pouco formal demais e não traz à tona meu lado exuberante. Percebo o quanto mudei quando, em uma manhã no metrô, eu instintivamente me afasto do homem sentado ao lado do único assento vazio porque tenho a impressão de que é perturbado. Ao refletir sobre o assunto, percebo que minha única evidência para pensar isso é o fato de ele estar usando short.

No entanto, Paris passou a parecer minha casa. Como os franceses dizem, "encontrei meu lugar". O fato de eu ter feito amigos maravilhosos ajuda. Acontece que, por trás das fachadas gélidas, as mulheres parisienses precisam se espelhar e se unir também. Elas até escondem um pouco de celulite. Essas amizades me transformaram em uma genuína falante de francês. Costumo me surpreender em meio a conversas com as frases coerentes em francês que saem da minha própria boca.

Também é empolgante ver meus filhos se tornarem bilíngues. Uma certa manhã, enquanto me visto, Leo aponta para meu sutiã.

— O que é isso? — pergunta ele.

— Um sutiã — eu digo.

Ele imediatamente aponta para o braço. Eu demoro um segundo para entender: a palavra francesa *bras* (com o "s" mudo) significa "braço", e a palavra inglesa *bra* significa "sutiã". Ele deve ter aprendido a palavra francesa na creche. Faço um pequeno teste e descubro que ele sabe a maior parte das outras partes principais do corpo em francês.

O que realmente me conectou com a França foi descobrir a sabedoria do jeito francês de educar filhos. Aprendi que as crianças são capazes de feitos de autossuficiência e comportamento cuidadoso que, como mãe americana, eu talvez jamais imaginasse. Não posso voltar a não saber isso, mesmo se eu acabar indo morar em outro lugar.

Obviamente, alguns princípios franceses são mais fáceis de implementar se você estiver em solo francês. Quando as outras crianças não estão fazendo lanches no meio do dia no parquinho, é mais fácil não dar um lanche para o seu filho também. Também é mais fácil reforçar limites para o comportamento dos seus próprios filhos quando todo mundo ao seu redor reforça mais ou menos os mesmos limites (ou, como costumo perguntar a Bean, "deixam você fazer isso na escola?").

Mas muito do jeito "francês" de educar os filhos não depende de onde você mora e nem requer acesso a certos tipos de queijo. É tão acessível em Cleveland quanto em Cannes. Apenas requer que uma mãe ou um pai mude o modo como concebe o relacionamento que tem com os filhos e o que espera deles.

Amigos costumam me perguntar se estou criando meus filhos para serem mais franceses ou mais americanos. Quando estou com eles em público, costumo achar que estão no meio-termo: malcomportados em comparação às crianças francesas que conheço e muito bem-comportados em comparação às americanas.

Eles nem sempre dizem *bonjour* e *au revoir*, mas sabem que têm que fazer isso. Como uma verdadeira mãe francesa, sempre os lembro de dizer. Passei a ver isso como parte de um constante processo chamado de *éduca-*

tion deles, no qual cada vez mais aprendem a respeitar as outras pessoas e a esperar. Essa *éducation* parece estar gradualmente sendo absorvida.

Ainda luto por aquele ideal francês: escutar genuinamente meus filhos sem sentir que preciso ceder aos desejos deles.[1] Ainda declaro "sou eu quem decide" em momentos de crise, para lembrar a todos que estou no comando. Vejo como tarefa minha impedir que meus filhos sejam consumidos por seus próprios desejos. Mas também tento dizer sim com a máxima frequência que posso.

Simon e eu paramos de discutir se vamos ficar na França. Se ficarmos, não sei bem o que o futuro guarda para nossos filhos quando ficarem mais velhos. Quando as crianças francesas chegam à adolescência, os pais parecem dar muita liberdade a eles e serem bem objetivos quanto a terem vida particular e até vida sexual. Talvez isso dê aos adolescentes menos motivo para se rebelarem.

Os adolescentes franceses parecem ter mais facilidade em aceitar que *maman* e *papa* têm vida particular também. Afinal, os pais sempre agiram como quem tem. Eles não basearam a vida toda em torno dos filhos. As crianças francesas planejam sair da casa dos pais em algum momento. Mas se um francês de 20 anos ainda mora com os pais, não é a tragédia humilhante que é nos Estados Unidos. Eles conseguem deixar cada um viver sua vida.

No verão anterior a Bean iniciar no jardim de infância, percebo que o jeito francês de criar filhos está entranhado em mim. Praticamente todos os amigos franceses dela passam semanas das férias de verão com os avós. Decido que devíamos mandar Bean para Miami, para ficar com minha mãe. Ela está vindo visitar Paris, então elas podem ir juntas.

Simon é contra. E se Bean morrer de saudade e estivermos do outro lado do oceano? Descobri um acampamento sem pernoite com aulas de natação diárias. Por causa de datas, ela vai ter que começar o acampamento no meio. Será que não vai ser difícil para ela fazer amigos? Ele sugere que esperemos um ano, até ela ficar mais velha.

Mas Bean acha a viagem uma ideia espetacular. Ela diz que vai ficar bem sozinha com a avó e que está animada para o acampamento. Simon acaba concordando, talvez calculando que, com Bean longe, ele consiga passar mais tempo em cafés. Vou voar para Miami para trazê-la de volta para casa.

Dou apenas algumas instruções à minha mãe: nada de carne de porco, muito protetor solar. Bean e eu passamos uma semana ajustando o conteúdo da mala de mão dela para o avião. Temos um momento de melancolia, no qual prometo ligar todos os dias.

E ligo. Mas assim que Bean chega em Miami, ela fica tão absorvida na aventura que não quer passar mais de um minuto ou dois ao telefone. Conto com relatórios da minha mãe e das amigas dela. Uma delas me escreve um e-mail: "Ela comeu sushi conosco hoje, nos ensinou um pouco de francês, nos contou alguns problemas importantes relacionados a amigos da escola e foi dormir com um sorriso no rosto."

Depois de poucos dias, o inglês de Bean (que já tinha tido um misterioso sotaque da Nova Inglaterra com um toque britânico) agora parece quase completamente americano. Ela diz *car* com um "ahr" pleno e direto. No entanto, está claramente explorando o estado de expatriada. Minha mãe diz que escutaram as fitas de estudo de francês dela no carro e Bean declarou: "Esse homem não sabe francês."

Bean tenta entender o que aconteceu em Paris enquanto estava longe. "Papai está gordo? Mamãe está velha?", ela nos pergunta depois de uma semana. Minha mãe diz que Bean fica dizendo para as pessoas quando vou chegar em Miami, quanto tempo vou ficar e para onde vamos depois. Assim como Françoise Dolto previu, ela precisa tanto de independência quanto de entendimento racional do mundo.

Quando conto a amigos sobre a viagem de Bean, as reações se dividem em direções opostas. Os norte-americanos dizem que Bean é "corajosa" e perguntam como ela está lidando com a separação. Nenhum deles mandou os filhos da idade dela para férias com os avós, principalmente do outro lado do oceano. Mas meus amigos franceses simplesmente assumem que um pouco de afastamento é bom para todo mundo. Eles tomam como certo o fato de que Bean está se divertindo sozinha e de que estou tendo um descanso merecido.

Conforme as crianças ficam mais independentes, Simon e eu começamos a nos dar melhor. Ele ainda é irritável e eu ainda sou irritante. Mas ele decidiu que não tem problema ficar alegre às vezes e admitir que gosta da minha companhia. De vez em quando, até ri das minhas piadas. Estranhamente, ele parece achar o senso de humor de Bean hilário.

— Quando você nasceu, achei que você fosse um macaco — diz ele para ela uma certa manhã, brincando.

— Quando você nasceu, achei que você era cocô — responde ela. Simon ri muito disso, a ponto de praticamente chorar. Parece que nunca cheguei na categoria preferida de humor dele: surrealismo escatológico.

Não comecei a fazer piadas de banheiro, mas fiz outras concessões. Eu controlo Simon menos do que antes, mesmo quando chego de manhã na sala e ele está servindo suco de laranja sem sacudir a caixa. Descobri que, como as crianças, ele gosta de autonomia. Se isso significa um copo cheio de polpa para mim, que seja. Não pergunto mais em que ele está pensando. Aprendi a cultivar (e apreciar) ter um pouco de mistério em nosso casamento.

No verão passado, voltamos para a cidade de praia onde reparei pela primeira vez em todas aquelas crianças francesas comendo alegremente em restaurantes. Desta vez, em vez de ter uma criança conosco, temos três. E em vez de tentarmos nos virar em um hotel, sabiamente alugamos uma casa com cozinha.

Em uma tarde, levamos as crianças para almoçar fora em um restaurante perto do porto. É um daqueles idílicos dias de verão franceses, quando prédios pintados de branco brilham à luz do sol de meio-dia. E, estranhamente, nós cinco conseguimos apreciar o dia. Pedimos nossa comida com calma, e em etapas. As crianças ficam nas cadeiras e apreciam os alimentos, incluindo peixe e legumes. Nada cai no chão. Tenho que dar uma orientação gentil. Não é tão relaxante quanto jantar sozinha com Simon. Mas parece mesmo que estamos de férias. Até tomamos café no final da refeição.

Agradecimentos

Sou extremamente grata à minha agente, Suzanne Gluck, e a Ann Godoff e Virginia Smith da Penguin Press.

Meus profundos agradecimentos vão para Sapna Gupta pela leitura arguta do manuscrito. Adam Kuper me deu conselhos e estímulos quando eu mais precisava. Pauline Harris me deu ajuda especializada com as pesquisas. Ken Druckerman não apenas comentou sobre os primeiros capítulos; ele também recebeu pacotes por mim.

Merci ao meu grupo de mães leitoras: Christine Tacconet, Brooke Pallot, Dietlind Lerner, Amelia Relles, Sharon Galant e a heroica Hannah Kuper, que leu os capítulos sobre gravidez enquanto estava tendo contrações.

Pelo apoio em geral, geralmente na forma de comida ou abrigo, obrigada a Scott Wenger, Joanne Feld, Adam Ellick, Jeffrey Sumber, Kari Snick, Patrick Weil, Lithe Sebesta, Adelyn Escobar, Shana Druckerman, Marsha Druckerman, Steve Fleischer e Nancy e Ronald Gelles. Obrigada a Benjamin Barda e a meus colegas da rue Bleue pela camaradagem, dicas de educação de filhos e lições sobre como apreciar o almoço.

Tenho um grande débito com as muitas famílias francesas que me permitiram ficar perto delas, e com as pessoas cujas apresentações tonaram esse contato todo possível: Valerie Picard, Cécile Agon, Hélène Toussaint, William Oiry, Véronique Bouruet-Aubertot, Gail Negbaur, Lucie Porcher, Emilie Walmsley, Andrea Ipaktchi, Jonathan Ross, Robynne Pendariès,

Benjamin Benita e Laurence Kalmanson. Obrigada à creche Cour Debille e à creche Enfance et Découverte, principalmente a Marie-Christine Barison, Anne-Marie Legendre, Sylvie Metay, Didier Trillot, Alexandra Van-Kersschaver e Fatima Abdullarif. Minha gratidão especial vai para a família de Fanny Gerbet.

É bem mais fácil escrever um livro sobre criação de filhos quando você é abençoada com pais extraordinários: Bonnie Green e Henry Druckerman. Também é maravilhoso ser casada com alguém que é melhor do que eu no que eu faço. Eu não conseguiria ter escrito este livro sem o encorajamento e a tolerância do meu marido, Simon Kuper. Ele criticou cada rascunho e, ao fazer isso, me tornou uma escritora melhor.

Por fim, obrigada a Leo, Joel e Leila (lê-se Laila). Era isso que mamãe estava fazendo no escritório. Espero que um dia vocês achem que valeu a pena.

Notas

Crianças francesas não fazem manha

1   *Os pais franceses são muito preocupados com os filhos* Em uma pesquisa de 2002 feita pelo Programa Internacional de Pesquisa Social, 90% dos adultos franceses concordaram ou concordaram intensamente com a afirmação: "Observar os filhos crescerem é a maior alegria da vida." Nos Estados Unidos, esse número foi de 85,5%; no Reino Unido, foi de 81,1%.
2   *"simplesmente prestar mais atenção à educação das crianças do que pode ser bom para eles"* Joseph Epstein, "The Kindergarchy: Every Child a Dauphin", *Weekly Standard*, 9 de junho de 2008. Epstein pode ter sido quem criou a palavra "kindergarchy".
3   *se beneficiariam de mais estímulo também* Judith Warner descreve isso em *Mães que trabalham — A loucura perfeita* (Rio de Janeiro: Campus, 2005).
4   *tenha despencado desde o auge, no começo dos anos 1990* De acordo com o Uniform Crime Report do FBI, o índice de crimes violentos nos Estados Unidos caiu em 43% entre 1991 e 2009.
5   *quando descubro uma pesquisa* Alan B. Krueger, Daniel Kahneman, Claude Fischler, David Schkade, Norbert Schwartz e Arthur A. Stone, "Time Use and Subjective Well-Being in France and the US", *Social Indicators Research* 93 (2009): pp. 7-18.
6   *só os irlandeses têm taxa de natalidade maior* De acordo com os números de 2009 da OCDE, a taxa de natalidade da França é 1,99 por mulher; a da Bélgica é 1,83; a da Itália é 1,41; a da Espanha é 1,4; e a da Alemanha é 1,36.

notas

Capítulo 2: Paris está arrotando

1 ***na França, é de um em 6.900*** Tirado de um relatório chamado *Women on the Front Lines of Health Care: State of the World's Mothers 2010*, publicado por Save the Children em 2010. Os números vêm do apêndice do relatório, intitulado "The Complete Mothers' Index 2010".
2 ***cerca de 87% das mulheres tomam peridural*** "Top des Maternités." www.maman.fr/top_des_maternites-1-1.html.

Capítulo 3: Cumprindo as noites

1 ***Um metaestudo de dezenas de trabalhos*** Jodi Mindell et al., "Behavioral Treatment of Bedtime Problems and Night Wakings in Young Children: An American Academy of Sleep Medicine Review", *Sleep* 29 (2006): 1263-76.
2 ***Os autores do metaestudo fazem referência a uma pesquisa*** Teresa Pinella e Leann L. Birch, "Help Me Make It Through the Night: Behavioral Entrainment of Breast-Fed Infants' Sleep Patterns", *Pediatrics* 91, 2 (1993): 436-43.

Capítulo 4: Espere!

1 ***A maioria só conseguiu esperar uns trinta segundos*** Os experimentos de Mischel foram relatados por Jonas Lehrer em *The New Yorker*, 18 de maio de 2009.
2 ***'espere, estou falando com o vovô'*** Walter Mischel avisa que mesmo as crianças pequenas francesas sendo boas em esperar, isso não significa que se tornarão adultos bem-sucedidos. Muitas outras coisas também as afetam. E enquanto os americanos tipicamente não esperam que as crianças pequenas esperem bem, eles acreditam que as mesmas crianças vão adquirir essa capacidade de alguma forma mais tarde na vida. "Acredito que uma criança indisciplinada não está fadada a se tornar um adulto indisciplinado", diz Mischel. "Só porque uma criança joga comida no chão aos 7 ou 8 anos no restaurante... não significa que a mesma criança não vá se tornar um excelente empresário ou cientista ou professor ou qualquer outra coisa 15 anos depois."
3 ***acabavam comendo-o*** Mischel descobriu que as crianças conseguem aprender facilmente a se distrair sozinhas. Em um teste do marshmallow subsequente, pesquisadores disseram às crianças que em vez de pensar no marshmallow, elas deviam pensar em alguma coisa alegre, como "brincar no balanço com mamãe empurrando" ou fingir que era apenas uma *foto* de um marshmallow. Com essa instrução, o tempo geral de espera aumentou dramaticamente. Os tempos de espera aumentaram, embora as crianças soubessem que estavam tentando enganar a si mesmas. Assim que o pesquisador voltava para a sala, as crianças que se ocuparam com autodistração por 15 minutos comeram rapidamente os marshmallows.
4 ***agora inclui um lanche*** Jennifer Steinhauer, "Snack Time Never Ends", *New York Times*, 20 de janeiro de 2010.

5 *Mas as mães francesas disseram que era muito importante* Marie-Anne Suizzo, "French and American Mothers' Childrearing Beliefs: Stimulating, Responding, and Long-Term Goals", *Journal of Cross-Cultural Psychology* 35, 5 (setembro de 2004): 606-26.
6 *um minucioso estudo do governo americano sobre os efeitos dos cuidados infantis* National Institute of Child Health & Human Development (NICHD), Study of Early Child Care and Youth Development, 1991-2007. www.nichd.nig.gov/research/supported/seccyd/overview.cfm#initiating.
7 *crianças americanas fazendo muito* **n'importe quoi** Um estudo de 2006 com casais canadenses brancos de classe média descobriu que, quando os filhos estavam por perto (o que era bem frequente), era impossível os pais terem momentos de qualidade juntos. Um participante disse que, enquanto conversava com a esposa, "éramos interrompidos de um em um minuto". Os autores concluíram: "Para ter qualquer experiência de serem um casal, eles simplesmente tinham que se afastar dos filhos." Vera Dyck e Kerry Daly, "Rising to the Challenge: Fathers' Role in the Negotiation of Couple Time", *Leisure Studies* 25, 2 (2006): 201-17.
8 *Uma psicóloga francesa escreve* A psicóloga é Christine Brunet, citada em *Journal des Femmes*, 11 de fevereiro de 2005.
9 *uma passagem obrigatória* Anne-Catherine Pernot-Masson, citada em *Votre Enfant*.

Capítulo 5: Pequenos humanos

1 *tão distantes quanto a Normandia ou a Borgonha* Elisabeth Badinter, *Um amor conquistado: o mito do amor maternal* (Rio de Janeiro: Nova Fronteira, 1998).
2 *para substituir a mãe na loja da família* Ibid.
3 *escreve uma historiadora social francesa* Ibid.
4 *porque fazer isso dá prazer à criança* Marie-Anne Suizzo, "French and American Mothers' Childrearing Beliefs: Stimulating, Responding, and Long-Term Goals", *Journal of Cross-Cultural Psychology* 35, 5 (setembro de 2004): 606-26.
5 *Não sei de onde ela tirava as respostas* Dolto: Une vie pour l'enfance, *Télérama hors série*, 2008.
6 *mas que ela veio a criar mais tarde* Dolto decidiu que queria ter uma profissão depois de ver mulheres do bairro dela que tinham sido abastadas irem implorar na escola dela porque tinham perdido os maridos na Primeira Guerra Mundial. "Vi a decrepitude de viúvas burguesas que não tinham profissão", explicou ela.
7 *Em uma carta endereçada a ela, escrita em 1934* Françoise Dolto, *Lettres de jeunesse: Correspondance 1913-1938* (Paris: Gallimard, 2003).
8 *ela perguntava aos pequenos pacientes* Lembrança do psicanalista Alain Vanier, relatada em *Dolto: Une vie pour l'enfance*, Télérama hors série, 2008.
9 *"outros são pequenos. Mas eles se comunicam."* A psicóloga é Muriel Djéribi-Valentin. Ela foi entrevistada por Jacqueline Sellem para um artigo intitulado "Fran-

çoise Dolto: An Analyst Who Listened to Children", que fez parte de *l'Humanité* em inglês e foi traduzido por Kieran O'Meara, www.humaniteinenglish.com/article1071.htm.

10 *os pais franceses fazem um tour pela casa* Marie-Anne Suizzo descobriu que 86% das mães parisienses que ela entrevistou "declararam especificamente que falam com os bebês para se comunicarem com eles". Marie-Anne Suizzo, "Mother-Child Relationships in France: Balancing Autonomy and Affiliation in Everyday Interactions", *Ethos* 32, 3 (2004): 292-323.

11 *escreve o psicólogo de Yale Paul Bloom* Paul Bloom, "Moral Life of Babies", *New York Times Magazine*, 3 de maio de 2010.

12 *que bebês de 18 meses entendem probabilidade* Alison Gopnik escreve que esses novos estudos "demonstram que bebês e crianças muito pequenas sabem, observam, exploram, imaginam e aprendem mais do que poderíamos achar possível". Gopnik é psicóloga na Universidade da Califórnia em Berkeley e autora de *The Philosophical Baby*.

Capítulo 6: Creche?

1 *e as transformassem em "americanos"* Abby J. Cohen, "A Brief History of Federal Financing for Child Care in the United States", *The Future of Children: Financing Child Care* 6 (1996).

2 *não precisem trabalhar ou possam pagar babás* Em algum momento, a parte final da pré-escola foi assimilada pelo sistema de escolas públicas americano. Mas o sistema de creche continuou sendo particular. Os pais de classe média e os especialistas acreditavam que as mães deviam cuidar dos filhos pequenos. O estado não devia se intrometer naquele estágio da vida familiar, exceto quando "uma família ou o próprio país está em crise", escreve Abby Cohen.

A Grande Depressão foi uma dessas crises. Em 1933, o governo americano já tinha montado berçários de emergência, mas isso foi explicitamente feito para gerar empregos. Cohen observa que um relatório de 1930 feito pelo Conference on Children da Casa Branca disse: "Ninguém deve ficar com a ideia de que o Tio Sam vai botar os bebês para dormir." A maior parte dessas escolas foi fechada depois que o pior da Depressão passou.

Quando os Estados Unidos entraram na Segunda Guerra Mundial, outra crise de cuidados infantis surgiu: quem cuidaria dos bebês de Rosie the Riveter (como eram chamadas as mulheres americanas que trabalhavam em fábricas durante a Segunda Guerra Mundial)? Entre 1942 e 1946, o governo federal construiu centros de cuidado infantil que atendia as crianças cujas mães tinham ido trabalhar na indústria de defesa. A maior parte foi na Califórnia, onde grande parte da produção de guerra aconteceu. Inicialmente, os centros cobravam apenas cinquenta centavos por dia.

Quando a guerra terminou, o governo disse que ia fechar os centros para que as mães pudessem voltar a cuidar da casa. Algumas mães protestaram. A primeira-

-dama Eleanor Roosevelt escreveu: "Muitos pensaram que [os centros] eram apenas uma medida de emergência de guerra. Alguns de nós tinham a suspeita de que talvez fossem uma necessidade que estava constantemente conosco, mas que tínhamos deixado de perceber no passado." Alguns centros receberam fundos durante alguns anos a mais, mas a maioria acabou fechando.

Um novo empurrão para o governo americano ajudar os pais a pagarem pelo cuidado infantil (e até providenciar parte dele) começou a surgir nos anos 1960. Houve uma onda de novas pesquisas sobre como as desvantagens no começo da vida persistem quando as crianças estão maiores. Head Start foi criado para financiar escolas para crianças muito pobres entre 3 e 5 anos.

É claro que as mães de classe média iriam querer que os filhos tivessem as vantagens da educação precoce também. E com mais mulheres trabalhando, o cuidado infantil era um problema crescente. Em 1971, o Congresso aprovou o Comprehensive Child Development Act. A lei objetivava profissionalizar a força de trabalho voltada para o cuidado infantil, construir vários centros de cuidado infantil e disponibilizar e tornar acessível o cuidado infantil de qualidade. O presidente Nixon vetou a lei, alegando (em um veto escrito por seu consultor, Pat Buchanan) que ela favorecia "abordagens públicas à educação infantil em vez de a abordagem centrada na família". Foi uma invocação brilhante tanto dos medos da Guerra Fria relacionados ao comunismo quanto da ideia antiquada de que as mães devem cuidar dos filhos.

Nos anos 1980, essa ambivalência quanto ao cuidado infantil assumiu uma nova forma: supostos círculos de abuso sexual em centros de cuidado infantil baseados em casas e em creches. Em uma série de casos conhecidos, donos de creches e funcionários foram acusados de pedofilia, às vezes até envolvendo adoração ao demônio e jornadas a labirintos subterrâneos. Muitas dessas acusações acabaram se mostrando falsas, e condenações-chave foram derrubadas porque os testemunhos das crianças envolvidas tinham sido impostos por advogados exaltados. A jornalista Margaret Talbot escreveu que mesmo as acusações mais absurdas pareciam críveis no começo dos anos 1980, porque os americanos estavam nervosos com as mães de crianças pequenas indo trabalhar: "Era como se houvesse um alívio sombrio e autodestrutivo em trocar dúvidas diárias triviais sobre o cuidado de nossos filhos por nossos piores medos — por uma história com monstros, não apenas seres humanos que nem sempre tratavam nossos filhos exatamente como nós gostaríamos; por um destino tão horrível e bizarro que nenhum pai ou mãe, não importando o quão vigilante fosse, poderia ter impedido", disse ela.

3 *costumam ficar abertos das 6h às 18h30* Quando aconteceram casos de abuso sexual em alguns CDCs nos anos 1980, o House Subcommittee on Military Personnel and Compensation fez audiências para investigar o sistema todo. Descobriram os mesmos problemas que tinham as creches do setor privado: rotatividade grande de pessoal, salários baixos e, às vezes, inspeções inexistentes, de acordo com Gail L. Zellman e Anne Johansen em "Examining the Implementation and Ou-

tcomes of the Military Child Care Act of 1989". Em resposta, o Congresso aprovou o Military Child Care Act em 1989. Essa lei continha exatamente o tipo de regra que os defensores das creches americanas pediam: treinamento especializado para os cuidadores, especialistas supervisionando cada centro e inspeções sem aviso quatro vezes por ano.

4 *os pais americanos de classe média permanecem divididos quanto a deixar seus filhos em creches* Em 2003, 72% dos americanos concordaram que "crianças demais estão sendo criadas em creches atualmente", em comparação a 68% em 1987, de acordo com o Pew Research Center.

5 *perfeita convicção de que as crianças entendem* Um relatório de 2009 feito pela prefeitura de Paris disse que os cuidadores não deveriam falar mal sobre os pais de uma criança, suas origens e nem aparência, mesmo se a criança fosse um bebê, e mesmo se o comentário fosse feito com outra pessoa. "A mensagem implícita nesse tipo de reflexão sempre é percebida intuitivamente pelas crianças. Quanto mais novas forem, mais entendem o que está contido por trás das palavras", diz o relatório.

6 *mas precisa ser treinado no estabelecimento* OCDE, "Starting Strong II: Early Childhood Education and Care", 2006.

7 *o modo como as crianças se desenvolvem e se comportam mais tarde na vida* NICHD Study of Early Child Care and Youth Development.

8 *Um dos pesquisadores do estudo* Jay Belsky, "Effects of Child Care on Child Development: Give Parents Real Choice."

Capítulo 7: *Bébé au lait*

1 *amamentam um pouco* OCDE, "France Country Highlights, Doing Better for Children", 2009.

2 *um terço ainda amamenta exclusivamente aos 4 meses do bebê* WHO Global Data Bank on Infant and Young Child Feeding, 2007-2008.

3 *se pesando dia após dia* "Quanto mais você se monitora com cuidado e frequência, mais você vai se controlar", Roy F. Baumeister e John Tierney escrevem em *Força de vontade: A redescoberta do poder humano* (São Paulo: Lafonte, 2012).

4 *comerão esses alimentos depois* Ibid.

5 *não há motivo para se sentir mal quanto a isso* Em um estudo de 2004, quando mães francesas e americanas graduaram a importância de "sempre colocar as necessidades do bebê antes das próprias", as mães americanas deram 2,89 em um total de 5; as mães francesas deram 1,26 em um total de 5. Marie-Anne Suizzo, "French and American Mothers' Childrearing Beliefs: Stimulating, Responding, and Long-Term Goals", *Journal of Cross-Cultural Psychology* 35, 5 (setembro de 2004): 606-26.

6 *as páginas de moda de uma revista francesa direcionada a mães* Violane Belle-Croix, "Géraldine Pailhas, des visages, des figures", *Milk Magazine*, 13 de setembro de 2010.

7 *também exige que ela se mantenha e se sinta sedutora* "As mulheres francesas sabem que uma vida interior é uma coisa sexy. Ela precisa ser alimentada, desenvolvida, mimada...", escreve Debra Ollivier em *O que as mulheres francesas sabem: Sobre amor, sexo e atração* (São Paulo: Academia de Inteligência, 2010).

Capítulo 8: A mãe perfeita não existe

1 *Só 71% dos americanos e britânicos disseram isso* Considerando o surto de natalidade e a escassez de vagas em creches, o estado francês paga cerca de quinhentos euros por mês para algumas mães para cuidarem de seus próprios filhos até o mais novo fazer 3 anos. As mães também têm direito a trabalhar por meio período durante os três primeiros anos.
2 *tornar o ato de cuidar do filho menos agradável para as mães* As mães americanas acharam o ato de cuidar do filho duas vezes mais desagradável do que as mães francesas. Alan B. Krueger, Daniel Kahneman, Claude Fischler, David Schkade, Norbert Schwartz e Arthur A. Stone, "Time Use and Subjective Well-Being in France and the US", *Social Indicators Research* 93 (2009): 7-18.
3 *Annette Lareau observou entre pais de classe média brancos e afrodescendentes* Annette Lareau, *Unequal Childhoods: Class, Race and Family Life* (Berkeley: University of California Press, 2003).
4 *é esperado que vá também* **aos treinos** Annette Lareau escreve que a maior parte das famílias de classe média que ela observou estava freneticamente ocupada, com pais trabalhando em tempo integral, fazendo compras, cozinhando, supervisionando banhos e deveres de casa e levando os filhos de um lado para outro, para suas atividades. "As coisas são tão confusas que a casa às vezes parece se tornar um circuito de espera entre atividades", escreve ela. De "Questions and Answers: Annette Lareau, Unequal Childhoods: Class, Race and Family Life", http://sociology.sas.upenn.edu/sites/sociology.sas.upenn.edu/files/Lareau_Question&Answers.pdf.
5 *o time poderia perder* Elisabeth Guédel Treussard, "Pourquoi les mères françaises sont supérieures", French Morning, 24 de janeiro de 2011.
6 *mais tempo cuidando de filhos do que os pais de 1965* Robert Pear, "Married and Single Parents Spending More Time with Children, Study Finds", *New York Times*, 17 de outubro de 2006.

Capítulo 9: *Caca boudin*

1 *a escola é o maior gasto* The Basic Economic Security Tables for the United States 2010, publicado por Wilder Opportunities for Women, 2010, www.wowonline.org/documents?BESTIndexforTheUnitedStates2010.pdf.
2 *"apaixonadamente, loucamente, não me ama"* Debra Ollivier, *O que as mulheres francesas sabem: Sobre amor, sexo e atração* (São Paulo: Academia de Inteligência, 2010).

Capítulo 11: Adoro essa baguete

1 *satisfação marital decaiu* Jean M. Twenge, W. Keith Campbell e Craig A. Foster, "Parenthood and Marital Satisfaction: A Meta-Analytic Review", *Journal of Marriage and Family* 65, 3 (agosto de 2003): 574-83.

2 *as mães acham mais prazeroso fazer o trabalho doméstico do que cuidar dos filhos* Em um famoso estudo de 2004, mães que trabalham do Texas disseram que cuidar dos filhos era uma das tarefas diárias mais desagradáveis para elas. Elas preferiam tarefas domésticas. Daniel Kahneman et al., "A Survey Method for Characterizing Daily Life Experience: The Day Reconstruction Method", *Science*, 3 de dezembro de 2004.

3 *a infelicidade deles aumenta com cada filho adicional* Jean M. Twenge et al., "Parenthood and Marital Satisfaction".

4 *Um trabalho sobre canadenses de classe média* Vera Dyck e Kerry Daly, "Rising to the Challenge: Fathers' Role in the Negotiation of Couple Time", *Leisure Studies* 25, 2 (2006): 201-17.

5 *a distância entre quanto os homens e as mulheres ganham é maior do que a nossa* No abrangente 2010 Global Gender Gap Index, criado pelo World Economic Forum, os Estados Unidos ficaram em décimo nono no ranking e a França, em quadragésimo sexto.

6 *os homens fazendo trabalhos domésticos e cuidando dos filhos* De acordo com o Institut National de la Statistique et des Études Économiques (INSEE).

7 *e 25% mais nos cuidados com os filhos* De acordo com o U.S. Bureau of Labor Statistics, release para a imprensa, 22 de junho de 2010, "American Time Use Survey — 2009 Results", www.bls.gov/news.release/archives/atus_06222010.pdf.

8 *"é difícil me acalmar"* Em um estudo de 2008, 49% dos homens americanos empregados disseram que cuidavam tanto ou mais dos filhos do que as companheiras. Mas apenas 31% das mulheres viam as coisas do mesmo jeito. Ellen Galinsky, Kerstin Aumann e James T. Bond, *Times Are Changing: Gender and Generation at Work and at Home*.

9 *vou deixar Simon em Paris com os meninos* Alan B. Krueger et al., "Time Use and Subjective Well-Being in France and the U.S." As mulheres francesas passavam cerca de 15% menos tempo fazendo tarefas domésticas do que as mulheres americanas.

10 *21 dias de férias a mais por ano* Ibid.

11 *Um estudo francês de 2006* Denise Bauer, Études et Résultats, "Le temps des parentes après une naissance", Direction de la recherche, des études, de l'évaluation et des statistiques (DREES), abril de 2006, www.sante.gouv.fr/IMG/pdf/er737.pdf.

Capítulo 12: Você só precisa experimentar

1 *Apenas 3,1% das crianças francesas entre 5 e 6 anos são obesas* Nathalie Guignon, Marc Collet e Lucie Gonzalez, "La santé des enfants en grande section de maternelle en 2005-2006", Drees études et resultats, setembro de 2010.

2   *10,4% das crianças entre 2 e 5 anos são obesas* Centers for Disease Control and Prevention, "Prevalence of Obesity Among Children and Adolescents: United States, Trends 1963-1965 Through 2007-2008".

3   *"a saúde é vista como a razão principal para comer"* Lemangeur-ocha.com, "France, Europe, the United States: What Eating Means to Us: Interview with Claude Fischler and Estelle Masson", postado on-line, 16 de janeiro de 2008.

Capítulo 13: Sou eu quem decide

1   *"e é respeitoso com ela", diz Daniel Marcelli* Em uma entrevista para a revista *Enfant*, "Comment réussit à se faire obéir?", outubro de 2009, 78-82.

2   *Em uma pesquisa nacional* "Les Français et la fessée", pela agência de pesquisa TNS Sofres/Logica para Dimanche Ouest France, 11 de novembro de 2009.

3   *disseram que nunca batem nos filhos* Cinquenta e cinco por cento também disseram que são contra bater nos filhos.

4   *Todos os especialistas em educação de filhos que leio são contra* Marcel Rufo, um famoso psiquiatra infantil de Marselha, diz: "Há duas gerações de pais... aqueles da geração anterior, que apanhava e levava surras e diz: 'Não ficamos traumatizados por isso.' E há os pais de hoje, que acho que são bem melhores, porque se preocupam mais em entender o filho e não em proibir coisas. O papel do pai ou mãe é dar essa visão ao filho, explicar as coisas a ele. A criança vai aceitar." *Le Figaro Magazine,* 20 de novembro de 2009, www.lefigaro.fr/actualite-france /2009/11/20/01016-20091120AR TFIG00670-deux-claques-pour-la-loi-antifessee-.php.

Capítulo 14: Deixe que ela viva a vida dela

1   *tudo na casa (e na sociedade) que diz respeito a ela* Quando pediram a mães francesas e americanas que graduassem a importância de "não deixar que o bebê se torne dependente demais da mãe", as mães americanas marcaram a frase com a pontuação de 0,93 em um total de até 5. As mães francesas marcaram com 3,36 pontos. Marie-Anne Suizzo, "French and American Mothers' Childrearing Beliefs: Stimulating, Responding, and Long-Term Goals", *Journal of Cross-Cultural Psychology*, 35, 5 (setembro de 2004): 606-26.

2   *"tratar cada pensamento da criança como uma contribuição especial"* Raymonde Carroll escreve em *Cultural Misunderstandings* que os pais americanos "evitam o máximo possível criticar os filhos, fazer piada com as preferências deles ou dizer a eles constantemente 'como fazer as coisas'".

3   *é quase como gabaritar* Tirar 16:20 é uma "conquista rara e excelente", de acordo com um relatório preparado pela banca de exames da Universidade de Cambridge para universidades britânicas. Relatado em "A Chorus of Disapproval", *Economist*, 30 de setembro de 2010, www.economist.com/node/17155766.

4   *em comparação a um ideal, que praticamente ninguém alcança* Isso cria um problema para os cientistas sociais quando eles tentam comparar a vida nos Estados Unidos e na França. "As americanas tendem a ser mais enfáticas quando relatam seu bem-estar", dizem os autores daquele estudo com as mulheres em Ohio e Rennes. As americanas eram mais propensas a escolher os extremos, como "muito satisfeita" e "nada satisfeita", enquanto as francesas evitavam essas opções. Os pesquisadores ajustaram as descobertas levando isso em consideração.

5   *"porque têm medo de não serem bem-sucedidos"* Po Bronson e Ashley Merryman, *Filhos — Novas Ideias sobre Educação* (São Paulo: Lua de Papel, 2010), http://abcnews.go.com/GMA/Books/story?id=8433586&page=7.

O futuro em francês

1   *que preciso ceder aos desejos deles* "Para Françoise Dolto, um desejo não é uma necessidade e não deveria necessariamente ser satisfeito, mas devemos ouvir e falar sobre ele, o que faz toda a diferença", diz Muriel Djéribi-Valentin em "Françoise Dolto: An Analyst Who Listened to Children", *l'Humanité* em inglês.

Bibliografia

ABCs of Parenting in Paris. 5ª edição. Emily James, org. Paris: MESSAGE Mother Support Group, 2006. www.messageparis.org.

Antier, Edwige. "Plus on leve la main sur un enfant, plus il devient agressif." *Le Parisien*, 15 de novembro de 2009.

Auffret-Pericone, Marie. "Comment réussir à se faire obéir?" *Enfant*. Outubro de 2009, 91-96.

Badinter, Elisabeth. *Um amor conquistado: o mito do amor maternal*. Rio de Janeiro: Nova Fronteira, 1998.

——————. *O conflito: a mãe e a mulher*. Rio de Janeiro: Record, 2011.

Belsky, Jay. "Effects of Child Care on Child Development: Give Parents Real Choice." Março de 2009. Texto de um discurso feito na Conference of European Ministers of Family Affairs, Praga, fevereiro de 2009.

Bennhold, Katrin. "Where Having It All Doesn't Mean Having Equality." *New York Times*, 11 de outubro de 2010.

Bloom, Paul. "Moral Life of Babies." *New York Times Magazine*, 3 de maio de 2010. www.nytimes.com/2010/05/09/magazine/09babies-t.html?pagewanted=all.

Bornstein, Marc H., Catherine S. Tamis-LeMonda, Marie-Germaine Pecheux e Charles W. Rahn. "Mother and Infant Activity and Interaction in France and in the United States: A Comparative Study." *International Journal of Behavioral Development* (1991): 21-43.

Bronson, Po e Ashley Merryman. *Filhos — novas ideias sobre educação*. São Paulo: Lua de Papel, 2010.

Calhoun, Ada. "The Battle over 'Cry It Out' Sleep Training." Salon.com, 17 de março de 2010.

Carroll, Raymonde. *Cultural Misunderstandings: The French-American Experience*. Chicago: University of Chicago Press, 1990.

CIA. *TheWorldFactbook*. https://www.cia.gov/library/publications/the-world-factbook/.

Cimpian, Andrei, Holly-Marie C. Arce, Ellen M. Markman, Carol S. Dweck. "Subtle Linguistics Cues Affect Children's Motivation." *Association for Psychological Science* 18, 4 (2007).

Cohen, Abby J. "A Brief History of Federal Financing for Child Care in the United States." *The Future of Children: Financing Child Care* 6 (1996): 26-40.

Cohen, Michel. *The New Basics — O que você precisa saber para cuidar do seu filho, de A a Z*. São Paulo: Integrare Editora, 2011.

Clerget, Stéphane e Danièle Laufer. *La mère parfaite, c'est vous*. Paris: Hachette Littératures, 2008.

Dolto, Françoise. *As etapas decisivas da infância*. São Paulo: Martins Fontes, 2007.

——— . *Lettres de jeunesse: Correspondance 1913-1938*. Paris: Gallimard, 2003.

Dolto, Françoise e Danielle Marie Lévy. *Parler juste aux enfants*. Paris: Galimard, 2002.

Delahaye, Marie-Claude. *Livre de bord de la future maman*. Paris: Marabout, 2007.

De Leersnyder, Hélène. *L'enfant et son sommeil*. Paris: Robert Laffont, 1998.

Direction de la recherche, des études, de l'évaluation et des statistiques (DREES). *Le temps des parentes après une naissance*. Abril de 2006.

Dyck, Vera e Kerry Daly. "Rising to the Challenge: Fathers' Role in the Negotiation of Couple Time." *Leisure Studies* 25, 2 (2006): 201-17.

Eisenberg, Arlene, Heidi E. Murkoff e Sandee Hathaway. *O que esperar dos primeiros anos*. Rio de Janeiro: Record, 1998.

Epstein, Joseph. "Parents, faites-vous confiance!" Entrevista. www.aufeminin.com. 7 de outubro de 2009.

Franrenet, Sandra. "Quelles punitions pour nos fripons?" http://madame.lefigaro.fr/societe/quelles-punitions-pour-nos-fripons-280211-13725. 28 de fevereiro de 2011.

Galinsky, Ellen, Kerstin Aumann e James T. Bond. *Times Are Changing: Gender and Generation at Work and at Home*. Relatório. Nova York: Families and Work Institute, 2009.

Gerkens, Danièle. "Comment rendre son enfant heureux?" Entrevista com Aldo Naori. *Elle*, 26 de fevereiro de 2010.

Girard, Isabelle. "Pascal Bruckner et Laurence Ferrari: Le mariage? Un acte de bravoure." *Le Figaro — Madame*, 11 de setembro de 2010.

Guiliano, Mireille. *As mulheres francesas não engordam*. Rio de Janeiro: Campus, 2005.

Hausmann, Ricardo, Laura D. Tyson e Saadia Zahidi. "The Global Gender Gap Report 2010." Genebra, Suíça: World Economic Forum, 2010.

Hulbert, Ann. *Raising America: Experts, Parents, and a Century of Advice About Children*. Nova York: Vintage Books, 2004.

Institute National de la Statistique et des Études Économiques (INSEE). Evolution des temps sociaux au cours d'une journée moyenne, 1986 e 1999. www.insee.fr/fr/themes/tableau.asp?ref_id=natccf05519.

Kahneman, Daniel e Alan B. Krueger. "Developments in the Measurement of Subjective Well-Being." *Journal of Economic Perspectives* 20, 1 (2006): 3-24.

Kamerman, Sheila. "Early Childhood Education and Care: International Perspectives." Testemunho preparado para o United States Senate Committee on Health, Education, Labor, and Pensions, Washington, D.C., 27 de março de 2001.

———. "A Global History of Early Childhood Education and Care." Material de apoio. Unesco, 2006.

Krueger, Alan B., Daniel Kahneman, Claude Fischler, David Schkade, Norbert Schwarz e Arthur A. Stone. "Time Use and Subjective Well-Being in France and the U.S." *Social Indicators Research* 93 (2009): 7-18.

Krueger, Alan B., org. *Measuring the Subjective Well-being of Nations: National Accounts of Time Use and Well-being.* Chicago: University of Chicago Press, 2009.

Lareau, Annette. *Unequal Childhoods: Class, Race and Family Life.* Berkeley: University of California Press, 2003.

———. "Questions and Answers About Unequal Childhoods." http://sociology.sas.upenn.edu/a_lareau2.

Lemangeur-ocha.com. "France, Europe, the United States: What Eating Means to Us: Entrevista com Claude Fischler e Estelle Masson", postado on-line em 16 de janeiro de 2008.

Marbeau, J. B. F. *The Crèche or a Way to Reduce Poverty by Increasing the Population.* Tradução Vanessa Nicolai. Montreal, 1994 (trabalho original publicado em 1845). PDF da tradução fornecido por Larry Prochner, University of Alberta.

Marcelli, Daniel. *Il est permis d'obéir.* Paris: Albin Michel, 2009.

Mairie de Paris. "Mission d'information et d'évaluation sur l'engagement de la collectivité parisienne auprès des familles en matière d'accueil des jeunes enfants de moins de trois ans." 15 de junho de 2009.

Melmed, Matthew. Declaração enviada ao Committee on Education and Labor, U.S. House of Representatives, Hearing on Investing in Early Education: Improving Children's Success. Washington, D.C., 23 de janeiro de 2008.

Military.com. "Military Child Care." www.military.com/benefits/resources/family-support/child-care.

Mindell, Jodi, et al. "Behavioral Treatment of Bedtime Problems and Night Wakings in Young Children: AASM Standards of Practice." *Sleep* 29 (2006): 1263-76.

Mischel, Walter. *A History of Psychology in Autobiography.* Ed. G. Lindzey e W. M. Runyan. Washington, D.C.: American Psychological Association, 2007.

Mogel, Wendy. *The Blessing of a Skinned Knee.* Nova York: Scribner, 2001.

Murkoff, Heidi, Arlene Eisenberg e Sandee Eisenberg Hathaway. *O que esperar quando você está esperando.* Rio de Janeiro: Record, 2010.

National Institutes of Health. "Child Care Linked to Assertive, Noncompliant, and Aggressive Behaviors; Vast Majority of Children Within Normal Range." 16 de julho de 2003.

Organisation for Economic Co-operation and Development. "Éducation et Accueil des Jeunes Enfants." Maio de 2003.

Ollivier, Debra. *O que as mulheres francesas sabem: sobre amor, sexo e atração*. São Paulo: Academia de Inteligência, 2010.

Parker, Kim. "The Harried Life of the Working Mother." Pew Research Center. 1º de outubro de 2009. http://pewresearch.org/pubs/1360/working-women-conflicted-but-few-favor-return-to-traditional-roles.

Pernoud, Laurence. *J'élève mon enfant*. Paris: Editions Horay, 2007.

Pew Global Attitudes Project. "Men's Lives Often Seen as Better: Gender Equality Universally Embraced, but Inequalities Acknowledged." 1º de julho de 2010.

Pinella, Teresa e Leann L. Birch. "Help Me Make It Through the Night: Behavioral Entrainment of Breast-Fed Infants' Sleep Patterns." *Pediatrics* 91, 2 (1993): 436-43.

Prochner, Larry. "The American Creche: Let's Do What the French Do, but Do It Our Way." *Contemporary Issues in Early Childhood* 4, 3 (2003): 267-85.

Richardin, Sophie. "Surfez sur les vagues du désir!" *Neuf Mois*, fevereiro de 2009, 49-53.

Rossant, Lyonel e Jacqueline Rossant-Lumbroso. *Votre Enfant: Guide à l'usage des parents*. Paris: Robert Laffont, 2006.

Rousseau, Jean-Jacques. *Emílio, ou Da educação*. São Paulo: Martins Fontes, 2004.

———. *Émile, or On Education*. Sioux Falls, S.D.: NuVision Publications LLC, 2007. www.nuvisionpublications.com/Print_Books.asp?ISBN=159547840X.

Sawica, Leslie, coord. *Le guide des nouvelles mamans*. Livreto gratuito preparado com o apoio do Ministério da Saúde francês. 2009.

Senior, Jennifer. "All Joy and No Fun." *New York*, 12 de julho de 2010.

Sethi, Anita, Walter Mischel, J. Lawrence Aber, Yuichi Shoda e Monica Larrea Rodriguez. "The Role of Strategic Attention Deployment in Development of Self-regulation: Predicting Preschoolers' Delay of Gratification from Mother-Toddler Interactions." *Developmental Psychology* 36, 6 (novembro de 2000): 767-77.

Skenazy, Lenore. *Free-Range Kids*. São Francisco: Jossey-Bass, 2009.

Steingarten, Jeffrey. *O homem que comeu de tudo*. São Paulo: Companhia das Letras, 2000.

Suizzo, Marie-Anne. "French and American Mothers' Childrearing Beliefs: Stimulating, Responding, and Long-Term Goals." *Journal of Cross-Cultural Psychology* 35, 5 (setembro de 2004): 606-26.

———. "French Parents' Cultural Models and Childrearing Beliefs." *International Journal of Behavioral Development* 26, 4 (2002): 297-307.

———. "Mother-Child Relationships in France: Balancing Autonomy and Affiliation in Everyday Interactions." *Ethos* 32, 3 (2004): 292-323.

Suizzo, Marie-Anne e Marc H. Bornstein. "French and European American Child Mother-Play: Culture and Gender Considerations." *International Journal of Behavioral Development* 30, 6 (2006): 498-508.

Talbot, Margaret. "The Devil in the Nursery." *New York Times Magazine*, 7 de janeiro de 2001.

Thirion, Marie e Marie-Josèphe Challamel. *Le sommeil, le rêve et l'enfant: De la naissance à l'adolescence.* Paris: Albin Michel, 2002.
Turkle, Sherry. *Psychoanalytic Politics: Jacques Lacan and Freud's French Revolution.* Nova York: The Guilford Press, 1992.
———. "Tough Love." Apresentação. Em Françoise Dolto, *When Parents Separate.* Boston: David R. Godine, 1995.
Twenge, Jean M., W. Keith Campbell e Craig A. Foster. "Parenthood and Marital Satisfaction: A Meta-Analytic Review." *Journal of Marriage and Family* 65, 3 (agosto de 2003): 574-83.
Unicef. "Child Poverty in Perspective: An Overview of Childhood Well-being in Rich Countries." Innocenti Report Card 7, 2007. UNICEF Innocenti Research Center, Florença, Itália.
U.S. Bureau of Labor Statistics. American Time-Use Survey Summary, 2009 results.
Warner, Judith. *Mães que trabalham – A loucura perfeita.* Rio de Janeiro: Campus, 2005.
Zellman, Gail L. e Anne Johansen. "Examining the Implementation and Outcomes of the Military Child Care Act of 1989." Research brief. Santa Monica, Calif.: Rand Corporation, 1998.
Zigler, Edward, Katherine Marsland e Heather Lord. *The Tragedy of Child Care in America.* New Haven e Londres: Yale University Press, 2009.

Índice

Academia Americana de Pediatria, 125
acordar no meio da noite *ver* sono
alimentos *ver* refeições
amamentação:
  como competição, 121
  desinteresse francês em, 121-24
  falta de correlação com o padrão de sono do bebê, 52-53, 61-62
  recomendação americana sobre, 125
American Baby, revista, 126
atividade solitária, 64, 75-76, 91, 141-42
attend, 13, 70
autocontrole:
  doucement, 14, 100
  sage, 15, 71, 80, 93
  ver também paciência
autodistração:
  brincadeira solitária, 64, 75-76, 90, 141-42
  lidar com frustração, 71, 72, 81, 200
autoestima, 228, 234-38
autoexpressão, 79, 212
autonomia:

autossuficiência, *autonomie*, 13, 228
classe verte, 14, 230
colonies de vacances, 14, 227-28
como uma necessidade da criança, 229-30, 238-39
confiança e respeito pelas crianças, 231-32, 239
delatar, *rapporter*, 15, 232-33
elogio, 234-38
férias escolares, 227-28, 230-31
lidar com outras crianças, 232-33
momento da criança ficar sozinha, 63-64, 75-76, 141-42
palavrões, 13, 160
superproteção e sufocamento, 143, 229, 233
autoridade dos pais:
  ausência de, 77-79, 212-13
  caprices, 14, 81
  complicité, 14, 218, 222-24
  construir o *cadre*, 214-16, 222
  dizer "não", 79-82, 208-9, 225
  éducation versus castigo, 14, 23, 208, 219

gritar, 219
liderança na hierarquia familiar, 213-
-15
medo de sufocar a criatividade, 79, 211-12
os grandes olhos, 15, 208, 218-19
punição, 224
segurança e felicidade da criança, 63, 91, 92, 208-9
severidade, 219-20
síndrome do filho rei, 14, 21, 210, 215
ter autoridade *versus* ser autoritário, 218-19, 221-22
tolerância com *bêtises*, 13, 156, 220
autossuficiência *ver* autonomia

BabyCenter, site, 32, 67
bêtises, 13, 156, 220
Bitoun, Pierre, 123, 125
Blessing of a skinned knee, The (Mogel), 229
Bloom, Paul, 100-1
bolo de iogurte, 73, 85
bonjour, 13, 150-54
brincadeiras:
  narradas, 136-38
  solitárias, 64, 75-76, 90, 141-42
Bronson, Po, 237
Bruckner, Pascal, 184

caca boudin, 13, 146, 160-61
cadre:
  conversar com a criança sobre, 214-16
  definição, 13
  flexibilidade dentro de limites firmes, 77, 112-14, 199-200
  na ingestão de doces, 202-3
  o desabrochar interior da criança, 222
  o mundo previsível e coerente da criança, 91-92
  tolerância com *bêtises*, 13, 156, 220
  ver também limites

caprices, 14, 81
carnet de santé, 48
carreira *ver* trabalho, retorno ao
Carroll, Raymonde, 234
casamento, relacionamento no *ver* relacionamento no casamento
castigo *versus éducation*, 14, 23, 208, 219; *ver também* autoridade dos pais
centros de desenvolvimento infantil (CDCs) do Departamento de Defesa dos Estados Unidos, 107-8
chocolat chaud, receita de, 206
chorar até dormir, 51, 62-63, 65
Cohen, Michel, 55-58, 62-63, 137
comer *ver* refeições
Comer (Fischler e Masson), 199
Commission Menus, 193-96
complicité, 14, 218, 222-24
compreensão racional:
  capacidade das crianças de, 54, 63, 95-101, 112, 149
  complicité, 14, 218, 222-24
  em discussões sobre alimentos, 115, 193, 198
  linguagem dos direitos, 113, 215
  na construção do *cadre*, 214-16
conversar com a criança *ver* compreensão racional
creche americana, 102-3, 107-8, 117
creche francesa *ver* creche
creche:
  como experiência social, 105, 108-9
  controle do governo, 105, 116
  cuidadores, 111-12, 116
  definição, 14
  entusiasmo francês pela, 106-7, 109-
  -10
  experiência de refeição, 114-15, 193-
  -96, 216
  história, 103-5
  modelo de criação e reforço do *cadre*, 112-14

processo de matrícula, 110-11
tempo livre da mãe, sem cuidar dos filhos, 109, 130
criação competitiva de filhos, 20, 88, 90, 137-39
criatividade, 79, 212
cuidado infantil, liberdade de:
  équilibre, 15, 144
  hora dos adultos, 22, 179-80, 185, 211
  separação e identidade separada da mãe, 129-31, 143-44
  tempo da mãe para si mesma, 109, 130, 140-41, 143-44
culpa:
  comer durante a gravidez, 42
  dar mamadeira, 125
  foco no relacionamento do casal, 179--80
  imperfeição como mãe, 142-45
  tempo livre da mãe para si mesma, sem culpa, 129-31, 143-44
  uso da creche, 102-3, 116-17
  valorização da, 142-43
cultivo orquestrado, 137-39, 174

Daily Mail, 49
Dati, Rachida, 144
De la Fressange, Inès, 144-45
De Leersnyder, Hélène, 54-55, 60, 64, 179
delatar, *rapporter*, 15, 232-33
Denisot, Michel, 133-34
descoberta *ver* despertar e descoberta
desenvolvimento cognitivo *ver* desenvolvimento da criança
desenvolvimento da criança:
  criação competitiva de filhos, 20, 88, 90, 137-39
  despertar e descobertas, 63-64, 75-76, 86-91, 113, 141-42, 228
  Piaget fala sobre, 87
  qualidade da criação, 117

supervisão intensa e cultivo orquestrado, 137-39, 174
desenvolvimento social:
  bilinguismo, 154-57
  culturas nacionais e religiosas, 158-59
  cumprimentos e palavras mágicas, 13, 150-54
  lidar com outras crianças, 232-33
  mensagens morais, 157-58
  na creche, 105, 107, 109
  na *école maternelle*, 147-49
  respeito pelas necessidades dos outros, 54, 64, 82, 152, 179-80, 215
  uso apropriado de palavrões, 160-61
despertar e descoberta:
  brincadeira independente, 63-64, 75--76, 90, 141-42
  como processo de desenvolvimento natural, 86-91, 113, 228
  dentro do *cadre*, 222
  éveillé/e, 15, 90
  por prazer, 91
doces, 201-3
Dolto, Françoise:
  ambições infantis de, 95-96
  Etapas decisivas da infância, As, 141, 220, 229
  influência no jeito francês de criar filhos, 94-95
  respeito pelas crianças, 96, 98, 239
  sobre a autonomia das crianças, 141, 220, 229-30, 239
  sobre a capacidade dos pais de resolver problemas, 98
  sobre as crianças como seres racionais, 94-95, 96-98
doucement, 14, 100
Dusoulier, Clotilde, 74, 218

école maternelle, 14, 147-50, 152
éducation versus castigo, 14, 23, 208, 219

Elle, revista, 141, 144
elogios, 228, 234-38
Emílio, ou Da educação (Rousseau), 88--89, 225
empatia entre mulheres, 30, 119-21
Enfant heureux, Un (Pleux), 80
Enfant Magazine, revista, 123
enfant roi (filho rei), 14, 21, 210, 215
Epstein, Joseph, 178
équilibre, 15, 144
esperar *ver* paciência
estilo de criação de filhos:
 brincadeira narrada e supervisão intensiva, 136-38
 confiança e respeito pelas crianças, 231
 criação competitiva de filhos, 20, 88, 90, 137-39
 cultivo orquestrado, 137-39, 174
 elogio, 233-38
 équilibre, 15, 144
 escolha de filosofia, 22, 32, 38
 maman-taxi, 15, 140
 modelo autoritário, 93
 na creche, 112-14
 oposição a limites, 212-13
 permissividade, *n'importe quoi*, 15, 77-78
 sensibilidade às necessidades da criança, 76, 117
 severidade, 219-20
 superproteção, 19, 229, 233
Etapas decisivas da infância, As (Dolto), 141, 220, 229
éveillé/e, 15, 90

Ferber, Richard, 53
férias sem os pais, 14, 227-28, 230-31
Ferrari, Laurence, 184
filho rei, síndrome do, 14, 21, 210, 215
Filhos – Novas ideias sobre educação (Bronson e Merryman), 237
Fischler, Claude, 199

frustração:
 benefícios da, 63, 80, 83
 lidar com, 71, 72, 81, 200
 ouvir "não", 79-82, 208-9, 225

gâteau au yaourt, 73, 85
gourmand/e, 15, 205
Goutard, Audrey, 151, 153, 232
goûter:
 chocolat chaud, receita de, 206
 chocolate, 202-3
 definição, 15
 gâteau au yaourt, receita de, 85
 guardar doces para, 74-75
 hora oficial de, 67, 74
Grand Journal, Le, programa de televisão, 132-34
Grand Livre de la Famille, Le (Goutard), 153
Granju, Katie Allison, 137
gratificação adiada *ver* paciência
gravidez:
 ansiedade pela, 31-35
 comer durante, 33-34, 39-40, 42
 ganho de peso, 34, 41-42
 perda de peso após, 125-29
 prazer durante, 38-41
 tratamentos de fertilidade, 162-64
Guia para futuras mães, 42
Guia para novas mães, O (Ministério da Saúde francês), 40
Guiliano, Mireille, 42, 128

Homem que comeu de tudo, O (Steingarten), 196-97
hora de dormir *ver* sono
hora dos adultos, 22, 179-80, 185, 211
horários de refeições para crianças pequenas, 61-62, 63, 67
hospitalização para o parto, 46-48, 166-68
Il est permis d'obéir (Marcelli), 221, 223

independência da criança *ver* autonomia
independência dos pais:
  équilibre, 15, 144
  hora dos adultos juntos, 22, 179-80, 185
  relation fusionnelle, 143
  separação e identidade própria, 129-31
  tempo da mãe para si mesma, 109, 129-30, 140-41, 143-44
instituições de cuidado infantil *ver* creche; creche americana

J'élève mon enfant (Pernoud), 193
James, William, 92

Kamerman, Sheila, 108, 117

lanches:
  ao longo do dia, 189-90
  chocolate, 202-3
  goûter, definição, 15
  guardar doces para, 74-75
  hora oficial de, 67, 74
  receita de *chocolat chaud*, 206
  receita de *gâteau au yaourt*, 85
Lareau, Annette, 138, 234
L'enfant et son sommeil (De Leersnyder), 54
Le sommeil, le rêve et l'enfant (Thirion e Challamel), 53, 54, 59, 63
les gros yeux, 15, 208, 218-19
limites:
  para a felicidade da criança, 91, 209
  permissividade, 77-79
  proteger as crianças dos próprios desejos, 82-83, 222
  sufocar a criatividade, 79, 211-12
  ver também cadre

mães em tempo integral, 117, 130, 135--36, 139
Maman!, revista, 53, 59, 63

maman-taxi, 15, 140
mamar *ver* amamentação
Marbeau, Jean-Baptiste-Firmin, 103-5
Marcelli, Daniel, 221-23, 225
Masson, Estelle, 199
maternelle (pré-escola), 14, 147-50, 152
medidas de saúde e comparações, 40, 44, 123-24
Merle, Sandra, 194-96
Merryman, Ashley, 237
Message, grupo de apoio, 42-44, 121
Meu Filho, Meu Tesouro (Spock), 97-98, 178-79
Mischel, Walter, 68-70, 72, 76, 80
Mogel, Wendy, 229
momento dos pais (hora dos adultos), 22, 179-80, 185, 211
Mulheres francesas não engordam, As, (Guiliano), 42, 128

n'importe quoi, 15, 77-78
"não", 79-82, 208-9, 225
nascimento *ver* parto
National Sleep Foundation, 50
Neuf Mois, revista, 38, 39

O que as mulheres francesas sabem (Ollivier), 182
O que esperar dos primeiros anos (Eisenberg, Murkoff e Hathaway), 189
O que esperar quando você está esperando (Murkoff, Eisenberg e Hathaway), 33, 35
observação dos ciclos de sono do bebê, 54, 57, 60, 61
Ollivier, Debra, 158, 182

paciência:
  aprender na creche, 113
  aprender pelo *cadre*, 216
  autodistração, 72, 80
  benefícios da frustração, 63, 80, 83

índice

brincadeira solitária, 75-76
calma e flexibilidade, 70
capacidade da criança de aprender, 82
guardar doces, 74-75
lidar com a frustração, 71, 72, 81, 200
modelo de, 75
ordem *attend*, 13, 70
para a própria diversão da criança, 70-71
prática e construção da capacidade, 72-76
projetos de cozinha, 73
rituais diários da família, 67, 74-75
ver também autocontrole
Pailhas, Géraldine, 130-31
palavrões, 13, 146, 160-61
palmadas, 224
Parents, revista, 99
parto:
  experiências hospitalares, 46-48, 166-68
  peridural, 44, 47
  planos e personalização, 43, 45-46
Pausa, A, 57-60, 62, 64
perfeição como mãe, 131, 142-45
peridural, 44, 47
permissividade, *n'importe quoi*, 15, 77-78
Pernoud, Laurence, 193
peso da gravidez:
  ganho, 34, 41-42
  perda, 125-29
Piaget, Jean, 87-88
Pleux, Didier, 80
PMI (serviço de Proteção a Mães e Crianças), 105, 124, 169
Pradel, Jacques, 94, 98
pré-escola, 14, 107, 147-50, 152
punição, 219

rapporter, 15, 232-33
reeducação do períneo, 176-77

refeições:
  adquirir gosto por novos alimentos, 191-93, 195, 196-98
  apelo visual, 194, 195, 205
  aplicação de regras, 215-16
  cardápios infantis, 188-91
  cozinhar e assar, 73-74, 197-98
  discussões sobre alimentos, 115, 193, 198
  doces, 201-3
  durante a gravidez, 33-34, 39-40, 41-42
  equilíbrio, 198, 204
  etapas da refeição, 75, 114-15, 198-99, 203-4
  experiência de refeição na creche, 114-15, 193-96, 215-16
  fome na hora das refeições, 74, 204
  gourmand/e, 15, 205
  horário adulto, 67-68, 83-84, 204
  horários de alimentação do bebê, 61-62, 63, 67
  jantar em família, 197-99
  lanches, *goûter*, 15, 67-68, 74, 75, 190
regras *ver* limites; *cadre*
relacionamento no casamento:
  aceitação de diferenças, 182-84
  falta de sono e exaustão, 170, 171, 173
  hora dos adultos, 22, 179-80, 185, 211
  impacto do cultivo orquestrado no, 174-76
  mistério feminino, 39, 122
  noites a dois, 174, 180
  período de recolhimento depois do nascimento do bebê, 177-79
  raiva e ressentimento das mulheres, 181-82
  sensualidade e perda do peso da gravidez, 125-26
  sexo, 38-39, 176-77
relation fusionnelle, 143
respeito:

cumplicidade com a criança, 14, 218, 222-24
cumprimentos e palavras mágicas, 13, 150-54
direitos, 113, 215
do adulto pela criança, 96, 99, 113, 223, 229, 239
pelas necessidades dos outros, 54, 64, 82, 152, 179, 215
Rousseau, Jean-Jacques, 88-89, 91-93, 99, 225

sage, 15, 71, 80, 93
serviço de Proteção a Mães e Crianças (PMI), 105, 124, 169
severidade, 219-20
sexo:
  durante a gravidez, 35, 38-39
  gritar com a criança, 208, 219
  reeducação do períneo, 176-77
sono:
  A Pausa, 57-60, 62, 64
  adaptação às necessidades da família, 53-54, 64
  alimentação noturna, 61-62, 63
  aplicação de regras para a hora de dormir, 179, 211, 220-21
  capacidade da criança de aprender, 63-64
  ciclos e ritmos, 54, 57, 59-60
  consequências da insônia na infância, 62
  conversar com a criança sobre, 63, 211
  descobertas científicas sobre, 60-62
  ensinar, 49-50
  falta de sono dos pais, 170, 171, 173
  frustração e autossuficiência da criança, 54-55, 56, 63-65
  normas e expectativas, 49-51, 52-54
  sommeil agité, 59-60
  sommeil paradoxal, 55, 60
  treinamento do sono, chorar até dormir, 51, 62-63, 65
Spock, Benjamin, 97, 178-79
Steingarten, Jeffrey, 196-97
Suizzo, Marie-Anne, 178
supervisão intensa, 136-39

Thompson, Caroline, 82-83
trabalho, volta ao:
  apoio do governo ao, 134-35, 150, 183
  culpa por causa de, 143
  équilibre, 15, 144
  manutenção da carreira, 134-35, 144
  padrão de sono do bebê e, 54
  saúde da mãe e da criança, 143-44
  segurança e status financeiro, 135
Turkle, Sherry, 97

Vaillant, Maryse, 94
Votre Enfant:
  sobre as refeições das crianças e seus horários, 67, 83, 198
  sobre o uso de palavrões pelas crianças, 160-61
  sobre os direitos e prazeres dos pais, 84, 179

Warner, Judith, 19
White, Edmund, 30
Wierink, Marie, 109

1ª EDIÇÃO [2013] 29 reimpressões

ESTA OBRA FOI COMPOSTA PELA ABREU'S SYSTEM EM ADOBE GARAMOND
E IMPRESSA EM OFSETE PELA LIS GRÁFICA SOBRE PAPEL PÓLEN NATURAL DA
SUZANO S.A. PARA A EDITORA SCHWARCZ EM NOVEMBRO DE 2023

A marca FSC® é a garantia de que a madeira utilizada na fabricação do papel deste livro provém de florestas que foram gerenciadas de maneira ambientalmente correta, socialmente justa e economicamente viável, além de outras fontes de origem controlada.